BECKER / BRAUNERT / EIS

Dialog Beruf 1

DEUTSCH ALS FREMDSPRACHE FÜR DIE GRUNDSTUFE

Max Hueber Verlag

Quellenverzeichnis

Titelfoto: Kay-Alexander Müller/Marion Feistner: Dieter Reichler, Arts & Crafts, München
Seite 7: links/rechts (4x): Frank Müller, Fotodesign, Hilzingen; Mitte oben (Masterfile) unten (TCL): Bavaria Bildagentur, Gauting
Seite 15: rechts: (Picture Crew), (Rosenfeld): Bavaria Bildagentur, Gauting
Seite 18: Telekom, Pressestelle, München
Seite 30: Foto und Text: Adam Opel AG
Seite 46: dpa Zentralbild Berlin
Seite 51: links, rechts: Franz Specht, Weßling; 2xMitte: Andrea Mahlknecht, Landshut
Seite 52: Erna Friedrich, Ismaning
Seite 54: Globus Kartendienst, Hamburg
Seite 55/58/62: Fotos und Text: Adam Opel AG
Seite 66: Fotos und Text: Stadt Rüsselsheim, Museum
Seite 70: B: Trinidad Bonachera Álvarez; C: (TPL) IFA-Bilderteam, München
Seite 85: rechts oben: Vobis Microcomputer, Würselen
Seite 96: Mitte: Werner Bönzli, Reichertshausen
Seite 103: rechts oben: Volkshochschule Inzigkofen; unten: Industrie- und Handelskammer Hochrhein-Bodensee
Seite 114/126: oben: Frank Müller, Fotodesign, Hilzingen
Seite 122: Text: BASF Ludwigshafen
Seite 124/125: Fotos und Text: Liebherr-Holding GmbH, Liebherr-International AG
Seite 126 unten: Birgit Tomaszewski, Ismaning
Seite 9, 10, 11 (oben/unten Mitte), 13, 15 (2x links), 16 (oben), 19, 20, 21, 34, 40, 44, 57, 60, 64, 70 (A, D), 83, 85, 86, 87, 88, 110, 113, 120, 123: Jens Funke, München
Seite 7 (Mitte), 8, 9 (B), 11, 12, 16 (unten), 35, 38, 68 (oben), 70 (F), 77, 83 (f): Dieter Reichler, Arts & Crafts, München
Seite 11 (rechts), 15 (Mitte), 68 (unten), 70 (E): Thomas Schwarz, Unterföhring

Wir haben uns bemüht, alle Inhaber von Text- und Bildrechten ausfindig zu machen.
Sollten Rechteinhaber hier nicht aufgeführt sein, so wäre der Verlag für entsprechende Hinweise dankbar.

 Kassette, CD

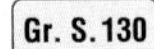

Grammatik im Anhang

Dieses Werk folgt der Rechtschreibreform vom 1. Juli 1996
Ausnahmen bilden Texte, bei denen künstlerische, philologische oder lizenzrechtliche Gründe einer Änderung entgegenstehen.

3. 2. 1. | Die letzten Ziffern bezeichnen
2001 2000 99 98 97 | Zahl und Jahr des Druckes.
Alle Drucke dieser Auflage können, da unverändert,
nebeneinander benutzt werden.
1. Auflage

Verlagsredaktion: Dörte Weers, Weßling
Zeichnungen: Monika Kasel, Düsseldorf
DTP und Bildverarbeitung: Langbein Wullenkord, München
Druck und Bindung: Appl, Wemding
Printed in Germany
ISBN 3-19-001590-2

Vorwort

Mit Dialog Beruf 1 können Sie arbeiten, wenn Sie ca. 150 Stunden Deutschunterricht absolviert haben. Dieser Band führt Sie in den grundlegenden Wortschatz und in wichtige Sprachhandlungen am Arbeitsplatz ein. Zugleich dient er – zusammen mit den folgenden Bänden – der Vorbereitung auf verschiedene Prüfungen:

Grundstufe 1		
Grundstufe 2	Dialog Beruf 1	
Grundstufe 3	Dialog Beruf 2	Zertifikat Deutsch als Fremdsprache (ZDaF)
Mittelstufe	Dialog Beruf 3	Zertifikat Deutsch für den Beruf (ZDfB)
	Dialog Wirtschaft	Prüfung Wirtschaftsdeutsch (PWD)

Außerdem bietet Dialog Beruf:

Praxisnähe. Dialog Beruf wurde aus der Unterrichtspraxis an den Carl Duisberg Centren (CDC) und an den deutschen Volkshochschulen entwickelt. Dem Lehrwerk liegt eine groß angelegte Analyse des Sprachbedarfs in deutschen Unternehmen zugrunde.

Transparenz. Alle Lektionen haben eine leicht erkennbare Struktur: Sie beginnen mit einer illustrierten Einstiegsseite und enden mit einer Materialseite. Der Hauptteil ist in fünf Blöcke (jeweils auf einer Doppelseite) gegliedert. Jeder Block kann in einer abgeschlossenen Unterrichtseinheit von ca. 90 Minuten erarbeitet werden. Im Anhang von Dialog Beruf 1 finden Sie eine Übersicht über den Grammatikstoff und das Wörterverzeichnis.

Lernerorientierung. Sie sind nicht Zuschauer, sondern handeln selbst. Der Klassenraum wird, wo immer möglich, zum fiktiven Arbeitsplatz. Wie in der betrieblichen Wirklichkeit erarbeiten Sie auch hier im Team sprachliche und sachliche Problemlösungen.

Vollständigkeit. Das Kursbuch wird vom Arbeitsbuch begleitet. Dieses ist eng mit den Lektionen, Blöcken und Übungen des Kursbuchs verzahnt und eignet sich besonders gut für die selbstständige Arbeit.
Der Tonteil auf Kassetten oder CDs enthält vielfältige Hörtexte und Sprechübungen. Auch diese können im Training vor und nach dem Unterricht eingesetzt werden.

Bei der Verwirklichung dieser Ziele haben uns viele Firmen und Institutionen geholfen. Verlag und Autoren danken den Carl Duisberg Centren gGmbH, Köln, für die Erlaubnis, ihr Know-how einzubringen. Für Rat, Dokumente und Abdruckgenehmigungen danken wir auch den Firmen Adam Opel, AEG, BASF, Deutsche Telekom, Liebherr, Saalfrank, Seminarpool, Siemens und dem Museum Rüsselsheim sowie der Industrie- und Handelskammer Hochrhein-Bodensee.

Wir wünschen Ihnen viel Erfolg und Freude bei der Arbeit mit Dialog Beruf.

Dr. Norbert Becker, Dr. Jörg Braunert, K. Heinz Eisfeld

Inhalt

Seite

VORWORT 3

LEKTION 1 **Sich vorstellen, Kollegen kennen lernen, Beruf, Stelle** 7

1 1 Angaben zur Person: Name, Herkunft, Beruf, Ausbildung 8
1 2 Aussehen, Herkunft, Arbeits- und Wohnort, Zuständigkeit; Vorstellung 10
1 3 Begrüßung, erste Kontakte; freie Stellen, Berufe, Tätigkeiten 12
1 4 Aussehen, Kleidung, Tätigkeit 14
1 5 Begrüßung, erste Kontakte 16
1 6 Journalseite 18

Grammatik: *sowohl ... als auch, entweder ... oder, weder ... noch* ▪ Adjektivdeklination ▪ vorangestellter Infinitivsatz (Subjekt) ▪ Fragewörter

LEKTION 2 **Arbeiten in Deutschland: Deutschlernen, Bewerbung, Vorstellung** 19

2 1 Wo, wann, wie gut haben Sie Deutsch gelernt? 20
2 2 Erforderliche Unterlagen für die Arbeit und die Bewerbung 22
2 3 Stellenanzeige und Bewerbung 24
2 4 Vorstellungsgespräch 26
2 5 Lebenslauf 28
2 6 Journalseite 30

Grammatik: Nebensätze mit *weil* ▪ Aufzählung: *erstens, zweitens, ...* ▪ Präteritum der Modalverben und von *wissen* ▪ Nebensätze mit *weil* und *obwohl* ▪ Nebensätze mit *wenn* und *falls* ▪ Ordnungszahlen, Datum

LEKTION 3 **Büroalltag: Verständigung, Zusammenarbeit, Zwischenfälle** 31

3 1 Büroausstattung, Schreibtisch 32
3 2 Gefühl, Stimmung, Laune 34
3 3 *sich ärgern, sich wundern, sich beschweren, ...* 36
3 4 *Was wäre besser, möglich, gut, ...? Was würden Sie tun?* 38
3 5 Lieferung mit kleinen Zwischenfällen 40
3 6 Journalseite 42

Grammatik: Präpositionen: *wo – wohin* ▪ Reflexive Verben ▪ Fragewörter: *worüber, worauf, wozu, wofür* ▪ Reflexive Verben: *sich verrechnen, sich versprechen, sich ver...* ▪ Konjunktiv II ▪ Nebensatz mit *wenn: Es wäre mir lieber, wenn ...*

LEKTION 4 **Termine und Tätigkeiten planen, abstimmen und vereinbaren** 43

4 1 Immobilienangebote: Geschäftsräume 44
4 2 Terminvereinbarung 46
4 3 Terminplanung 48
4 4 Terminschwierigkeiten 50
4 5 Planung der neuen Geschäftsräume 52
4 6 Journalseite 54

Grammatik: Komparativ ▪ Superlativ ▪ Passiv

Seite

LEKTION 5 **Aus dem Leben von Unternehmen und Mitarbeitern** 55

5 | 1 Beförderung, Versetzung, Ruhestand, Fortbildung, Jubiläum, Prämie; Gerüchte 56
5 | 2 Unternehmensgeschichte 58
5 | 3 Dienstjubiläum; Lebensdaten: Ausbildung und Beruf 60
5 | 4 Firmenstandort: Gesichtspunkte des Unternehmens/des Mitarbeiters 62
5 | 5 Versetzung: Motive, Veränderungen, früher – heute 64
5 | 6 Journalseite 66

Grammatik: *sollen* + Infinitiv | Präsens/Perfekt (Aktiv und Passiv) | Präteritum | Zeitangaben: Zeitpunkt, Zeitdauer | Nebensatz mit *als* | Relativsatz | Komparation | Konjunktiv II

LEKTION 6 **Neu im Betrieb** 67

6 | 1 Benachrichtigungs-, Antwortschreiben; Einstellungsformalitäten 68
6 | 2 Vorstellung: Abteilung, Funktion, Aufgaben 70
6 | 3 Einführung in den Betrieb 72
6 | 4 Arbeitsordnung: Rechte, Pflichten 74
6 | 5 Dienstbesprechung, Ablaufplan 76
6 | 6 Journalseite 78

Grammatik: Die Form des Geschäftsbriefs | Infinitivsatz mit *zu* | Bruchzahlen: *Hälfte, Drittel, ...* | Unpersönliches *es* | *nicht brauchen zu*

LEKTION 7 **Mit Geräten arbeiten** 79

7 | 1 Berufe, Tätigkeiten, Geräte 80
7 | 2 Geräte in Büro, Werkstatt, Haushalt: Verwendungszweck 82
7 | 3 Ein Computersystem und seine Bestandteile 84
7 | 4 Kopiervorgang am Fotokopierer 86
7 | 5 Fehler, Defekte, Zwischenfälle 88
7 | 6 Journalseite 90

Grammatik: Infinitivsatz mit/ohne *zu* | *zum/zur* + Nomen | *um zu* + Infinitiv | *nicht brauchen zu* | Adverbien für die Ablaufbeschreibung: *zuerst, dann, danach, ...* | *um zu* + Infinitiv | Nebensätze mit *damit* und *indem*

LEKTION 8 **Bürokommunikation** 91

8 | 1 Von der Anfrage zum Auftrag 92
8 | 2 Rückfrage, Reklamation, Stellungnahme 94
8 | 3 Hotelangebote: prüfen, auswählen, die Auswahl begründen 96
8 | 4 Gesprächseröffnung am Telefon 98
8 | 5 Rückfrage und Auftragsbestätigung 100
8 | 6 Journalseite 102

Grammatik: „schwache“ Nomen | Passiv mit Modalverben | Präpositionen: *wo – wohin* | Nebensätze mit *weil* und *obwohl* | Präpositionen *wegen* und *trotz* | Präposition *bezüglich* + Genitiv

Seite

LEKTION 9 **Berufliche Fortbildung: Kurse und Seminare** 103

9 | 1 Eine Fortbildungsmaßnahme auswählen 104
9 | 2 Seminarvorbereitung, Seminarorganisation 106
9 | 3 Seminarprogramm: Ablauf und Einzelteile 108
9 | 4 Pannen und Zwischenfälle 110
9 | 5 Korrespondenz, Textbausteine 112
9 | 6 Journalseite 114

Grammatik: Nebensatz mit *bevor* · *es geht um* · indirekter Fragesatz · *würde* + Infinitiv · Nebensatz mit *wenn* und *weil* · *sonst* · Form des Geschäftsbriefs

LEKTION 10 **Informationen über Unternehmen und Produkt** 115

10 | 1 Unternehmensnachrichten: Themen, Stil 116
10 | 2 Unternehmensnachrichten, Kollegengespräche 118
10 | 3 Geschäftseröffnung 120
10 | 4 Interview „Joint Venture" 122
10 | 5 Firmenporträt: Liebherr AG 124
10 | 6 Journalseite 126

Grammatik: Nebensatz und Nominalphrase · Wortfrage · Nebensätze mit *weil* und *obwohl* · *sowohl ... als auch*

ANHANG Grammatikübersicht 127

Glossar 145

LEKTION 1

Moskau
London
Berlin
Paris
New York
Washington
Madrid
Rom
Beijing
Tokio
Shanghai
Kairo
Mexiko City
Kalkutta
Bombay
Nairobi
Rio de Janeiro
Kapstadt
Buenos Aires
Sydney

1. Kennen lernen

Suchen Sie jemand!

Wer wohnt nicht an seinem Geburtsort?
Wer hat ein Ä, ein Ö, ein Ü oder ein Ypsilon in seinem Namen?
Wer kann auf Deutsch bis 1000 zählen?
Wer möchte lieber einen neuen / einen anderen Beruf?
Wer spricht fließend Spanisch oder Portugiesisch?
Wer kann weder Spanisch noch Portugiesisch?
Wer hat ein Mobiltelefon? Welche Rufnummer?
Wer kann das ABC (Alphabet) rückwärts aufsagen, wenigstens die ersten sieben Buchstaben?
Wer kann seine Nationalhymne singen, wenigstens eine Strophe?

a) Fragen Sie verschiedene Personen aus Ihrer Gruppe.
So können Sie fragen:

Können Sie entweder Spanisch oder Portugiesisch? Wo wohnen Sie zur Zeit? Können Sie sowohl Spanisch als auch Portugiesisch? Haben Sie ein Mobiltelefon? Wenn ja, welche Rufnummer? Gibt es in Ihrem Namen ein Ä, ein Ö, ein Ü oder ein Ypsilon? Können Sie das ABC rückwärts aufsagen? Wo sind Sie geboren? Können Sie auf Deutsch bis 1000 zählen? Haben Sie einen Traumberuf? Können Sie Ihre Nationalhymne singen, wenigstens eine Strophe?

b) Tragen Sie die Ergebnisse vor. Diese Wörter und Wendungen können Sie verwenden:

Herr ... Frau	wohnt zur Zeit in ..., geboren ist ... aber in ...

Die Dame da Der Herr da	heißt ...	Sie Er	hat also	ein Ypsilon den Umlaut ...	in ihrem in seinem	Namen.

Herr ... Frau	spricht fließend ... kann auf Deutsch bis 1000 zählen. möchte von Beruf lieber ... sein. hat ein Mobiltelefon. Die Rufnummer lautet ... kann das ABC rückwärts aufsagen. kann die Nationalhymne von ... singen.

2. Darf ich vorstellen?

Hören Sie das Gespräch und ergänzen Sie die Tabelle.

Familienname	*Zörgiebel*	*Kotthoff-Bergner*			
Geburtsort	*?*				
Beruf/Position/Stelle		*Leiterin kaufm. Bereich, Prokura*			
Ausbildung/Studium			*Ingenieurwissenschaften*		
Fremdsprachen	*romanische Sprachen*				
Hobbys	*Ausruhen*				*Sprachen, Dialekte*
Telefon		*0221/1627-220*			

3. Unsere Gruppe

Fragen Sie Personen im Kurs nach ihren persönlichen Daten und stellen Sie die Personen vor.

Darf ich vorstellen?
Das ist Frau Amanda Miller aus Cambridge.

Sie ist Designerin bei Gadgethome.

Sie spricht fließend Französisch
und natürlich Englisch.
Sie spricht aber kein Arabisch.

Geboren ist sie in Colchester.
In der Freizeit lernt sie am liebsten Deutsch.

Sie ist dienstlich erreichbar unter der Nummer 3077, Durchwahl 63, Vorwahl 07732.

Sachbearbeiterin
Kaufmann
Prokuristin
Arzt
Schulleiterin
Sachbearbeiter

Grafikerin
Sekretärin
Chemielaborantin
Entwicklungsingenieurin
Betriebswirt
...

fließend
gut
etwas
kein

Deutschland:
Deutscher, Deutsche
Österreich:
Österreicher, Österreicherin
Großbritannien:
Brite, Britin
Frankreich:
Franzose, Französin
China:
Chinese, Chinesin
...

Land:	**Sprache, Nationalität**
England:	Englisch, britisch
Spanien:	Spanisch/Katalanisch, spanisch
Polen:	Polnisch, polnisch
Russland:	Russisch, russisch
Portugal:	Portugiesisch, portugiesisch
Italien:	Italienisch, italienisch
Bolivien:	Spanisch, bolivianisch
USA:	Englisch, amerikanisch
Tunesien:	Arabisch/Französisch, tunesisch
Schweden:	Schwedisch, schwedisch
Thailand:	Thai, thailändisch
Slowenien:	Slowenisch, slowenisch
Tansania:	Kisuaheli/Englisch, tansanisch
Pakistan:	Urdu/Englisch, pakistanisch
...	Esperanto

4. Stefanie Öllinger aus Salzburg im Fortbildungsseminar

Stellen Sie sich vor. Vielleicht so:

Darf ich mich vorstellen?
Meine Name ist Stefanie Öllinger.
Ich komme aus Salzburg in Österreich. Geboren bin ich aber in Pfarrkirchen. Ich bin Deutsche.
Außer meiner Muttersprache kann ich noch Englisch.
Von Beruf bin ich Sachbearbeiterin bei der Firma PERMACOR.
Telefonisch erreichen Sie mich unter 1627-181, Vorwahl 0221.

5. Der mit den langen Haaren

♂ Haare:

♀ Augen:

♀ Lippen: schmal

♂ Nase:

♀ Gesicht:

♂ Brille:

♂ Hals:

♀ Sommersprossen:

schön · schmal · groß · lang · dick · rund · modern · blau · bunt · hässlich · breit · klein · kurz · dünn · oval · altmodisch · braun · eckig

a) Haben Sie die passenden Adjektive für die Bilder gefunden?
b) Sie brauchen eine Aushilfskraft. Wen nehmen Sie? Wer gefällt Ihnen am besten?

mit	dem	runden Gesicht
	der	eckigen Brille
	den	schönen Sommersprossen

▷ *Mir gefällt der/die mit ... Und Ihnen/dir?*
▶ *Mir gefällt der/die mit ... Und Ihnen/dir?*
▷ *Mir gefällt ...*
▶ *Mir ...*

Gr. S. 130

c) „Lange Haare, schmale Lippen, Sommersprossen ..." Sind das wichtige Gesichtspunkte?

6. Hören Sie und schreiben Sie das ganze Gespräch.

... Nicht nur das. Er kann auch Niederländisch und sogar Esperanto. Aber komm doch einfach mit. Dann mache ich euch bekannt. Herr Dr. Keel! Entschuldigen Sie ...

(er)	unser neuer Kollege
(sie)	unsere neue Kollegin

Gr. S. 130

Schreiben oder spielen Sie ähnliche Gespräche.

▷ *Wer ist denn das? Der mit den kurzen blonden Haaren?*
▶ *Der? Das ist Mario Silva aus Coimbra.*
▷ *Woher kommt er?*
▶ *Aus Coimbra. Das liegt im Norden von Portugal.*

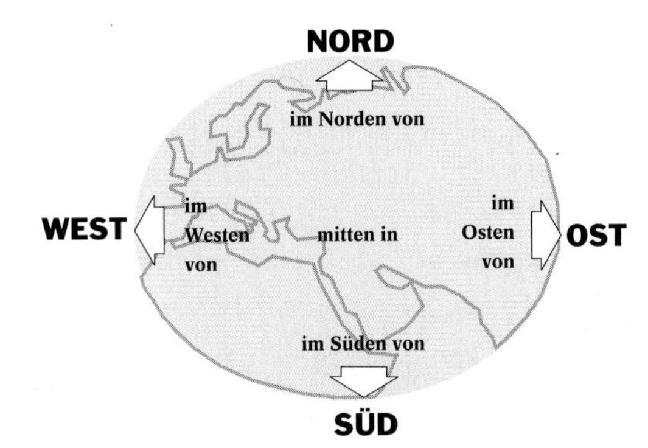

7. Unsere Neuen

a) Frau Kotthoff stellt Herrn Zörgiebel die neue Mitarbeiterin, Frau Bolz, vor. Hören Sie das Gespräch und setzen Sie die passenden Wörter und Wendungen in den Dialog unten ein.

Frau Bolz ■ die Arbeit hier ■ Abteilung Marketing ■ Danke schön. ■ Herr Zörgiebel ■ Vertrieb ■ viel Spaß und viel Erfolg ■ eine interessante Aufgabe ■ unsere Messeaktivitäten ■ Freut mich.

▷ *Darf ich vorstellen? Herr Zörgiebel, das ist Frau Bolz.*

▶ *…*

▷ *…, das ist … Er leitet den …*

▶ *Guten Tag, Herr Zörgiebel.*

▷ *Frau Bolz arbeitet in der … Sie ist zuständig für …*

▶ *Ah, das ist bestimmt …*

▶ *Ja, das glaube ich auch.*

▶ *Da wünsche ich Ihnen …*

▶ *… Ich freue mich schon auf …*

b) Machen Sie ähnliche Rollenspiele. Hier ein paar neue Mitarbeiter und Mitarbeiterinnen, die Sie vorstellen können:

Krämer, Christa
Sachbearbeiterin
Kundendienst
Reklamationen und Beschwerden

Name
Position
Abteilung
zuständig für

Kriebel, Doris
Assistentin
Versuchslabor
Tests und Service

Bolz, Eva
Assistentin
Marketing
Messeaktivitäten

Berger, Traugott
Aushilfskraft
Qualitätssicherung
Tests und Prüfungen

Kalkowski, Sven
Leiter
Kundendienst
Reparatur

c) Und Sie? Ihr Name? Ihre Position? Ihre Abteilung? Ihre Zuständigkeit?

8. Sprechübung

○ *Und das ist Frau Bolz, bei uns hier zuständig für Messeaktivitäten.*
● *Ah, Sie sind für Messeaktivitäten zuständig.*

9. Herzlich willkommen bei CPT! Wie war die Reise?

Hören Sie die Gespräche und spielen Sie ähnliche Dialoge.

a) Begrüßung

▷ *Herzlich willkommen* | *in ...* / *bei ...* / *bei uns.*

Wie war | *die Reise?* / *die Fahrt?* / *der Flug?* / *das Wetter?*

▶ *Danke. ...*

▷ *Nehmen Sie doch Platz!*

in | Europa/Deutschland/Bayern ...
Köln/Dresden/Berlin/Ismaning ...

bei | CPT/BBE/CDG ...
Permacor/Siemens/Karstadt ...

knapp eine Stunde
55 Minuten

gut eine Stunde
70 Minuten

b) Reise

▷ *Wie lange waren Sie denn unterwegs?*

▶ *...*

▷ *Wann sind Sie* | *abgefahren?* / *abgeflogen?* / *angekommen?*

▶ *Abge...* / *Ange...* | *bin ich um ...*

20 Uhr 30
halb 9

23 Uhr 45
Viertel vor 12

c) Unterkunft

▷ *Sind Sie gut untergebracht?*
Wie ist | *das Hotel?* / *das Zimmer?* / *der Service?*

▶ *...*

▷ *Wie gehen die Geschäfte?*

▶ *...*

▷ *Ah, da kommt ja schon ...*

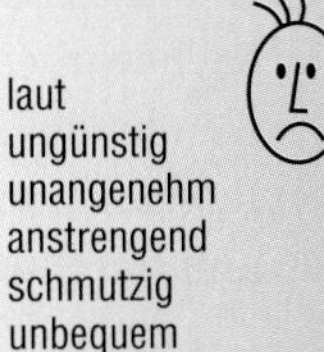

🙂	☹
ruhig	laut
günstig	ungünstig
komfortabel	unangenehm
angenehm	anstrengend
sauber	schmutzig
bequem	unbequem
freundlich	unfreundlich
kundenfreundlich	nicht kundenfreundlich
gut	schlecht
bestens	
kundenorientiert	

ganz in der Nähe
weit von hier

es geht
na ja, es geht
nicht gut, nicht schlecht

10. CPT sucht Leute. Wäre das nichts für Sie?

a) Hören Sie die Dialoge und spielen Sie sie.

▷ *Schau mal, bei CPT sind Stellen frei!*

▶ *Was für Stellen denn?*

▷ *Die suchen zum Beispiel eine neue Telefonistin. Wäre das nichts für dich?*

▶ *Ja, das klingt interessant. Soll ich mal anrufen?*

▷ *Warum nicht? Mehr als nein sagen können sie ja nicht.*

▶ *Nein, den ganzen Tag nur telefonieren, das ist nichts für mich. Ich möchte lieber im Freien arbeiten.*

▷ *Kein Problem, die suchen ja auch ...*

b) Spielen Sie ähnliche Dialoge.

Dozent Vorträge/Reden halten

Aushilfssekretärin Korrespondenz erledigen

Elektriker elektrische Geräte reparieren

Pförtner den Eingang überwachen

Ausfahrer Waren liefern

Verkäufer Kunden beraten

Personalfachkraft Akten bearbeiten

Betriebskindergärtnerin Kinder betreuen

Finanzbuchhalterin am Computer arbeiten

Gärtner im Freien arbeiten

c) **Sprechübung**

○ *Eine Stelle als Telefonistin. Telefonieren, wäre das nichts für dich?*
● *Den ganzen Tag telefonieren? Nein, das ist nichts für mich.*

11. Und was für eine Stelle suchen Sie?

Sprechen Sie mit anderen aus Ihrer Gruppe.

Ich arbeite gern in einem Büro und habe gern mit Menschen zu tun. Vielleicht finde ich eine Stelle als Empfangssekretärin.

Wo?	Mit wem?	Womit?
im Freien	mit Kindern	mit Computern
in einer Werkstatt	mit Patienten	mit Maschinen
in einem Büro	mit Gästen	mit Waren
in einer Schule	mit Leuten	mit Laborgeräten
in einem Krankenhaus	mit Kunden	mit Lehrbüchern
in einem Altenheim	mit Tieren	mit natürlichen Materialien
in einem Hotel	mit Pflanzen	mit ...
in ...	mit ...	

der	kleine	den	kleinen
das	kleine	das	kleine
die	kleine	die	kleine
die	kleinen	die	kleinen

Gr. S. 130

der das die	große kleine junge ältere dicke dünne schlanke hübsche schöne attraktive bescheidene sportliche fleißige	Mann Mädchen Frau Person

12. Was machen die Leute?

Spielen Sie ähnliche Dialoge.

▷ *Was macht denn der da?*

▶ *Wer denn?*
▷ *Na, der kleine Mann mit der runden Brille.*
▶ *Ach der. Ich glaube, der gibt gerade einen Text ein.*

▶ *Wen meinst du?*
▷ *Na, den kleinen Mann mit der runden Brille.*
▶ *Ach den. Ich glaube, der …*

telefonieren	zum Fenster hinausschauen
Zeitung lesen	einen Ordner zurückstellen
Kaffee kochen	eine Besprechung machen
jemand anrufen	in der Raucherecke stehen
ein Fax absenden	einen Rundgang machen
jemand vorstellen	einen Termin eintragen
etwas ausdrucken	einen Brief abschicken
Kopien anfertigen	einen Text eingeben
…	

Der Die	mit	dem der den	auffälligen ungewöhnlichen netten sympathischen schicken runden eckigen bunten hohen blonden guten	Kleid. Brille. Jeans. Schuhen. Rock. Lächeln. Aussehen. Ohrringen. Referenzen. Haaren. Augen.

13. Sprechübung

○ *Wer? Der kleine Mann? Der mit der runden Brille?*
● *Ja, den kleinen Mann mit der runden Brille, den meine ich.*

Gr. S. 130

14. Sprechübung

○ *Und wer kann den Termin eintragen?*
● *Den trage ich ein.*

Gr. S. 130

15. Die richtige Kleidung am richtigen Ort

auf Konferenzen

unauffällige Eleganz
eleganter Anzug
gedeckte Krawatte
dunkles Kostüm
braune oder schwarze Schuhe

auf Geschäftsreisen

sportliche, bequeme Kleidung
sportlicher Anzug
bequemer Rock
bequeme Schuhe

im Versand

Freizeitkleidung
praktische Jeans
buntes Hemd
bequemer Pullover

in der Montage

Arbeitsanzug
blauer Overall
graue Unterwäsche
Schutzhelm

im Reinraum

spezielle Schutzkleidung
Hauben und Mäntel
weiße Gummischuhe
hygienischer Mundschutz

Diskutieren Sie.

▷ *Also auf Geschäftsreisen, da trägt man sportliche Eleganz: eine bequeme Hose und ein weißes Hemd.*

▷ *Da bin ich anderer Meinung. Auch auf Geschäftsreisen trage ich lieber einen dunklen Anzug und schwarze Schuhe.*

16. Sprechübungen

a) ○ *Geht das: ein sportlicher Anzug auf Geschäftsreisen?*
● *Natürlich, da trage ich einen sportlichen Anzug.*

b) ○ *Passt das: ein buntes Hemd auf Konferenzen?*
● *Nein, auf Konferenzen trägt man keine bunten Hemden.*

Gr. S. 130

17. Die ersten fünf Minuten

a) Üben Sie das Gespräch zu zweit oder zu dritt.

▷ *Guten Tag, | Herr …*
Grüß Gott, | Frau …

Mein Name ist …
Ich heiße …
Ich bin hier für … zuständig.

▶ *Guten Tag, …*
Grüß Gott, …
Freut mich.

▷ *Wie geht es Ihnen?*
▶ …
▷ *Wie gehen die Geschäfte?*
▶ …

▷ *Wie gefällt Ihnen Köln?*
▶ …
▷ *Sind Sie zum ersten Mal in …?*
▶ …

▷ *Wie lange bleiben Sie hier?*
▶ *… Tage, von … bis …*
Am … muss ich wieder …
▷ *Übrigens, was haben Sie heute Abend vor?*
▶ *Was kann man denn hier machen?*
▷ *Da gibt es viele Möglichkeiten, zum Beispiel …*

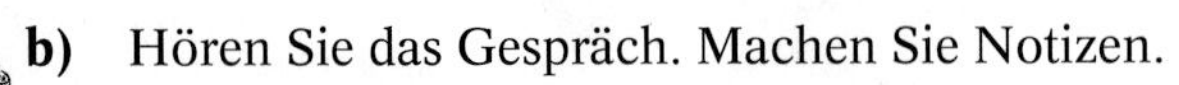

b) Hören Sie das Gespräch. Machen Sie Notizen.

	1. Was erfahren wir über den Gast?	2. Mit welchen Worten sagt der Gast das?
Name:		
Wie die Geschäfte gehen:		
Wie sie die Stadt findet:		
Wie lange sie in der Stadt bleibt:		
Ihr Abendprogramm:		

c) Frau Riedlinger stellt genau vier Fragen. Können Sie sie wörtlich wiederholen?

18. Einige Tipps für den Abend

Wo findet das statt? Was man hier machen kann:

ein Basketballspiel sehen → Sporthalle
eine Oper von Mozart sehen → Nationaltheater
sehr gut chinesisch essen → Restaurant Jasmin
die Matthäuspassion hören → Pfarrkirche
ein modernes Theaterstück besuchen → Stadttheater
ein Jazzkonzert hören → Musikbar
Squash spielen → Sportstudio „Bleib fit!“
das Musical „Hair“ sehen → Megapalast
einen guten Film sehen → Filmcenter

Sprechübung

○ *Wo kann man hier ein Basketballspiel sehen?*
● *Da gehen Sie am besten in die Sporthalle.*

19. Wie kann man fragen?

a) Suchen Sie passende Fragewörter. Wer findet als erster 13 Pärchen?

„wo" und „bei BBE" passen zusammen, sind also ein Pärchen.

Mit „wo" fragt man zum Beispiel nach „im Bett".

Nach „im Bett" fragt man mit „wo".

den kleinen Mann	den ganzen Tag	Spanisch oder Portugiesisch
auf Konferenzen	auf Deutsch	in Köln
Herrn Zörgiebel	bei uns	um 20 Uhr 30
bis morgen	einen anderen Beruf	zum Fenster
zu zweit	nach Hause	aus den USA
den Fragebogen	jemand	mit den Sommersprossen
vorwärts	Spanisch und Latein	in der Gruppe
gestern Abend	zu Bett	anderthalb Stunden
zum Arzt	die Abteilung F&E[1]	unter der Nummer 8807
den Zug	Tennis und Golf	unser neuer Kollege
Kopien anfertigen	mir	als Sachbearbeiterin
so	ins Bett	um Viertel vor 12
bei BBE	zweimal	aus persönlichen Gründen
gestern Vormittag	Herr Zörgiebel	im Bett
erst jetzt	mit den Kollegen	unseren neuen Kollegen
mit dem Zug	Tennis und Squash	auf Geschäftsreisen
1000 Stück	Deutsch für den Beruf	70 Minuten
vier Stunden	anstrengend	das Alphabet
angenehm	seit letzter Woche	im Norden von München
deshalb	13 Pärchen	Bert und Benjamin
Herrn Dr. Keel	als Hausmann	in Zweigwerk 3
fließend	ab sofort	…
den Termin	Frau Öllinger	
die ganze Nacht	einen Text eingeben	

wie	wer
wem	wen
wann	weshalb
warum	wohin
bis wann	woher
was	wo
wie viel	wie lange
mit wem	als was
wie oft	ab wann
seit wann	
womit	

1) Die Abkürzung „F&E" bedeutet „Forschung und Entwicklung".

b) Welche Fragewörter haben Sie noch nie gehört, aber jetzt trotzdem richtig benutzt?

20. Sprechübung

○ *Mario spricht fließend Spanisch.*
● *Wer spricht fließend Spanisch?*

21. Das Spiel „Fragekette"

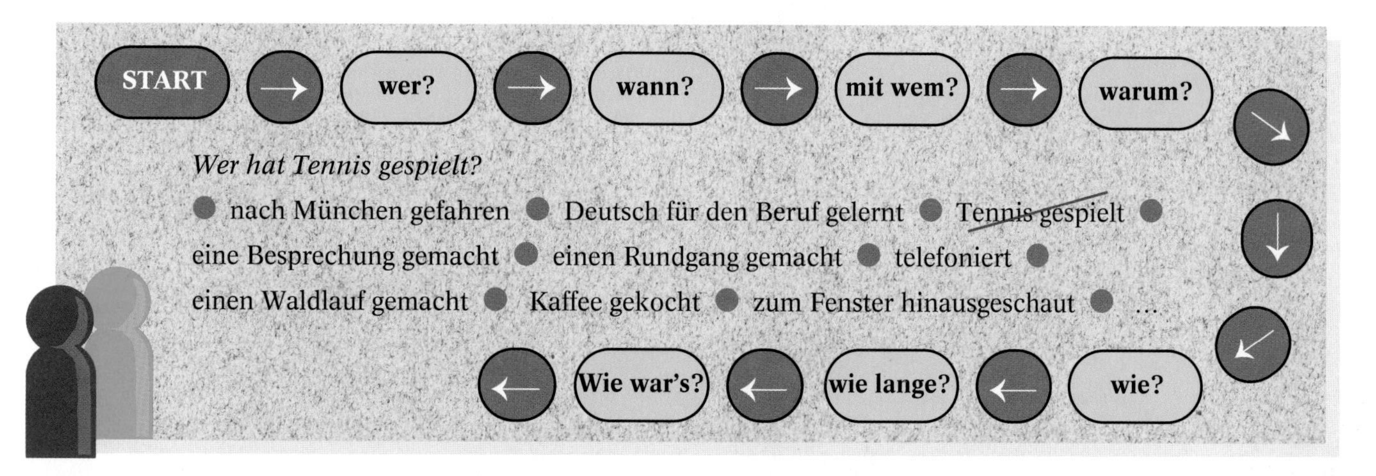

Das ABC ist äußerst wichtig,
im Telefonbuch steht es richtig.

Joachim Ringelnatz

Akustische Signale beim Telefonieren (siehe grafische Darstellung auf Seite 8 „Signaltöne")

Der Wählton ist ein ununterbrochenes Signal. Es ertönt, wenn Sie den Hörer abheben und bedeutet: Sie können die Telefonnummer wählen.

Im Inland telefonieren
Sie können alle Telefonverbindungen im Inland selbst wählen. Das gilt für alle privaten und öffentlichen Telefone. Beachten Sie die verschiedenen Vorwahlnummern im Vorwahlverzeichnis. Wählen Sie 0 11 88 für Auskünfte über Telefonnummern in Deutschland.

Ins Ausland telefonieren
Sie können die meisten Telefonverbindungen ins Ausland selbst wählen. Das gilt für alle privaten und öffentlichen Telefone. Gehen Sie dabei wie folgt vor:
1. Wählen Sie 00 fürs Ausland und die Landeskennzahl;
2. wählen Sie nun die Vorwahlnummer ohne die erste 0 oder 9;
3. wählen Sie jetzt die Telefonnummer.

uchstabiertafel

land
= Anton
= Ärger
= Berta
= Cäsar
Ch = Charlotte
= Dora
= Emil
= Friedrich
G = Gustav
H = Heinrich
= Ida
J = Julius
K = Kaufmann
L = Ludwig
M = Martha
N = Nordpol
O = Otto
Ö = Ökonom
P = Paula
Q = Quelle
R = Richard
S = Samuel
Sch = Schule
T = Theodor
U = Ulrich
Ü = Übermut
V = Viktor
W = Wilhelm
X = Xanthippe
Y = Ypsilon
Z = Zacharias

„Öllinger"
buchstabiert man:
Ö wie Ökonom,
zweimal L wie Ludwig,
I wie Ida,
N wie Nordpol,
G wie Gustav,
E wie Emil
und R wie Richard
oder:
ÖKONOM, LUDWIG, LUDWIG, IDA, NORDPOL, GUSTAV, EMIL, RICHARD.

Buchstabiertafel

Ausland
A = Amsterdam
B = Baltimore
C = Casablanca
D = Dänemark
E = Edison
F = Florida
G = Galipoli
H = Havanna
I = Italia
J = Jerusalem
K = Kilogramm
L = Liverpool
M = Madagaskar
N = New York
O = Oslo
P = Paris
Q = Quebec
R = Roma
S = Santiago
T = Tripoli
U = Upsala
V = Valencia
W = Washington
X = Xanthippe
Y = Yokohama
Z = Zürich

Guten Tag ...
Hier spricht der
automatische Anrufbeantworter.
Wer??
... Ein Tonband!!

So lange können Sie für 12 Pfennig telefonieren:

Gültig für Telefon- und ISDN-Anschlüsse

Tarife Inland

	Region 50		Region 200		Fern	
	Zeittakt (Sekunden)		Zeittakt (Sekunden)		Zeittakt (Sekunden)	
	bis 30.6.	ab 1.7.	bis 30.6.	ab 1.7.	bis 30.6.	ab 1.7.
Vormittagstarif	26	26	12	13	11,5	12
Nachmittagstarif	30	30	13,5	14	12,5	13,5
Freizeittarif	45	45	21,5	22,5	20	21,5
Mondscheintarif	60	60	30	36	25	30
Nachttarif	120	120	120	120	120	120

Tarife Ausland

	Vis-à-vis 1	
	Zeittakt (Sekunden)	
	bis 30.6.	ab 1.7.
Vormittagstarif	30	26
Nachmittagstarif	30	30
Freizeittarif	30	45
Mondscheintarif	30	60
Nachttarif	30	60

Euro 1 / Euro City / Welt 1	Zeittakt (Sekunden) bis 30.6.	ab 1.7.
Euro 1 **Standardtarif**	7,2	7,5
Euro City **Standardtarif**	–	8,6
nach Amsterdam, Brüssel, London, Luxemburg, Mailand, Paris, Wien, Zürich.		
Welt 1 **Standardtarif**	5,0	5,0

Im Feiertagstarif für Euro City, Euro 1 und Welt 1 können Sie vom 24.12. bis 01.01. ganztägig in den Bereichen Euro City und Euro 1 für 9 Sekunden sowie im Bereich Welt 1 nun 5,46 Sekunden telefonieren.

LEKTION 2

Angebot

Stelle

Erfolg... brauchen Sie. Wir warten auf Si...

Reiseleiter

für Expeditions Touren in Nordafrika (Tunesien, Marok... Ägypten, Mali)

Sie haben Organisationstalent. Sie können aus hochmotivierten Individualisten ein Team formen. Sie übernehmen Verantwortun... Initiative. Sie sind ein sportlicher Typ, 28 bis 40 Jahre alt. Sie spr... Englisch und Französisch, vielleicht sogar Arabisch. Sie sind kei... Automechaniker, verstehen aber etwas von Autos. Und außerder... Fotokameras, Tieren, erster Hilfe, Kochen. Sie sind Spezialist für...

Wollen Sie uns? Wirklich?

Auf Tour hat der Arbeitstag oft genug 18 Stunden. Denn ihr Arb... platz liegt im Atlasgebirge oder in Timbuktu oder unterwegs. 1... Und noch etwas: Sagen Sie Ihrer Freundin (nur so zur Info), das... Jahr 8 Monate weg sind, und dass Sie vier Monate frei haben, d... bei voller Bezahlung.

Wollen Sie uns immer noch?

Dann freuen wir uns auf ihre Bewerbung mit den üblichen Unter... das bin erst mal ich, Gernot Satzler, bei EX-TOURS, Fax 089/39778801

Austausch

...Duisberg Gesellschaft e. V.

Weiterbildung in besonderen Fachgebieten

Programmziele	Förderung individueller Weiterbildungsm... Anpassung an neue berufliche Entwicklun... Vorbereitung auf den beruflichen Aufstieg
Teilnehmer-voraussetzungen	qualifizierte Fachleute aus allen Fachberei... abgeschlossener nichtakademischer Beruf... einjähriger Berufserfahrung (z. B. Geselle, Meister, Techniker, praktische Betriebswi... Fachwirte gute Kenntnisse der jeweilige... Ziellandes
Zielländer	weltweit
Programmablauf	unterschiedlich: richtet sich nach den indiv... bildungsvorhaben Dauer: 3 - 12 Monate
Finanzierung	Eigenmittel: unterschiedlich je nach Dauer der Weiterbildungsmaßnahme: mit Stipendi...

Stipendium + Praktikum

Weiterbildung für jun... aus der Europäischen Union:

Herkunftsland: EU-Staaten

Programmziele:

Berufliche Weiterbildung. Erwerb zusätzlicher Fachkenntnisse: Vertiefung der Deutschkenntnisse: Förderung beruflicher Quali... fikationen.

Teilnehmer/Voraussetzungen:

Junge Arbeitnehmer mit abgeschlossener, nicht-akademischer Berufsausbildung oder entsprechender Berufserfahrung: deuts... Sprachkenntnisse: Alter 18 - 27 Jahre.

Programmablauf:

1 Monat Sprach- und Einführungskurs mit fachlichem Rahmen-programm; 2 Monate Praktikum oder zeitweiser Besuch eines außerbetrieblichen Schulungszentrums
Dauer: 3 Monate
Programmsprache: Deutsch

Bewerbung

Bewerbungsschreiben

Sehr geehrter Herr Schneider,

bei seinem Besuch im November 1996 hat Her... Direktor Günter Hartmann mit meinem Chef, Herrn Ing. Roberto Lambertini Rosales, über die Möglichkeit gesprochen, dass ich bei Perm... cor in Köln ein Jahr mitarbeite. Ziel dieser Tätigkeit soll es sein, dass wir die Kommunik... tion zwischen den beiden Entwicklungsabte... lungen (elektronische Steuerungssysteme fü... Sondermaschinen) verbessern und koordini... Über meine Qualifikation finden Sie in der Anlage ein Gutachten des Leiters unserer Ent... wicklungsabteilung, Herrn Dr. Antonio Bertin... Serich. Über eine positive Antwort von Ihnen v...

Zeugnisse

Französisch 4, Computer Software 3, Sch...
Mikroverarbeitungsentwicklung 1, Technis...

2 Jahr 2 Trimester 1994
Schaltkreis design 4, Französisch 5, Mikro...
Technische Mathematik 5, Schaltungs anal...

2 Jahr 3 Trimester 1994 - 3 Jahr 1 Trimeste...
Praktikant Crouzet Automatismes, Valours...

3 Jahr 2 Trimester 1995
Technische Mathematik, Digitalsysteme 4, ...

Lebenslauf

LEBENSLAUF

Persönliche Daten:

geb.:	07.09.1972 in Colchester/England
Familie:	Vater Kraftfahrer, Mutter Schneiderin, 2...
Sprachen:	Französisch: gut in Wort und Schrift Deutsch: gesicherte Grundkenntnisse

Ausbildung:

01.09.78 - 31.07.89	Grundschule und Gymnasium in ... Abitur Note 2+
01.08.89 - 31.07.91	Studium der Informatik am Institu... Technology, Birmingham
01.08.91 - 31.07.94	Studium Industriedesign an der Te... Birmingham

Berufstätigkeit:

01.10.89 - 31.03.89	Au Pair in Royan/Frankreich
01.08.94 - 28.02.95	Trainee bei United Textiles in Co...
01.03.95 -	Industriedesignerin bei GADGET

Absage ⟷ Einladung zur Vorstellung

Absage

Sehr geehrter Herr Robertsen,

unter den zahlreichen Zuschriften auf unsere o.a. Stellenausschreibung war auch Ihre Bewerbung. Für Ihr Interesse an einer Mitarbeit in unserem Un... nehmen danken wir Ihnen vielmals.

In der Zwischenzeit haben wir unsere Entscheidung getroffen. Wir bedauern, Ihnen mitteilen zu müssen, dass unsere Wahl nicht auf Sie gefallen ist, und bitte... Sie dafür um Verständnis.
Dennoch danken wir Ihnen für Ihre engagierte Be-werbung und Ihr Erscheinen zum Vorstellungsge-spräch. Anbei erhalten Sie die zugesandten Bewer-bungsunterlagen zurück.

Mit freundlichen Grüßen

Einladung zur Vorstellung

Sehr geehrter Herr Robertsen

...Dank für Ihre Bewerbung auf die ausgeschriebene Stelle eines Wartungstech... Verpackungsmaschinen. Ihre Bewerbung hat... positiv angesprochen und unseren Wunsch, Sie persönlich kennenzulernen. Wir möcht... auch eine Gelegenheit bieten, sich von unser... Unternehmen und der ausgeschriebenen A... gabenstellung ein genaueres Bild zu machen... Daher bitten wir Sie zu einem

Vorstellungsgespräch in unserem Hause am Montag, dem 27. März 1997, um 11.00 U...

in unserem Besprechungsraum Zimmer Nr. 2 A... Etage) Bitte bestätigen Sie uns den angebotenen Termin. Wir freuen uns auf Ihren Besuch und wünschen Ihnen eine gute Anreise.

Zusage

1. Klassenstatistik

a) Wählen Sie eine Fragestellung aus und machen Sie eine Klassenstatistik.

1. Welche Sprache hast du als erste Fremdsprache wie lange gelernt?

	Wer?	Sprache?	Zeitdauer?
1.			
2.			

2. Welche Fremdsprache(n) sprichst du wie gut?

	Wer?	Fremdsprache?	Wie gut?
1.			
2.			

3. Warum lernst du „Deutsch für den Beruf"?

	Wer?	Grund?
1.		
2.		

- *Welche Sprache hast du als erste Fremdsprache gelernt?*
- *Als erste Fremdsprache habe ich Russisch gelernt.*
- *Wie lange hast du Russisch gelernt?*
- *Sechs Jahre in der Schule.*
- *Wie gut sprichst du Englisch?*
- *Ich habe nur Grundkenntnisse.*
- *Warum lernst du Deutsch?*
- *Ich möchte in Deutschland eine Zeit lang arbeiten.*

Wie lange?	**Wie gut / Wie viel?**
ein halbes Jahr	ein bisschen
zwei Jahre	recht gut | mündlich / schriftlich
jahrelang	
6 Stunden pro ...	Grundkenntnisse
	fließend

b) Fassen Sie die Ergebnisse zusammen.

Herr/Frau ... spricht ... als erste/zweite Fremdsprache.
Herr/Frau ... lernt aus folgenden Gründen Deutsch: Er/Sie muss/will ...

2. Sprachkenntnisse – Lernmotivation

a) Hören Sie, was die jungen Leute sagen, und ergänzen Sie die Übersicht.

	a *Amanda Miller*	b *Marian Kada*	c *Sonia Ball*
Erste Fremdsprache? Wie gut?			
Zweite Fremdsprache? Wie gut?			
Gründe fürs Deutschlernen:			

b) Wie sind Ihre Sprachkenntnisse?

In ... bin ich Anfänger.
In ... habe ich Grundkenntnisse.

Die ... Sprache	beherrsche spreche/schreibe lese/verstehe	ich (recht) gut/fließend.

3. Warum? – Weil ...

Ich brauche gute Deutschkenntnisse.
Ich wollte unbedingt mein Deutsch verbessern.
Ich habe an einem Intensivkurs teilgenommen.
Deutsch ist in unserer Unternehmensleitung praktisch die Arbeitssprache.
In der Schule musste ich Russisch lernen.
Ich konnte in der Schule Französisch lernen.
Das ist bei uns die erste Fremdsprache.
Ich wollte eine Zeit lang in Deutschland arbeiten.
Ich habe viele Bewerbungen geschrieben.
Ich wollte mein Praktikum in Dresden machen.
Dort kann ich Material für meine Diplomarbeit sammeln.
Seit drei Monaten lerne ich intensiv Deutsch.
Ich möchte die Prüfung für das Zertifikat Deutsch für den Beruf ablegen.

..., weil | ... | (VERB 2) | VERB 1

Schreiben Sie.

Amanda Miller sagt erstens, dass sie in der Schule Französisch gelernt hat. Gr. S. 141
Amanda Miller hat Französisch gelernt, weil das
Amanda Miller sagt zweitens, dass sie
Amanda Miller hat viele Bewerbungen geschrieben, weil sie

Und Marian Kada? Und Sonia Ball?

	ORDNEN	AUFZÄHLEN
1.	erste...	erstens
2.	zweite...	zweitens
3.	dritte...	drittens
4. – 19.	**...te...**	**...tens**

Gr. S. 128

4. Was passt zusammen?

a) Arbeiten Sie zu zweit.

A Habib A. Karoui arbeitet in einem Büromarkt.
B Amanda Miller hatte in der Schule Deutsch nur als zweite Fremdsprache.
C Marian Kada besucht einen Abendkurs.
D Miriam Gross besucht einen Intensivkurs.
E René Martin geht für drei Monate nach Deutschland.
F Frau Kotthoff stellt den Mitarbeitern Frau Bolz vor.
G Diego Sánchez empfängt die Besuchergruppe aus Spanien.

1 Er möchte in Deutschland neue Berufserfahrungen sammeln.
2 Seine Muttersprache ist Spanisch.
3 Er ist Kaufmann von Beruf.
4 Als erste Fremdsprache lernt man in ihrem Land Französisch.
5 Er hat tagsüber keine Zeit für einen Deutschkurs.
6 Sie ist eine neue Mitarbeiterin.
7 Sie möchte die Prüfung Wirtschaftsdeutsch International (PWD) ablegen.

b) Machen Sie zu zweit ein Frage-Antwort-Spiel.

▷ *Warum geht René Martin für drei Monate nach Deutschland?*
▶ *Weil er in Deutschland neue Berufserfahrungen sammeln möchte.*

5. Sprechübung

○ *Er hat sicher keine Zeit. Bleibt er deshalb hier?*
● *Ja, weil er keine Zeit hat.*

Gr. S. 141

6. Ausländische Arbeitnehmer in Deutschland

Hinweise für ausländische Arbeitnehmer

Seit dem 1. Januar 1993 können alle Bürger der Europäischen Union (EU) in allen Mitgliedsländern arbeiten. Sie brauchen nur einen festen Wohnsitz (polizeiliche Anmeldung) und einen Arbeitsplatz. Dies gilt zum Teil auch für Bürger aus assoziierten Ländern. Sonderregelungen gibt es für bestimmte Branchen (Gastronomie, Bau, Krankenpflege, Landwirtschaft und andere Mangelberufe sowie für Saisonarbeit).
Die Regelungen im Überblick: (ja = erforderlich; nein= nicht erforderlich)

	Bürger aus EU-Ländern	Bürger aus Nicht-EU-Ländern
Reisepass	nein	ja
Visum	nein	ja (meistens)
Gesundheitszeugnis	nur in bestimmten Branchen	
Arbeitserlaubnis	nein	ja
fester Wohnsitz	ja	ja
polizeiliche Anmeldung	ja	ja
Krankenversicherung	ja	ja
Lohnsteuerkarte	ja	ja
Rückflug-/Rückfahrticket	nein	nein
Aufenthaltsgenehmigung	ja	ja

a) Was braucht ein EU-Bürger? Was braucht ein Nicht-EU-Bürger? Vergleichen Sie.

Ein Arbeitnehmer aus einem Land der Europäischen Union (EU) / Nicht-EU-Land
braucht in Deutschland ...
kann in Deutschland (nicht) ohne ... arbeiten.
darf in Deutschland (nicht) ohne ... arbeiten.

b) Ein Deutscher möchte in Ihrem Land arbeiten. Was musste er früher haben? Was braucht er heute?

7. Amanda Miller und Marian Kada

Hören Sie, was die jungen Leute sagen, und setzen Sie die Verben ein.

a) Amanda Miller

Gr. S. 132/133

darf/kann | kann/darf | konnte | konnte | muss | muss | musste | soll | weiß | wusste | will | ~~wollte~~

Amanda Miller *wollte* schon immer mal eine Zeit lang in Deutschland arbeiten. Man ________ nur ein paar Bewerbungen schreiben, dann ist alles klar, hat sie gedacht. Als britische Staatsbürgerin ________ sie in Deutschland arbeiten und braucht keine Arbeitserlaubnis oder Aufenthaltserlaubnis. Aber sie ________ keine Stelle finden. Dann hat ihr ein Freund etwas von einem Austauschprogramm gesagt. Sie ________ zuerst nicht, was das ist: Austausch. Jetzt ________ sie es. Sie ist Reiseverkehrskauffrau und ________ sechs Monate im Fremdenverkehrsamt Hildesheim mitarbeiten. Den Antrag auf Teilnahme an dem Austauschprogramm ________ sie nicht selbst stellen. Das hat ihre Firma für sie getan. Sie ________ eine Bewerbung mit Lebenslauf schreiben. Jetzt hat sie die Stelle in Hildesheim. Vorher ________ sie einen einmonatigen Deutschkurs in Köln besuchen. Das ________ sie nicht, aber ihr Vater hat gesagt, sie ________ das machen.

können	→	konnt	-e
müssen	→	musst	-est
wollen	→	wollt	-e
sollen	→	sollt	-en
dürfen	→	durft	-et
wissen	→	wusst	-en

Gr. S. 132/133

b) Marian Kada

darf | durfte | kann | konnte | muss | musste | ~~soll~~ | sollte | weiß | wusste | will | wollte

Gr. S. 132/133

Marian Kada kauft in Deutschland elektrische und elektronische Bauteile ein. Das Material *soll* immer pünktlich da sein, und nicht zu viel und nicht zu wenig. Er ________ also rechtzeitig bestellen. Von der Bestellung bis zur Lieferung ________ es zwei Wochen dauern. Nächstes Jahr ________ ihn seine Firma für ein Jahr nach Oldenburg schicken. Dort ist das Hauptlager von AEG. Danach möchte er Chef des Einkaufs werden. Aber das ________ er nicht laut sagen. Das ist ja erst mal nur ein Wunsch oder ein Plan. In der Schule hat er Russisch gelernt. Er ________ nicht wählen. Er ________ Russisch nehmen. Auf der Universität hat er dann ein bisschen Deutsch gelernt. Damals ________ er noch nicht warum. Heute ________ er es. Englisch ________ er nicht nehmen, weil das alle gelernt haben. Letztes Jahr ________ er auf Firmenkosten an einem vierwöchigen Sprachkurs in Deutschland teilnehmen. Er ________ vor allem sein Hörverständnis verbessern, auch am Telefon, hat sein Chef gesagt. Im Moment besucht er dienstags und freitags einen Deutschkurs.

8. Frage nach Gründen – Angabe von Gründen

a) Was passt zusammen?

A Warum haben Sie Ihre Bewerbungsunterlagen so spät abgeschickt?
B Warum haben Sie den Korrespondenztest nicht ausgefüllt?
C Warum haben Sie bei der Besprechung gefehlt?
D Warum haben Sie keine Wünsche für den Praktikumsort genannt?
E Warum brauchen Sie keine Arbeitserlaubnis?
F Warum wollen Sie eine Zeit lang in Deutschland arbeiten?
G Warum soll Ihr Fortbildungsprogramm erst im Juni beginnen?
H Warum wollen Sie unbedingt nach Dresden?

1 Ich bin mit allem einverstanden.
2 Ich wusste nicht, dass das notwendig ist.
3 Das ist für mich eine wichtige Erfahrung.
4 Die Übersetzung der Unterlagen hat so lange gedauert.
5 Ich war krank.
6 Ich hatte sehr viel Arbeit und keine Zeit.
7 Da kann ich Material für meine Diplomarbeit sammeln.
8 Ich bin EU-Bürger.
9 Ich wollte vorher einen Sprachkurs besuchen.
10 Das habe ich ganz vergessen.
11 Ich muss vorher noch eine Prüfung ablegen.
12 Ich musste erst einmal die Finanzierung klären.

b) Machen Sie Rollenspiele.

Gr. S. 141

▷ *Warum hast du deine Bewerbungsunterlagen so spät abgeschickt?*
▶ *Weil ich sehr viel Arbeit und keine Zeit hatte.*

c) Schreiben Sie einige Sätze.

Ich habe keine Wünsche für den Praktikumsort genannt, weil ich erst mal die Finanzierung klären wollte.
Ich ...

9. Sprechübungen

a) ○ *Ich habe angerufen.*
● *Wollten Sie anrufen oder mussten Sie?*

b) ○ *Ich habe nicht angerufen.*
● *Wolltest du nicht anrufen oder konntest du nicht?*

Gr. S. 132

10. Merkblatt

a) Was kann/soll muss der Bewerber/die Bewerberin tun?

Die Bewerberin muss klare Angaben über ihre Deutschkenntnisse machen. Sie kann einen Korrespondenztest anfordern. Sie muss ...

b) Schreiben Sie, was Sonia Ball tun konnte/sollte/musste.

Sonia Ball musste ihre Bewerbungsunterlagen spätestens drei Monate vor dem gewünschten Beginn schicken. Sie konnte eine Gruppenv

c) Waren Sie schon mal in einer solchen Situation?
Was wollten/konnten/sollten/mussten Sie da tun?

SIEMENS **Studentenprogramm**

Merkblatt

- Schicken Sie Ihre Bewerbungsunterlagen spätestens 3 Monate vor dem gewünschten Programmbeginn.
- Planen Sie für das Praktikum mindestens 2 Monate und für den Sprachkurs einen weiteren Monat ein, also insgesamt mindestens 3 Monate.
- Geben Sie den genauen Zeitraum für Ihr Praktikum an (also nicht: Mitte März bis Ende Mai, sondern: vom 15. März bis 31. Mai).
- Machen Sie uns klare Angaben über Ihre Deutschkenntnisse (z.B. „Zertifikat Deutsch als Fremdsprache" oder 18 Kursmonate mit 4 Stunden pro Woche oder „Zertifikat Deutsch für den Beruf "oder „Dialog Beruf 1" fertig). Sie können unseren Korrespondenztest anfordern. Dann testen wir Ihre Sprachkenntnisse und teilen Ihnen das Ergebnis mit.
- Nennen Sie uns die Schwerpunkte Ihrer Qualifikation und Ihre Wünsche für das Praktikum.
- Sorgen Sie für ausreichenden Versicherungsschutz (Krankheit, Unfall, Haftpflicht ...). Wir können Ihnen eine Gruppenversicherung anbieten zu DM 6,65 pro Tag.
- Sie brauchen in Deutschland Ihren Internationalen Studentenausweis, eine Lohnsteuerkarte und eine Bankverbindung. Bringen Sie die Unterlagen unbedingt mit.

11. Bewerbungsschreiben

Sonia Y. Ball

USF Box 1518 4202
East Raleigh Avenue
Tampa Florida 33 620 – 1518

Telefon: (813)723 2073 (bis 4.4. …)
(813)974 8536 (nach dem 4.4. …)

17.03. …

Siemens AG
ZPP 32
Postfach 3240
D – 91 050 Erlangen

Sehr geehrte Frau Franzke,
vielen Dank für Ihre telefonische Information über den Internationalen Stu-
dentenkreis von Siemens. Vielen Dank auch für das Merkblatt und die An-
tragsformulare. Ich möchte mich darum bewerben, einen Sprachkurs in
Deutschland und danach ein mehrmonatiges Praktikum in einer Siemens-
Niederlassung zu machen. In der Schule hatte ich Deutsch nur als zweite
Fremdsprache. Im Studium hatte ich zwei Jahre Deutsch gelernt, aber nur
mit zwei Stunden wöchentlich. Seit drei Monaten besuche ich einen Intensivkurs Deutsch. Außerdem habe ich seit vier Jahren eine deutsche Brief-
freundin. Bei ihr war ich schon dreimal 14 Tage zu Besuch. Ich schreibe ihr
auf Deutsch. Vielleicht kann ich in Deutschland die Prüfung für das Zertifikat Deutsch für den Beruf ablegen. In der Anlage schicke ich Ihnen das
ausgefüllte Bewerbungsformular, einen Lebenslauf mit einem Foto und die
erforderlichen Unterlagen und Studiennachweise (Ziffer 1 Ihrer Informationsbroschüre).Gern beantworte ich Ihnen eventuelle weitere Fragen. Ich
freue mich sehr, wenn meine Bewerbung erfolgreich ist.

Mit freundlichen Grüßen

Sonia

… Ataglie, Avenida Simón Bolívar , 324 / 8° Permacor
Electrónica SA RA – Buenos Aires / Argentinien

Permacor Elektronik AG
Postfach 10 02 04
D – 50 231 Köln

22.03.1997

Sehr geehrter Herr Schneider,
bei seinem Besuch im November 1996 hat Herr Direktor Günter-
Hartmann mit meinem Chef, Herrn Ing. Roberto Lambertini Rosales, über die Möglichkeit gesprochen, daß ich bei Permacor in Köln
ein Jahr mitarbeite. Ziel dieser Tätigkeit soll es sein, daß wir die
Kommunikation zwischen den beiden Entwicklungs abteilungen
(elektronische Steuerungssysteme für Sondermaschinen) verbessern
und koordinieren. Über meine Qualifikation finden Sie in der Anlage
ein Gutachten des Leiters unserer Entwicklungsabteilung, Herrn Dr.
Antonio Bertini Serich. Natürlich ist mir klar, dass ich für die Mitarbeit in Köln sehr gute Deutschkenntnisse brauche. Ich habe das Abitur an der Deutschen Schule in Buenos Aires gemacht. Allerdings
war das vor neun Jahren. Ich lese sehr viel Fachliteratur in deutscher
Sprache. Das Meiste kommt monatlich von Ihrer Entwicklungsabteilung. Manchmal übersetze ich auch unsere Dokumente für Frau
Dr. Kunze. Ich war zweimal eine Woche lang in Deutschland. Weitere Einzelheiten finden Sie in den Anlagen: Lebens lauf, Gutachten
von Herrn Dr. Antonio Bertoni Serich. Über eine positive Antwort
von Ihnen würde ich mich sehr freuen.

Mit freundlichen Grüßen

Diego Sánchez Ataglie

a) Suchen Sie positive und negative Gesichtspunkte in den Briefen.
Schreiben Sie die gefundenen Gesichtspunkte in die Tabelle.

+ positive Gesichtspunkte	– negative Gesichtspunkte
Diego Sánchez hat gute Chancen bei Firma Permacor in Köln.	
Er hat das Abitur an der Deutschen Schule in Buenos Aires gemacht.	*Er hat wenig Sprachpraxis.*
Er liest …	*Er war erst …*
Sonia Ball bekommt ein Stipendium von Siemens.	
Sie besucht gerade einen Deutsch-Intensivkurs.	*Sie hatte Deutsch in der Schule nur als zweite Fremdsprache.*
Sie hat	*Sie*
Und Sie? Haben Sie gute Chancen für einen Arbeitsplatz / ein Stipendium / eine erfolgreiche Prüfung?	
Ich	*Ich*

Gr. S. 141 **b)** Sprechen Sie über Diego Sánchez, Sonia Ball, Marian Kada und über sich selbst.

Marian Kada hat auf der Universität Deutsch gewählt, obwohl seine Kollegen Englisch genommen haben.

Ich habe gute Chancen, weil ich einen Deutschkurs besuche.

Sonia Ball bekommt ein Stipendium, obwohl sie Deutsch nur in der Schule hatte.

c) Schreiben Sie über Ihre Chancen oder über die Chancen eines Kollegen/einer Kollegin.

12. Die Stellenanzeige

a) Haben Sie Interesse an der Stelle als Reiseleiter bei Exped-Tours? Warum? Warum nicht? Notieren Sie Ihre Gründe für und Ihre Gründe gegen die Stelle als Reiseleiter in Nordafrika in Stichworten.

b) Sprechen Sie mit anderen über Ihre Gründe.

▷ *Hast du Interesse an der Stelle als Reiseleiter in Nordafrika?*

▶ *Ja, weil ich Tunesien kenne.*
Ja, obwohl der Arbeitstag oft 18 Stunden lang ist.
Nein, weil ich von Autos nichts verstehe.
Nein, obwohl ich Organisationstalent habe.
Und du?

▷ *Ich habe (kein) Interesse, weil/obwohl ...*

Erfolg braucht Menschen.
Wir brauchen Sie.
Wir wollen Sie, als

Reiseleiter

für Expeditions-Touren in Nordafrika (Tunesien, Marokko, Ägypten, Mali)

Sie haben Organisationstalent. Sie können aus hochmotivierten Individualisten ein Team formen. Sie übernehmen Verantwortung und Initiative. Sie sind ein sportlicher Typ, 28 bis 40 Jahre alt. Sie sprechen Englisch und Französisch, vielleicht sogar Arabisch. Sie sind kein Automechaniker, verstehen aber etwas von Autos. Und außerdem von Fotokameras, Tieren, erster Hilfe, Kochen. Sie sind Spezialist für alles.

Wollen Sie uns? Wirklich?

Auf Tour hat der Arbeitstag oft genug 18 Stunden. Ihr Arbeitsplatz liegt im Atlasgebirge oder in Timbuktu oder unterwegs, 14 Tage am Stück.
Und noch etwas: Sagen Sie Ihrer Freundin (nur so zur Info), dass Sie im Jahr acht Monate weg sind, und dass Sie vier Monate frei haben, davon zwei bei voller Bezahlung.

Wollen Sie uns immer noch?

Dann freuen wir uns auf Ihre Bewerbung mit den üblichen Unterlagen. Wir, das bin erst mal ich, Gernot Wortler, bei

EXPED-TOURS
Schwanthalerstraße 98, 80 336 München, Fax 089 / 39 762 401

c) Welche Gründe für und gegen die Stelle nennen Ulrike Reimers und Kurt Weidmann?

Ulrike Reimers meint, dass die Stelle für Kurt Weidmann in Frage kommt,

weil er Arabisch kann.	*obwohl der Arbeitstag 18 Stunden lang sein kann.*
weil ...	*obwohl ...*

Kurt Weidmann meint, dass die Stelle für ihn nicht in Frage kommt,

weil sein Englisch nicht gut ist.	*obwohl er von Autos viel versteht.*
weil ...	*obwohl ...*

... ,	weil / obwohl	...	(VERB 2)	VERB 1

13. Sprechübungen

Gr. S. 141

a) Vorteil: weil
1 Das Betriebsklima ist gut.
2 Die Arbeit ist interessant.
3 Die haben eine flexible Arbeitszeit.
4 Die Kollegen sind nett.
5 Ich habe keine andere Stelle gefunden.
6 Ich kenne die Maschinen.

○ *Warum nimmst du die Stelle?*
● *Erstens, weil das Betriebsklima gut ist.*
○ *Und zweitens?*
● *Zweitens, weil ...*

b) Nachteil: obwohl
1 Die Bezahlung ist nicht besonders.
2 Die Einarbeitung dauert lang.
3 Die Firma ist klein.
4 Die Betriebskantine fehlt.
5 Es gibt noch andere Möglichkeiten.
6 Die Arbeit ist gefährlich.

○ *Aber erstens ist die Bezahlung nicht besonders.*
● *Ich nehme sie, obwohl die Bezahlung nicht besonders ist.*
○ *Und zweitens dauert die Einarbeitung lange.*
● *Ich nehme sie, obwohl ...*

14. Gründe für und Gründe gegen

a) Welche Vor- und Nachteile hat die Arbeit in einem Großbetrieb bzw. in einem Kleinbetrieb?

b) Was nehmen Sie: eine Stelle im Kleinbetrieb oder eine Stelle im Großbetrieb?

15. Vorstellungsgespräche, mündliche Prüfungen

Haben Sie schon einmal an einer mündlichen Prüfung oder an einem Vorstellungsgespräch teilgenommen? Erzählen Sie.

Denken Sie an:

■ Zwischenfälle (Störungen, Anrufe, Unterbrechungen) ■ Gesprächspartner ■ Atmosphäre ■ Zusage ■ schwierige/kritische Punkte ■ Ergebnis ■ Absage ■ Fragen ■ Termin ■ Sonstiges ■

16. Wie reagieren Sie im Vorstellungsgespräch?

Was machen Sie in dieser Situation? Arbeiten Sie in Kleingruppen.

	Situation	Was machen Sie?
1	Ein Gesprächspartner raucht. Sie möchten auch rauchen.	Ich rauche auch. Ich rauche nicht. Ich frage: „Darf ich rauchen?" ...
2	Die Sekretärin bietet Ihnen einen Kaffee an. Sie trinken aber lieber Tee.	Ich frage: „Gibt es auch Tee?" Ich sage: „Nein danke, ich trinke keinen Kaffee." Ich nehme den Kaffee und trinke ihn nicht. Ich trinke einen Kaffee, obwohl ich keinen Kaffee mag. ...
3	Es gibt zwei Sitzgelegenheiten: einen Stuhl und einen Sessel. Wo nehmen Sie Platz?	Ich nehme auf dem Stuhl Platz. Ich nehme im Sessel Platz. Ich frage: „Soll ich auf dem Stuhl oder im Sessel Platz nehmen?" ...
4	Sie möchten von dem Gespräch Notizen machen.	Ich mache Notizen. Ich mache keine Notizen. Ich frage: „Darf ich ein paar Notizen machen?" ...
5	Sie haben die Namen Ihrer Gesprächspartner vergessen oder nicht richtig verstanden.	Ich frage nach den Namen. Ich frage nicht nach den Namen. Ich frage beim Notizenmachen, wie man die Namen schreibt. ...
6	Man will mit Ihnen einen graphologischen Test machen.	Ich muss das akzeptieren, obwohl ich es nicht will. Ich akzeptiere das nicht. Ich akzeptiere das, frage aber hinterher nach dem Ergebnis. ...
7	Man teilt Ihnen direkt nach dem Gespräch die Entscheidung noch nicht mit.	Ich frage nach der Entscheidung. Ich frage nicht nach der Entscheidung, aber nach dem Termin. ...
8	Sie möchten wissen, wie Ihre Chancen stehen.	Ich frage meine Gesprächspartner nach meinen Chancen. Ich warte auf eine schriftliche Nachricht. ...

17. Herr Kada im Vorstellungsgespräch

a) Hören Sie das Vorstellungsgespräch und beantworten Sie die Fragen.

1 Wie viele Firmenmitarbeiter führen das Gespräch?
2 Welche Position hat Frau Rögeler-Wolff?
3 Welche Position hat Herr Bergmann?
4 Wie lange muss Herr Kada auf die Entscheidung warten?

b) Wer fragt oder fordert auf: Herr Kada (K) oder die Firmenmitarbeiter (F)?

	Wer?	Reaktion
1 Nehmen Sie Platz!		*Herr Kada nimmt auf dem Stuhl Platz.*
2 Kaffee?	*F*	
3 Rauchen?		*Bitte schön.*
4 Namen buchstabieren?		
5 Notizen machen?		
6 Noch Fragen?		
7 Graphologisches Gutachten?		
8 Ergebnis sehen?		

c) Spielen Sie die Situationen.

▷ *Darf ich rauchen?*
▶ *Ja, bitte schön.*

▷ *Haben Sie etwas dagegen, wenn ich ein paar Notizen mache?*
▶ *Nein, nein, machen Sie nur!*

▷ *Stört es Sie, wenn ich rauche?*
▶ *Nein, bitte schön.*

Wenn ... (VERB 2) VERB 1, (dann) VERB 1 ... (VERB 2).

Gr. S. 141

d) Formulieren Sie Regeln für ein Vorstellungsgespräch. In Übung 16 und 17 b) finden Sie Ideen und Hilfen.

Wenn man mit mir einen graphologischen Test machen will, dann
Wenn ein Gesprächspartner raucht, dann

18. Sprechübung

○ *Der Brief ist bestimmt morgen da.*
● *Und wenn der Brief morgen doch nicht da ist?*

Gr. S. 141

19. Glücksrad oder Teufelskreis

eine gut bezahlte Arbeit annehmen → viel Geld verdienen → ein großes Haus kaufen → teure Partys feiern → viel Geld ausgeben → viel Geld brauchen → eine gut bezahlte Arbeit annehmen

von früh bis spät arbeiten → wenig Zeit für andere haben → seine Freunde verlieren → allein sein → ein langweiliges Leben führen → keine Hobbys haben → von früh bis spät arbeiten

Sprechen, schreiben, spielen Sie im Uhrzeigersinn und gegen den Uhrzeigersinn.

Im Uhrzeigersinn:	Wenn Sie von früh bis spät arbeiten, dann haben Sie wenig Zeit für andere. Wenn Sie wenig Zeit für andere haben, dann verlieren ...
Gegen den Uhrzeigersinn:	Sie kaufen ein großes Haus, weil Sie viel Geld verdienen. Sie verdienen viel Geld, weil Sie eine gut bezahlte ...

20. Lebensläufe

Für Lebensläufe gibt es folgende Formen:

1. chronologisch
   - A vorwärts (Geburt → Gegenwart)
   - B rückwärts (Gegenwart → Geburt)
2. tabellarisch
   - A vorwärts (Persönliches → Beruf)
   - B rückwärts (Beruf → Persönliches)

a) Welche Form haben Amanda Miller und Marian Kada gewählt?

Amanda C. Miller, 34 Trumpington Street
Cambridge CB2 1RP England

Lebenslauf

Persönliche Daten:

geb.:	07.09.1972 in Colchester/England
Familie:	Vater Kraftfahrer, Mutter Schneiderin, 2 Geschwister
Sprachen:	Französisch: gut in Wort und Schrift Deutsch: gesicherte Grundkenntnisse
Sonstiges:	Auslandsaufenthalte: 6 Monate in Frankreich; dreimal 14 Tage privat in Kiel
Hobbys:	Klavierspielen, Bergsteigen

Ausbildung:

01.09.78 – 31.07.89	Grundschule und Gymnasium in Colchester/England, Abitur Note 2+
01.08.90 – 31.07.91	Studium der Informatik am Institute of Technology, Birmingham
01.08.91 – 31.07.94	Studium Industriedesign an der Technical University of Birmingham

Berufstätigkeit:

01.08.89 – 31.12.89	Aushilfstätigkeit bei United Textiles in Colchester
01.01.90 – 30.06.90	Au Pair in Royan/Frankreich
01.08.94 – 28.02.95	Trainee bei United Textiles in Colchester
01.03.95 –	Industriedesignerin bei GADGETHOME Inc. in Luton: Büroartikel und Beleuchtungselemente

Marian Kada,
Kossuth Lajos utca 34
H – 9330 Kapuvár / Ungarn

Lebenslauf

geb. am 14.06.1968 als Sohn des Bautechnikers István Kada und seiner Ehefrau Joszefina in Pécs (Fünfkirchen) / Ungarn
Grundschule und Technisches Gymnasium von 1974 bis 1986 in Pécs; Abitur 1986 mit der Note „sehr gut".
Studium der Elektrotechnik und Betriebswirtschaft von 09/1986 bis 07/1990 an der Technischen Universität Budapest/Ungarn.
Studienabschluss als Diplom-Betriebswirt mit der Note „gut".
Von 08/1990 bis 10/1992 Leiter des Teilelagers bei MAGYAR-MACH (Baumaschinen, Baukräne) in Győr (Raab) / Ungarn. Seit 11/1992 Einkäufer bei SELECTRÓNIC in Kapuvár / Ungarn: Bauteile für Haushaltsgeräte und Elektromotoren.
Sprachkenntnisse: Russisch 8 Jahre als erste Fremdsprache in der Schule; Deutsch: Ende der Grundstufe, gute Lesekenntnisse in technischer Fachsprache.
Auslandsaufenthalte insgesamt 3 Monate in Österreich und 1 Monat in Deutschland (Intensivsprachkurs).

b) Diskutieren Sie: Welche Vor- und Nachteile haben die verschiedenen Formen von Lebensläufen?

21. Lebensdaten

a) Füllen Sie die Tabelle aus und lesen Sie laut.

	Marian Kada	Amanda Miller	ich	mein Nachbar	Bruder/Schwester
geboren					
erste Auslandsreise					
Beginn der Berufstätigkeit					
…					

b) Nennen Sie wichtige Daten. Was ist/war wann?

Hochzeitstag ■ Geburtstag ■ Nationalfeiertag ■ Urlaub ■ letzte Auslandsreise ■ …

1	der	erste	am	ersten
2	das	zweite	bis zum	zweiten
3	die	dritte	den	dritten
4 – 19		vierte, **…te**		vierten, **…ten**
20, 30, …, 100, 200, …		zwanzigste, **…ste**		zwanzigsten, **…sten**

Gr. S. 128

22. Kalenderdaten

In diesem Jahr:

a) Am wievielten Mai ist Muttertag?
b) Auf welches Datum fällt der zweite Montag im April?
c) Der wievielte Tag dieses Jahres ist der 10. Mai?
d) Wann ist der Europatag?
e) Wann ist der Maifeiertag?
f) In der wievielten Woche liegt der 12. April?
g) Am wievielten Tag dieses Jahres ist der Europatag?
h) Wann ist Ostern?
i) In der wievielten Woche ist Ostern?
j) Die wievielte Woche des Jahres ist die erste Juniwoche?
k) Welcher Kalendertag ist der 164. Tag des Jahres?

APRIL		MAI		JUNI	
1 S	091	1 M Maifeiertag	121	1 D	152
2 S	092	2 D	122	2 F	153
3 M	093	3 M	123	3 S	154
4 D	094	4 D	124	4 S Pfingstsonntag	155
5 M	095	5 F Europatag	125	5 M Pfingstmontag	156
6 D	096	6 S	126	6 D	157
7 F	097	7 S	127	7 M	158
8 S	098	8 M	128	8 D	159
9 S Palmsonntag	099	9 D	129	9 F	160
10 M	100	10 M	130	10 S	161
11 D	101	11 D	131	11 S	162
12 M	102	12 F	132	12 M	163
13 D Gründonnerstag	103	13 S	133	13 D	164
14 F Karfreitag	104	14 S Muttertag	134	14 M	165
15 S Karsamstag	105	15 M	135	15 D Fronleichnam	166
16 S Ostersonntag	106	16 D	136	16 F	167
17 M Ostermontag	107	17 M	137	17 S	168
18 D					

Der wievielte ...?
der erste/der zweite/der dritte/... **der ... (s)te**

Am wievielten ...?
am ersten/am zweiten/am dritten/... **am ... (s)ten**

Den wievielten ...?
den ersten/den zweiten/den dritten/... **den ... (s)ten**

Gr. S. 128

23. Sprechübungen

a) ○ *Welche Kalendertage fallen in die neunzehnte Woche?*
● *Der achte Mai, der neunte Mai, der zehnte ...*

b) ○ *An welchen Kalendertagen ist im Juni Sonntag?*
● *Am vierten Juni, am elften Juni, am achtzehnten ...*

24. Ein Lebenslauf

a) Fragen Sie andere nach ihren Lebensdaten und notieren Sie sie in Stichwörtern.

▷ Wann	bist du ...? hast du ...?	▶ Ich bin am ... Ich habe am ...	▷ *Wann hast du Geburtstag?* ▶ *Am vierzehnten Mai. Und du?*
▷ Wie oft	warst du (schon) ...? hast du (schon) ...?	▶ Ich war ... Ich habe ...	▷ *Wie oft warst du schon in Italien?* ▶ *Viermal. Nein, fünfmal.*
▷ Seit wann	bist du ...? hast du ...? arbeitest du ...?	▶ Ich bin seit ... Ich habe seit ... Ich arbeite seit ...	▷ *Seit wann bist du verheiratet?* ▶ *Seit drei Jahren.*
▷ Wie lange	bist du (schon) ... hast du (schon) ... arbeitest du (schon) ...? lernst du (schon) ...?	▶ Ich bin ... Ich habe ... Ich arbeite ... Ich lerne ...	▷ *Wie lange arbeitest du schon hier?* ▶ *Drei Wochen.*
▷ Bis wann	warst du ...? hast du ...?	▶ Ich war bis ... Ich habe bis ...	▷ *Bis wann warst du in der Firma?* ▶ *Bis Juli.*

b) Schreiben Sie einen Lebenslauf mit Hilfe der Stichwörter. Wählen Sie eine Form aus Übung 20.
c) Schreiben Sie Ihren eigenen Lebenslauf.

Die Bewerbung: Vorstellung und Einstieg

Eine ausführliche und aussagekräftige Bewerbung ist der erste Schritt auf der beruflichen Karriereleiter. Ihr folgen Vorstellungsgespräche oder Assessment-Center, die dem gegenseitigen Kennenlernen und der Beurteilung Ihrer Fähigkeiten dienen. Und nach dem Einstieg können Sie sich gleich vom ersten Tag an durch eigene Ideen profilieren – beim "Training-on-the-Job".

Der erste Eindruck ist immer der wichtigste. An diese Lebensweisheit sollten Sie auch bei Ihrer Bewerbung denken. Die Unterlagen sind nämlich der erste Eindruck, den Sie bei dem Arbeitgeber Ihrer Wahl hinterlassen. Deshalb sollte die Bewerbung übersichtlich, vollständig und vor allem aussagekräftig sein. Die Opel-Personalreferenten erbitten von Ihnen einen lückenlosen tabellarischen Lebenslauf, ein Porträtfoto sowie ein Begleitschreiben, in dem Sie sich kurz vorstellen, Ihre Interessenschwerpunkte nennen und Ihre beruflichen Wünsche darlegen. Zeugniskopien, Studiennachweise und andere Dokumente, die besondere Fähigkeiten, Praktika oder berufliche Erfahrungen bescheinigen, sollten ebenfalls nicht fehlen.

Wie gesagt: Ihre Bewerbung vermittelt einen ersten Eindruck von Ihrer Persönlichkeit und Qualifikation. Ist das Bild positiv und besteht für Ihre Fachrichtung Bedarf, lädt Sie Opel zu einem Vorstellungsgespräch ein. Hier treffen Sie zunächst den zuständigen Personalreferenten, der Ihnen nähere Informationen über Opel, die Einstiegsmodalitäten, das Gehalt und die Zusatzleistungen des Unternehmens gibt.

Gesprächstermin: Kennen lernen im Dialog

Anschließend lernen Sie den jeweiligen Fachbereich kennen und plaudern mit dem Abteilungsleiter über fachbezogene Themen. Das Gespräch dient dem gegenseitigen Kennenlernen: Einerseits sollen Sie genügend Informationen bekommen, um feststellen zu können, ob die Tätigkeit bei Opel Ihren Vorstellungen entspricht. Und andererseits wollen wir uns ein Bild machen, ob Sie der oder die Richtige für unser Team sind. Im Interesse einer sorgfältigen Auswahl bitten die Fachabteilungen mitunter auch zu einem zweiten Gespräch oder laden zu einem Assessment-Center ein, das letzte Zweifel ausräumen soll.

Anschließend lässt Sie Opel nicht lange zappeln: Nach einer Bedenkzeit von acht bis zehn Tagen teilen wir Ihnen unsere Entscheidung mit. Bei einem positiven Bescheid sprechen wir auch gleich einen möglichen Einstellungstermin ab und schicken Ihnen einen Vertragsentwurf zu.

Training-on-the-Job: Neue Mitarbeiterinnen und Mitarbeiter werden bei Opel gleich von Anfang an in das Tagesgeschäft der Abteilungen integriert. Erfahrene Kollegen stehen den Berufsanfängern dabei stets zur Seite.

Workshops: Neue Opel-Mitarbeiter lernen die wichtigsten Unternehmensbereiche in einem zweitägigen Einführungsseminar kennen.

LEKTION 3

Fotokopieren
Besprechung
Schreibtisch-
arbeit
Aktenablage
Büro einrichten
Telefonat
Eingabe am
Computer
Blumen gießen
etwas auf dem Schreib-
tisch suchen
Seminar/Schulung
abhalten
Kaffee kochen
Besucher
empfangen
Ausladen
von Waren

1. Die Ausstattung eines Büros

Was befindet sich normalerweise in einem Büro? Welche Gegenstände und Materialien sind in diesem Büro vorhanden? Was (Möbel, Geräte, Maschinen, Materialien, sonstige Gegenstände) fehlt in diesem Büro?

der Aktenschrank
der Drucker
der Papierkorb
das Sitzkissen
das Waschbecken
der Computer
die Kaffeemaschine
der Schreibtisch
die Uhr
das Bild
der Kühlschrank
die Schublade
das Verlängerungskabel
die Blumenvase
der Fotokopierer
das Schreibpapier
der Teppich
der Besprechungstisch
der Dreifachstecker
das Regal
die Stehlampe
das Faxgerät
der Besucherstuhl
der Safe
das Telefon
die Zimmerpflanze

Gibt es hier einen Dreifachstecker?
Ja, der befindet sich auf dem Regal.
Ja, dort in der Ecke.
Nein, der fehlt.

Ist eine Kaffeemaschine vorhanden?
Ja, auf dem Schrank steht eine.
Nein, so etwas haben wir nicht.
Nein, so etwas fehlt uns noch.

2. Der Schreibtisch

Was befindet sich normalerweise auf einem Schreibtisch? Welche Gegenstände sind auf diesem Schreibtisch vorhanden? Was fehlt Ihrer Meinung nach?

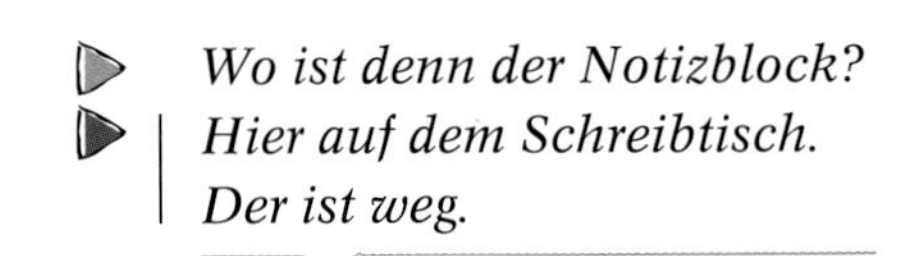
Wo ist denn der Notizblock?
Hier auf dem Schreibtisch.
Der ist weg.

der Aktenordner
der Hefter
die Visitenkarte
der Aschenbecher
die Kaffeetasse
die Schreibtischlampe
der Bleistift
der Locher
die Schere
das Verlängerungskabel
die Blumenvase
der Notizblock
das Telefonbuch
der Computer
das Papier
der Terminkalender
das Familienfoto
der Radiergummi
das Telefon
die Zimmerpflanze

3. Wohin mit der neuen Kaffeemaschine?

a) Welchen Platz haben Frau Grüner, Frau Fischer-Ortmann und Herr Karoui für den kleinen Tisch, die Zimmerpflanze und die neue Kaffeemaschine gefunden? Zeichnen Sie diese Gegenstände an den richtigen Platz in die Skizze.

b) Können Sie auch diese Fragen aus dem Hörtext beantworten?

1 Wer hat die Kaffeemaschine gekauft?
2 Eine Kaffeemaschine im Schrank: Warum ist das unpraktisch?
3 Wer hat die Idee mit dem kleinen Tisch?
4 Wohin kommt die Pflanze?
5 Wer hat die Idee mit der Pflanze?
6 Warum ist der Platz am Fenster für die Pflanze besonders gut?
7 Wer stellt den Tisch in die Ecke?
8 Hat der Tisch neben dem Waschbecken Platz?
9 Wie lange arbeitet Herr Karoui schon in dem Büro?

4. Unser Büro

Richten Sie das Büro ein. Arbeiten Sie zu dritt.

Das Regal stelle ich in die Ecke.

Die Kaffeemaschine …

Der Schreibtisch steht am Fenster.

	AKKUSATIV Wohin?	DATIV Wo?
(der)	auf den Tisch	auf dem Tisch
(das)	ans Fenster	am Fenster
(die)	in die Mitte	in der Mitte
(die)	in die Schubladen	in den Schubladen

Gr. S. 137

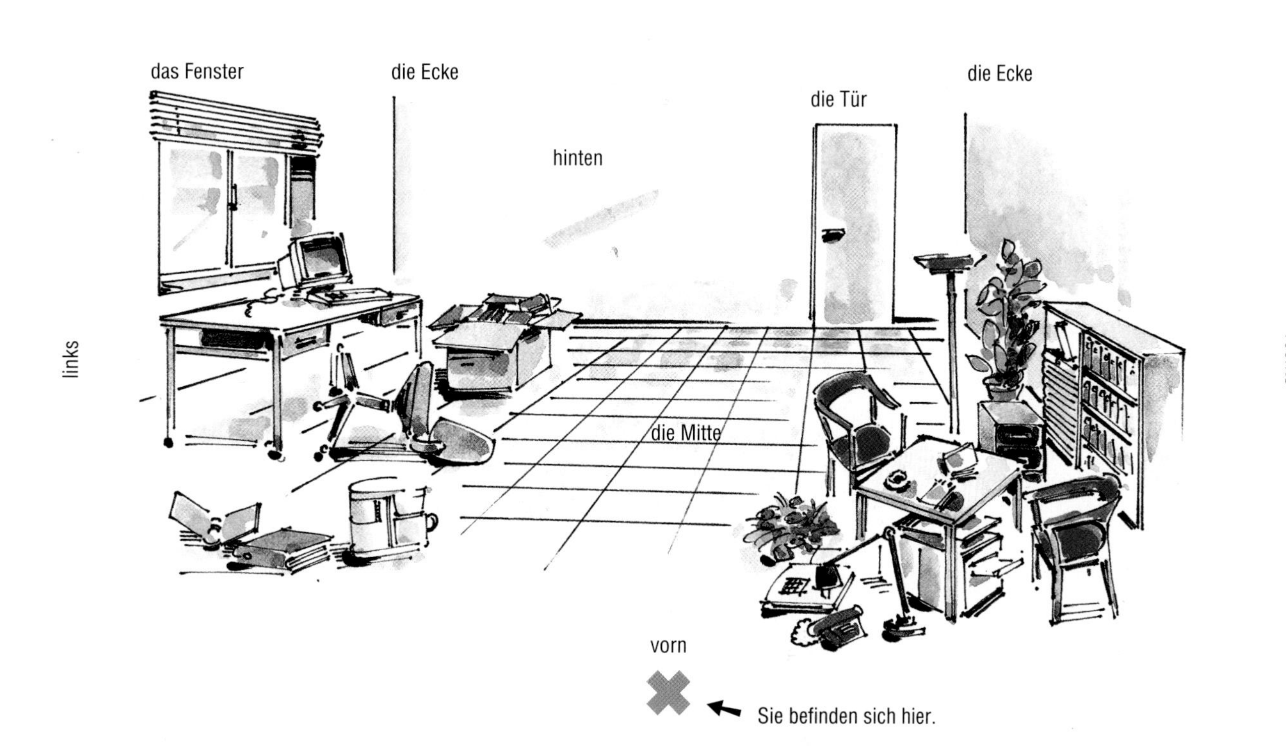

5. Gefühl, Stimmung, Laune

Wie sprechen die Leute?

Frau Rosenberger

Frau Regenhardt

Herr Roland

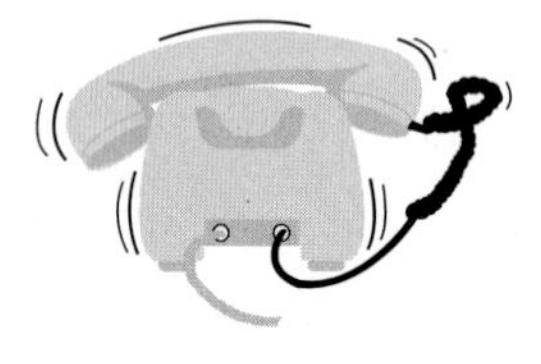

Ah, das Telefon läutet.

Herr Schmidt

Ich glaube,	Herr ... Frau ...	wundert freut ärgert regt sich auf.	sich.

6. Was ist mit Ihnen los?

Zeigen Sie Ihre Gefühle. Sprechen Sie einen Satz. Die anderen sollen sagen, was Sie fühlen.

Ich glaube, du ärgerst dich.

Ich glaube, du willst dich beschweren.

Ich glaube, du freust dich.

Herr Roland ist schon um drei Uhr weggegangen.
Das Gerät ist kaputt.
Es hat den ganzen Tag geregnet.
Das Telefon ist dauernd besetzt.
Herr Regula kommt heute und morgen nicht.
Firma Mobilia liefert die Möbel erst morgen.
Heute habe ich einen wichtigen Termin.
Die Rechnung ist noch nicht da.

Ich glaube, du regst dich auf.

Ich glaube, du willst dich entschuldigen.

Ich glaube, du wunderst dich.

7. Die Lieferung ist falsch.

In welcher Reihenfolge passiert das? Hören Sie das Telefongespräch und schreiben Sie nach jedem Signalton die passende Zahl.

a) ____ Herr Roland freut sich über die Einladung zum Geburtstag.
b) ____ Herr Schmidt wundert sich über die falsche Lieferung.
c) ____ Herr Roland regt sich über den Irrtum auf.
d) __1__ Herr Schmidt ärgert sich, weil niemand ans Telefon geht.
e) ____ Herr Roland beruhigt sich wieder.
f) ____ Herr Schmidt bedankt sich bei Herrn Karoui.
g) ____ Herr Roland beschwert sich bei Frau Grüner.
h) ____ Herr Roland freut sich auf den Kegelabend.
i) ____ Herr Schmidt entschuldigt sich bei Herrn Karoui.
j) __2__ Herr Karoui meldet sich und spricht mit Herrn Schmidt.
k) ____ Herr Schmidt verbindet Frau Grüner mit Herrn Roland.

8. Frau Grüner bringt die Sache in Ordnung.

In welcher Reihenfolge passiert das?

a) ____ Frau Grüner möchte mit dem Fahrer sprechen.
b) ____ Frau Grüner sagt, Herr Roland soll den Kegelabend nicht vergessen.
c) ____ Herr Karoui holt Frau Grüner ans Telefon.
d) ____ Frau Grüner sagt, dass ein Irrtum passiert ist.
e) __1__ Herr Karoui meldet sich am Apparat von Frau Grüner.
f) ____ Frau Grüner sagt, dass Herr Roland die Versandpapiere nicht geprüft hat.
g) ____ Frau Grüner erklärt Herrn Roland, wie der Fehler passiert ist.

9. Was passt zusammen?

Sprechen Sie und schreiben Sie.

▶			▶	
Wofür	sich ärgern	Herr Roland?	Auf	die Einladung.
Worüber	sich freuen	Frau Grüner?	Für	das Fest.
Worauf	sich interessieren	Herr Schmidt?	Über	den Anruf.
Wo(r)...	sich wundern	Sie selbst?	…	morgen.
	sich aufregen	Herr Karoui?		die falsche Lieferung.
	sich bedanken	Ihr Kollege?		Fremdsprachen.
	sich beschweren	du?		Kleinigkeiten.
		…		die Hilfe.
				…

▶ *Worüber ärgert sich Ihr Kollege?*
▶ *Er ärgert sich über Kleinigkeiten.*

▶ *Wofür interessiert sich Herr Schmidt?*
▶ *Er interessiert sich für …*

wofür? → für …
worüber? → über …
worauf? → auf …
wo(r)… …

10. Sich, mich, dich, uns, ...

ich	→ mich	wir	→ uns
du	→ dich	ihr	→ euch
er/sie	→ sich	sie/Sie	→ sich

a) Warum regst du __dich__ auf?
Ich rege ________ nicht auf.
b) Bitte beruhigen Sie ________! Wir regen ________ doch gar nicht auf.
c) Wundert ________ bitte nicht! Das war ein Irrtum. Jeder kann ________ mal irren.
d) Wir interessieren ________ für moderne Musik. Wofür interessieren Sie ________?
e) Ich freue ________ auf die neue Arbeitsstelle. Ich interessiere ________ für diese Arbeit.
f) Wir befinden ________ hier im Computerraum. Bitte wundert ________ nicht über die Unordnung hier!
g) Ich möchte ________ bei Ihnen für die nette Einladung bedanken.

Gr. S. 136

11. Erzählen Sie.

Haben Sie sich bei der Arbeit / im Studium / im Deutschkurs einmal gewundert/geärgert/gefreut/beschwert/aufgeregt / …? Ja? Erzählen Sie.

Ich wollte gerade nach Haus gehen. Es war schon spät. Da ist ein Mann ins Büro gekommen und hat gesagt: „Ich soll hier den Fotokopierer reparieren.“ Ich habe ihm den Fotokopierer gezeigt. Die Reparatur hat zwei Stunden gedauert. Die ganze Zeit habe ich in meinem Büro gewartet. Ich habe mich ziemlich geärgert.

12. Fragen zum Betrieb und zur Arbeit

Fragen Sie drei Leute und berichten Sie.

wo(r)...

... + NOMEN — da(r)..., dass...

Gr. S. 140

... + NOMEN	da(r)..., dass...
die Arbeitsqualität	Die Kommunikation im Betrieb klappt (nicht).
die Verkaufszahlen	Die Qualität der Arbeit nimmt zu/ab.
die EDV	Die Arbeitsplätze sind (nicht) in Gefahr.
die Rationalisierung	Unsere Verkaufszahlen sind gut/schlecht.
die Größe des Betriebs	Der Betrieb wächst (nicht).
das Betriebsklima	...
...	

▷ *Worum kümmerst du dich?*
▶ *Ich kümmere mich um die Büroausstattung.*

▷ *Wofür interessieren Sie sich?*
▶ *Ich interessiere mich für die Verkaufszahlen.*

▷ *Und worum kümmert sich Frau Regenhardt?*
▶ *Sie kümmert sich darum, dass die Kommunikation klappt.*

Notizen für den Bericht:

			Name	Name	Name
freut sich	über ...	darüber, dass ...			
ärgert sich	über ...	darüber, dass ...		EDV	
kümmert sich	um ...	darum, dass ...			
redet	über ...	darüber, dass ...			
beschäftigt sich	mit ...	damit, dass ...			Organisation
hat Angst	vor ...	davor, dass ...	krank werden		
...	...	da(r)..., dass ...			

13. Die falsche Lieferung

a) Hören Sie das Telefongespräch und unterhalten Sie sich darüber.

▷
1. *Warum geht Frau Grüner nicht sofort ans Telefon?*
2. *Was versteht Herr Schmidt falsch?*
3. *Wie alt ist Frau Grüner?*
4. *Was ist Herr Roland von Beruf?*
5. *Wer ist Herr Regula?*
6. *Unterbricht Frau Grüner Herrn Roland?*
7. *Welchen Fehler hat Herr Roland gemacht?*
8. *Was für einen Charakter hat Herr Roland?*
9. *Wie erklärt Frau Grüner den Fehler?*
10. *Was für einen Charakter hat Frau Grüner?*
11. *Wie ist Frau Grüner: attraktiv, intelligent, sportlich, klug, ehrlich, lustig ...?*
12. *Wie finden Sie die Lösung des Problems zwischen Frau Grüner und Herrn Roland?*

▶ *... Das habe ich im Telefongespräch gehört.*

Das habe ich im Telefongespräch nicht gehört. Aber meiner Meinung nach ...

▷ *Warum geht Frau Grüner nicht sofort ans Telefon?*
▶ *Sie ist in einer Besprechung. Das habe ich im Telefongespräch gehört.*

▷ *Was für einen Charakter hat Herr Roland?*
▶ *Das habe ich im Telefongespräch nicht gehört. Aber meiner Meinung nach ist er fleißig und korrekt.*

b) Vergleichen Sie die Kundenkartei mit dem Lieferschein. Was für eine Verwechslung ist passiert?

Nr.	Firma	Straße Nr.	PLZ Ort	Telefon	Telefax
124	Munzinger KG	Rheingaustr. 4a	65 385 Rüdesheim a. Rh.	06722 / 1436	/ 1915
125	Nader Elektro AG	Berliner Str. 28	55 411 Bingen	06721 / 467-68	/ -99
126	Neidhardt KG	Industriestr. 27	55 218 Ingelheim	06132 / 9278	/ 17644
127	NORENSA	Sonnenberg 14	55 545 Bad Kreuznach	0671 / 88702	/ 17765
128	NOVENIA Vers.	Marktplatz 12	55 218 Ingelheim	06132 / 887-25	/ 887-11
129	Opel Service	Rosenstraße 12	55 411 Bingen	06721 / 63324	/ 24998

Firma
Neidhardt KG
Sonnenberg 14
55 545 Bad Kreuznach

BÜROMARKT Nehrlinger KG
Robert-Bosch-Straße 11, 55 411 Bingen
Tel: 06721 / 2478, Fax 06721/ 13991

Lieferschein

Nummer	Datum	Kd.Nr.	Verkäufer
1721	12. 03. 97	126	Frau Grüner

Art. Nr.	Warenbezeichnung	Menge
07214	Kopierpapier Praxi-Copy	2 Paletten, 100 000 Blatt

Ware ordnungsgemäß erhalten

14. Sprechübung

Lesen Sie die acht Sätze. Hören Sie dann und sagen Sie, was passiert ist.

Der Herr hat sich verschluckt.
Der Herr hat sich verwählt.
Die Dame hat sich verhört.
Der Hund hat sich verlaufen.
Der Herr hat sich verschrieben.
Die Dame hat sich verrechnet.
Die Dame hat sich vertippt.
Der Herr hat sich versprochen.

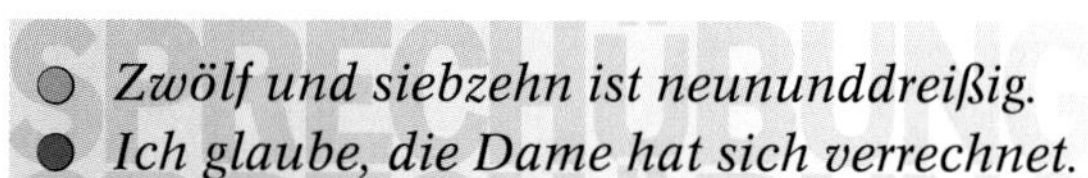

- *Zwölf und siebzehn ist neunundreißig.*
- *Ich glaube, die Dame hat sich verrechnet.*

Gr. S. 136

15. Ein unangenehmes Erlebnis

a) Machen Sie Dialoge.

▷ *Hast du dich schon mal verlaufen?*
▶ *Ja, ich habe mich schon mal verlaufen.*
▷ *Und wie ist das passiert?*
▶ *Ich wollte zum Ausgang. Aber ich konnte den Ausgang nicht finden. Ich wollte nicht fragen. Auf einmal war ich im Büro von Herrn Direktor Hartmann. Sehr unangenehm! Und du? Hast du dich schon mal ver...?*

▷ *Hast du dich schon mal ver...?*

▶ *Ja, ich habe mich schon mal ver...*
▷ *Und wie ist das passiert?*
▶ *Das war so: ...*

▶ *Nein, ich habe mich noch nicht ver...*
▷ *Hast du dich schon mal ver...?*
▶ *Ja, ich ...*
▶ *Nein, ich ...*

b) Schreiben Sie ein persönliches Erlebnis.

16. Wie würden Sie antworten?

(A) Könnten wir den neuen Fotokopierer in Ihr Büro stellen?

(B) Müssten wir nicht über die Arbeitszeit diskutieren?

(C) Wie würden Sie auf diesen Brief reagieren?

(D) Würden Sie bitte Herrn Schmidt anrufen?

(E) Hätten Sie morgen eine Stunde Zeit?

(F) Wäre das möglich?

(1) Ich wüsste gern warum.

(2) Eine andere Lösung wäre mir lieber.

(3) Darüber würde ich gern eine Nacht schlafen.

(4) Ich müsste aber vorher noch dringend zur Bank.

(5) Darüber sollten wir mit allen Mitarbeitern sprechen.

(6) Diese Frage würde ich gern Herrn Wendlandt stellen.

(7) Machen Sie bitte eine schriftliche Anfrage.

KONJUNKTIV II

sein	→	wär		
haben	→	hätt	**-e**	
können	→	könnt	**-est**	
wollen	→	wollt	**-e**	
müssen	→	müsst	**-en**	
sollen	→	sollt	**-et**	
dürfen	→	dürft	**-en**	
wissen	→	wüsst		
...en	→	würd		+ INFINITIV

Gr. S. 135

17. Kurzdialoge

a) Gespräch 1: Wohin mit dem Fotokopierer?

		richtig	falsch	Möglich, aber das hört man nicht.
1	Die drei Personen sprechen über die Qualität des Fotokopierers.	☐	☐	☐
2	Die drei Personen diskutieren über den Standort des Fotokopierers.	☐	☐	☐
3	Die drei Personen finden eine Lösung für den Standort des Kopierers.	☐	☐	☐
4	Herr Karoui würde den Fotokopierer nicht auf den Flur stellen.	☐	☐	☐
5	Herr Karoui hätte den Fotokopierer gern in seinem Büro.	☐	☐	☐
6	Eine Dame hätte den Fotokopierer gern im Sekretariat.	☐	☐	☐
7	Auf dem Flur würde der Fotokopierer nicht stören.	☐	☐	☐

b) Gespräch 2: Ein Geburtstagsgeschenk für Frau Grüner

		richtig	falsch	Möglich, aber das hört man nicht.
1	Zwei Damen und zwei Herren nehmen an dem Gespräch teil.	☐	☐	☐
2	Frau Grüner soll zwei Geschenke bekommen.	☐	☐	☐
3	Eine Dame schlägt als Geschenk einen Einkaufsgutschein vor.	☐	☐	☐
4	Jedes Geschenk kostet etwa 90 Mark.	☐	☐	☐
5	Frau Grüner hat zwanzig Leute eingeladen.	☐	☐	☐
6	Frau Grüner interessiert sich für englische Literatur.	☐	☐	☐
7	Einer der Herren kauft die Geschenke.	☐	☐	☐
8	Alle freuen sich über die Einladung.	☐	☐	☐
9	Alle freuen sich auf die Geburtstagsfeier.	☐	☐	☐

18. Ein Telefax

■ Telefax – Télécopie – Fax message ■

1 Absender: Büromarkt Nehrlinger KG
Verkauf: A. Grüner
Robert-Bosch-Straße 11, 55 411 Bingen
Telefon: 06721 / 2478 Telefax: 06721 / 13991
5 Empfänger: Firma Neidhardt
Einkauf: Frau C. Rosenberger
Telefax 06132 / 17 644

Auftrag Nr. 1523/95 vom 10.03.97
2 Paletten Kopierpapier „Praxi-Copy“, 80 g speziell für
10 Xerographie

Sehr geehrte Frau Rosenberger,

die für heute Vormittag zugesagte Auslieferung des o.a.
Auftrags kann leider erst in der 12. KW erfolgen.
Den genauen Termin geben wir Ihnen noch telefonisch
15 bekannt. Durch einen bedauerlichen Irrtum in unserer
Versandabteilung müssen wir den Liefertermin verschie-
ben. Wir hoffen, dass Sie damit einverstanden sind.
Bitte entschuldigen Sie unser Versehen und die damit ver-
bundene Verzögerung.

20 Mit freundlichen Grüßen

A. Grüner
(A. Grüner)

a) Steht das im Fax?

		Nein	Ja, in Zeile
1	Firma Neidhardt hat 200 000 Blatt Papier bestellt.	☐	☐
2	Der Auftrag hat die Nummer 1523/95.	☐	☐
3	Das Fax ist an Firma Neidhardt adressiert.	☐	☐
4	Frau Rosenberger ist für die Sache zuständig.	☐	☐
5	Firma Neidhardt bekommt das Papier am nächsten Tag.	☐	☐
6	Der genaue Liefertermin in der 11. Kalenderwoche ist bekannt.	☐	☐
7	Der Irrtum ist in der Versandabteilung passiert.	☐	☐
8	Der Irrtum tut Frau Grüner Leid.	☐	☐
9	Firma Neidhardt braucht das Papier dringend.	☐	☐

b) Vergleichen Sie den Anruf von Herrn Roland mit dem Fax von Frau Grüner.

Herr Roland sagt am Telefon:	Im Fax steht etwas anderes.	Im Fax steht nichts davon.	Im Fax steht das genauer.
1 Da ist etwas falsch gelaufen.	☐	☐	☐
2 Die Sache ist nicht so dringend.	☐	☐	☐
3 Wir liefern so bald wie möglich.	☐	☐	☐
4 Ich bin mit zwei Paletten bei Firma Norensa.	☐	☐	☐

19. Sprechübung

SPRECHÜBUNG

○ *Ich fahre nach Berlin.*
● *Ich würde auch gern nach Berlin fahren.*

Gr. S. 135

20. Was würden Sie tun/sagen/schreiben/denken ...?

Arbeiten Sie in kleinen Gruppen.

entweder:
Sie haben heute lange gearbeitet. Die anderen Mitarbeiter sind schon weg. Sie sind der/die letzte. Plötzlich sehen Sie ein Feuer in einem Büro.

oder:
Sie finden in Ihrer Schreibtischschublade 5 000 Mark. Das Geld gehört nicht Ihnen.

oder:
Sie müssen eine Dienstreise machen. Alles ist schon organisiert. Da kommt eine Besuchergruppe aus Japan ins Haus. Die Sekretärin hat den Besuchstermin nicht in Ihren Terminkalender geschrieben.

21. Achtung! Das Papier kommt.

Interne Notiz

von: Rosenberger, Einkauf
an: Herrn Kolbe, Hausmeister
Betr.: Lieferung Papier von Fa. Nehrlinger, 2 Paletten

Text: Lieferung für heute 12-13 Uhr angekündigt. 1 Palette auf den Flur, 1 Pal. ins Materiallager stellen

Zeit: 19.3. 10.30 Uhr
Handzeichen: Ros
Kopie an: Herrn Ramseck, Pförtner: Bitte einlassen und Kolbe verständigen

a) Wer hat die interne Notiz geschrieben?
b) Für wen ist die interne Notiz?
c) Wer liefert die Ware?
d) Was soll Herr Kolbe machen?
e) Was soll Herr Ramseck machen?
f) Wohin sollen die zwei Paletten?
g) Wer unterschreibt den Lieferschein?
h) Wie heißt der Fahrer?
i) Wer hilft dem Fahrer beim Abladen?
j) Hat Frau Rosenberger an alles gedacht?

22. Herr Roland ist da.

Hören Sie den Dialog und beantworten Sie die Fragen.

a) Herr Roland bringt nur eine Palette.

1 Wofür entschuldigt sich Herr Roland?
Er entschuldigt sich dafür, dass …
2 Worüber weiß Herr Kolbe Bescheid?
Er weiß darüber Bescheid, dass …
3 Was hat Frau Rosenberger notiert?
Sie hat notiert, dass …
4 Warum bringt Herr Roland nur eine Palette?
Er bringt nur eine Palette, weil …
5 Warum soll Herr Roland das Papier auf den Flur stellen?
Er soll es auf den Flur stellen, weil …

A Herr Roland kommt zwischen zwölf und eins.
B Herr Roland hatte nicht genug Platz auf dem Wagen.
C Herr Roland kommt in der Mittagspause.
D Die Leute brauchen das Papier in ihren Büros.
E Herr Roland bringt zwei Paletten.

b) Und so berichtet Herr Kolbe Frau Rosenberger:

		richtig	falsch
6	Der Fahrer war pünktlich da.	☐	☐
7	Er hat die zwei Paletten Papier geliefert.	☐	☐
8	Ich habe eine Kopie des Lieferscheins unterschrieben, wie Sie gesagt haben.	☐	☐
9	Ich habe Herrn Roland das Materiallager geöffnet.	☐	☐
10	Das Papier steht im Materiallager.	☐	☐
11	Es hat alles geklappt.	☐	☐

c) Und so berichtet Herr Roland Frau Grüner:

		richtig	falsch
12	Ich war gegen 11 Uhr bei Firma Nehrlinger.	☐	☐
13	Der Hausmeister hat sich darüber gewundert, dass ich nur eine Palette gebracht habe.	☐	☐
14	Er hat mir beim Abladen geholfen.	☐	☐
15	Die Leute waren froh, dass das Papier da war.	☐	☐
16	Es war wirklich wichtig, dass wir heute geliefert haben.	☐	☐
17	Zuerst wollte mir der Hausmeister den Lieferschein nicht unterschreiben.	☐	☐
18	Ich habe ihm erklärt, dass wir die zweite Palette morgen oder übermorgen liefern.	☐	☐
19	Herr Kolbe wollte, dass ich das Papier auf den Flur neben den Fotokopierer stelle. Das habe ich auch getan.	☐	☐
20	Es hat alles geklappt.	☐	☐

23. Was würden Sie machen?

Sie haben zwei Paletten à 100 000 Blatt Kopierpapier weiß 80g für Freitag bestellt, und dann passiert das:

Die Firma liefert grünes Papier.
Das Papier ist schon am Donnerstag da.
Der Fahrer bringt zehn Paletten.
Am Freitag kommt kein Papier.
Der Fahrer hat nur eine Palette auf dem Wagen.
Auf jeder Palette befinden sich nur 80 000 Blatt.
Das Papier ist zum Teil feucht.
Das Papier kommt nicht pünktlich.

Da würde ich mich	freuen. ärgern. beschweren. aufregen. wundern.
Das wäre	mir egal. mir unangenehm. kein Problem.
Das würde	mich (nicht) interessieren. mir (nicht) gefallen. ich (nicht) gut finden.

Wenn der Fahrer zehn Paletten bringen würde, dann würde ich mich wundern.

Wenn der Fahrer nur eine Palette auf dem Wagen hätte, dann wäre mir das egal.

Gr. S. 135

24. Sprechübung

● *Kommt das Papier heute oder morgen?*
● *Es wäre mir lieber, wenn das Papier heute kommen würde.*

Gr. S. 135

25. Planung, Organisation, Kommunikation

Arbeiten Sie in Gruppen zu dritt.

Lesen Sie das Memo. Achtung! Es gibt ein Problem: Der Wagen ist in Reparatur und wird erst morgen gegen 14 Uhr fertig. Suchen Sie eine Lösung. Benachrichtigen Sie alle Leute per Telefon oder per Fax. Präsentieren Sie Ihre Problemlösung nach etwa 15 Minuten Arbeitszeit.

Memo

Morgen früh 80 Kisten Obst bei Fa. Südfrucht GmbH in Mainz abholen und zu SPAR/Hauptlager nach Bad Kreuznach bringen. Die Sache ist eilig.

Firma Büromarkt Nehrlinger KG:

Drei Generationen erzählen ihre Geschichte

Alfred Nehrlinger ⚭ Gertrud Nehrlinger geb. Ahrens
Botho Nehrlinger ⚭ Hermine Nehrlinger
Hedwig Weber geb. Nehrlinger
Rolf Nehrlinger ⚭ Irene Benz-Nehrlinger geb. Benz
Julia Nehrlinger
Jonas
Esther

Alfred Nehrlinger * 1911 † 1980
Mich hat keiner gefragt, was ich werden wollte. Mein älterer Bruder war in den zwanziger Jahren nach Amerika ausgewandert, und meine jüngere Schwester Rosalie war in Königsberg verheiratet. „Dann muss es halt der Alfred machen", sagte meine Mutter immer, wenn sie von der Zukunft sprach. Ich lernte Einzelhandelskaufmann bei Opa Theo in Koblenz und wollte mit 22 Jahren eigentlich noch mal die Schulbank drücken, vielleicht die Höhere Handelsschule besuchen. Aber da starb mein Vater plötzlich. Meine Mutter hatte Recht: Der Alfred machte es.
Ich heiratete, wir hatten zwei Kinder, Botho und Hedwig. Die Hitlerzeit verbrachten wir im Laden hinter der Theke. Zweimal haben wir Rosalie in Königsberg besucht, und einmal waren wir eine Woche im Schwarzwald. Und dann war Krieg.
Als ich 1946 aus der russischen Kriegsgefangenschaft heimkam, ging es weiter, als wäre nichts passiert. Die Leute brauchten alles und kauften, was es gab: Schuhcreme, Nudeln, Rollschuhe, Kochlöffel, Zahnbürsten und einmal sogar zwanzigtausend Heringe in zehn Fässern aus Hamburg. Ich rieche sie heute noch. Das waren Zeiten! Ware im Laden zu haben, das war die Kunst. Verkaufen war ein Kinderspiel.

Botho Nehrlinger * 1937
Ich war ein „Ladenkind", bevor ich Kaufmann wurde und heute Geschäftsmann bin. Vater musste 1940 in den Krieg. Opa Theo, der Vater meiner Mutter, war mir Großvater und Vater zugleich. 1946 kam ein großer, magerer, fremder Mann in den Laden. Das war mein Vater, wie Mutter mir erklärte.
Ich kam in die Realschule. Jetzt war ich kein Ladenkind mehr. Wenn ich von der Schule heimkam, ging ich gleich nach oben in unsere Wohnung im ersten Stock.
In den ersten Jahren nach dem Krieg sprachen meine Eltern abends über das, was tagsüber passiert war: Kleinigkeiten, Zwischenfälle, dies und das. Später redeten sie über das, was passieren sollte: Veränderung, Vergrößerung, Werbeaktionen.
1960 eröffneten sie den Büromarkt Nehrlinger KG im Industriegebiet. Kurz darauf zogen wir in ein Einfamilienhaus mit Garten am Stadtrand.
Inzwischen hatte ich es bei Kaufhof in Wiesbaden zum Abteilungsleiter gebracht, war verheiratet, hatte zwei Kinder, Rolf und Julia, und wollte eigentlich alles anders machen als mein Vater. Da kam eines Morgens der Anruf: Herzinfarkt. Nicht sehr schlimm, aber trotzdem. „Vielleicht kann der Botho es machen, wenigstens eine Zeit lang, bis Vater wieder kann", sagte Mutter.

Rolf Nehrlinger * 1965
Dass Vater damals den alten Laden in der Lessingstraße aufgab und im Industriegebiet praktisch ganz neu anfing, das war mutig. Wirklich. Das Geschäft ging glänzend und schon wenige Jahre später musste Vater vergrößern.
Aber dann ging es in den achtziger Jahren irgendwie nicht weiter. Als ich vor vier Jahren als Prokurist einstieg, da hatten wir keine EDV, eine sehr langsame Auftragsabwicklung, viel zu viel Ware auf Lager, keine klare Geschäftsidee. Wir reagierten auf Bestellungen, wir agierten nicht am Markt.
Julia konnte es schon immer besser mit Vater. Sie macht heute das, was ich machen wollte, aber nicht konnte, weil Vater nicht wollte oder noch nicht wollte. Jetzt geht es auf einmal.
Meinen heutigen Geschäftspartner Kurt Bleyer habe ich im Urlaub auf Teneriffa kennen gelernt. Fast möchte ich sagen: Von Liegestuhl zu Liegestuhl kamen wir ins Geschäft. Ich wollte Distanz zum väterlichen Geschäft und Vater auch. Da kam die frisch gebackene Diplomkauffrau Julia Nehrlinger zum richtigen Zeitpunkt von der Uni in die Nehrlinger KG. Das war mein Signal. Ich ging im Auftrag der IHK Koblenz für ein Jahr zum Aufbau der dortigen Industrie- und Handelskammer nach Dresden. Und dann sind wir geblieben. Erst mal ...

LEKTION 4

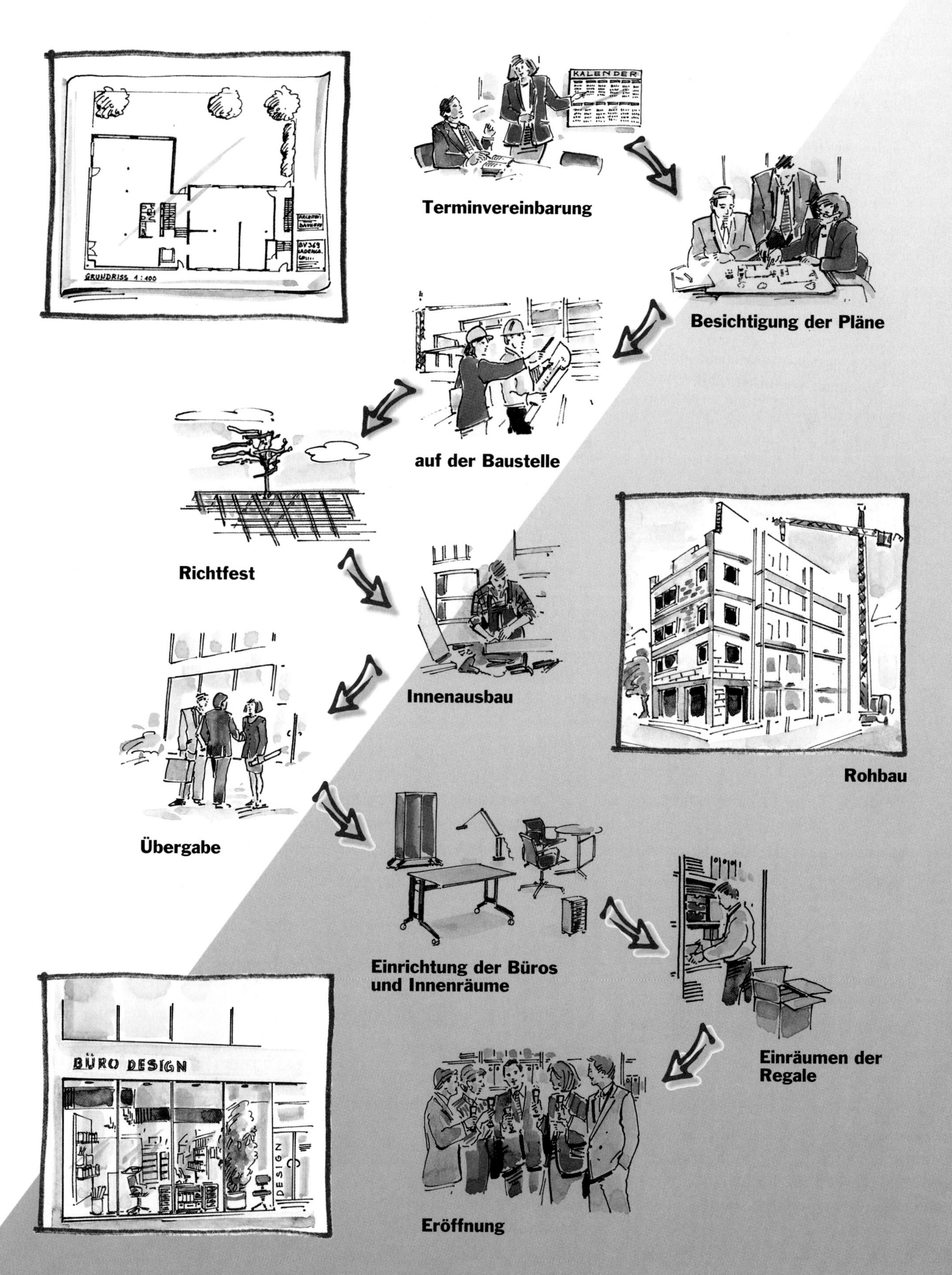

KALENDER
Terminvereinbarung
Besichtigung der Pläne
auf der Baustelle
Richtfest
Rohbau
Innenausbau
Übergabe
Einrichtung der Büros
und Innenräume
Einräumen der
Regale
Eröffnung
GRUNDRISS 1:400
BÜRO DESIGN
DESIGN

1. Drei Objekte für einen Büromarkt

Sie suchen Räume für einen Büromarkt. Prüfen Sie in kleinen Gruppen die drei Immobilienangebote der IVV. Für welches Objekt entscheiden Sie sich? Warum?

Sehr geehrter Herr Dem...

vielen Dank für Ihr Interesse an den gewerblichen Objekten der IVV. Zunächst möchten wir Ihnen mit den anliegenden Exposés einen Überblick über unser reichhaltiges Angebot an Objekten in Top-Lagen vermitteln. Unsere Objektberaterin, Frau Ulla Rempling, berät Sie gern und freut sich auf Ihren Besuch.

Mit freundlichen Grüßen

Mathias Dockhorn
IVV Immobilien Vermietungs- und Verwaltungsgesellschaft mbH

	Objekt 12-A Ladengeschäft in der Fußgängerzone	**Objekt 24-C** Geschäftsräume im Einkaufszentrum	**Objekt 16-F** Schreibwarengeschäft in einem Vorort, 8000 Einwohner
Lage	Nähe Stefanskirche	7 km vom Stadtzentrum	Hauptgeschäftsstraße
Zustand	renovierungsbedürftig	Neubau, bezugsfertig 6/98	renoviert
Verkaufsfläche	120 qm	360 qm	280 qm
Gesamtfläche	200 qm	ca. 600 qm	400 qm
Büroräume	1 Büroraum, 12 qm	1 Büroraum und 1 Kundenbüro	Personalraum, Büro 12 qm
Lager	15 qm, Regale können übernommen werden	120 qm leer	2 große Kellerräume
Einrichtung	kann übernommen werden	leer	Möbel und Einrichtung können günstig übernommen werden
Parkplätze	2 Parkplätze in Tiefgarage	gebührenfreie Kundenparkplätze, 2 Mitarbeiterparkplätze reserviert	2 Kundenparkplätze auf dem Hof
Monatsmiete	DM 5000,– / Monat (VB)	DM 24,– / qm Monatsmiete	DM 7900,– / Monat
Sonstiges	4-Zimmer-Wohnung, 102 qm, 1. OG	–	2-Zimmer-Wohnung, 1. Stock, auch als Büro oder Lager

Wir haben uns für das Objekt 16-F entschieden. Erstens hat es einen Personalraum. Zweitens liegt es in der Hauptgeschäftsstraße. Drittens ...

genauso klein wie ... → kleiner als ...
genauso groß wie ... → größer als ...
genauso hoch wie ... → höher als ...
genauso viel wie ... → mehr als ...
genauso ... wie ... → ...er als ...

Gr. S. 131

2. Vergleichen

Vergleichen Sie die drei Objekte unter folgenden Gesichtspunkten:

a) die Verkaufsfläche — *Die Verkaufsfläche des Objektes 16-F ist kleiner als die ...*

b) die Zahl der Parkplätze — *Die Zahl der Parkplätze des Objektes 16-F ist genauso groß wie ...*

c) die Büroräume — *Die Büroräume des Objektes ...*

d) der Mietpreis — *Der ...*

e) das Lager

3. Vielleicht hat die IVV etwas Passendes.

Hören Sie das Telefongespräch zwischen Herrn Bleyer und Frau Rempling.

a) Von welchen zwei Objekten in Übung 1 spricht Frau Rempling?
b) Welches Objekt passt zu den Vorstellungen von Herrn Bleyer?
c) Hören Sie das Telefongespräch zwischen Herrn Bleyer und Frau Rempling noch einmal. Erkennen Sie die Punkte 1–7?

1 Herr Bleyer wählt die Nummer von Firma IVV.
2 Frau Keller nimmt den Hörer ab, meldet sich und verbindet Herrn Bleyer mit Frau Rempling.
3 Frau Rempling begrüßt Herrn Bleyer und fragt ihn nach seinen Wünschen.
4 Herr Bleyer informiert Frau Rempling über seine Wünsche.
5 Frau Rempling informiert Herrn Bleyer über ihre augenblicklichen Angebote.
6 Frau Rempling schlägt Herrn Bleyer einen Besichtigungstermin vor.
7 Herr Bleyer akzeptiert den Termin.

d) Welche Formulierungen passen zu den Schritten 1–7?

Ja gut, Frau Rempling. Vielen Dank und auf Wiederhören.

Guten Morgen, Herr Bleyer. Was kann ich für Sie tun?

Ich hätte da zwei Objekte.

Guten Morgen, Frau Keller.

Donnerstag, 14 Uhr, das passt gut.

Wir möchten einen Büromarkt eröffnen.

Moment, ich verbinde Sie mit unserer Objektberaterin.

Regel („So läuft das normalerweise"):
1. Schritt: Der Anbieter wird angerufen.
2. Schritt: Der Anrufer wird mit der zuständigen Person verbunden.
3. Schritt: Der Anrufer wird von der zuständigen Person begrüßt und nach seinen Wünschen gefragt.
4. Schritt: Die zuständige Person wird vom Anrufer über seine Wünsche informiert.
5. Schritt: Die zuständige Person informiert den Anrufer über ihre Angebote.
6. Schritt: Ein Besichtigungstermin wird vereinbart.
7. Schritt: Das Telefongespräch wird beendet. Der Hörer wird aufgelegt.

1	wird werden	(von ...) ...	PARTIZIP

4. Schreiben Sie.

Gr. S. 134

a) Ein Kollege ruft mich an. *Ich werde von einem Kollegen angerufen.*
b) Er ruft dich auch an. *Du*
c) Er informiert Herrn Boos. *Er von*
d) Ein Herr holt uns ab.
e) Er holt euch auch ab.
f) Ein Kollege bringt Herrn Boos und dich zum Bahnhof.
g) Herr Boos, mein Kollege, bringt Sie zum Bahnhof.

5. Rollenspiele

Rollenspielplan:
(P1 = Person am Apparat;
P2 = Anrufer;
P3 = gewünschte Person)
P1: meldet sich und grüßt
P2: grüßt und sagt ihr Anliegen (kurz)
P1: verbindet mit P3
P3: meldet sich und grüßt
P2: grüßt und sagt ihr Anliegen (ausführlich)
P3: erfüllt den Wunsch: reserviert, gibt Auskunft, ...
P2: dankt und verabschiedet sich
P3: verabschiedet sich

Frau/Herr Pauls (P1) möchte im Restaurant des Hotels Astoria einen Tisch reservieren (10 Personen, 19.00 Uhr, Donnerstag). Frau/Herr Weber (P2) verbindet mit Frau/Herrn Carrer (P3), Veranstaltungsleiter.

Frau/Herr Kadnitz (P1) möchte einen Termin zum Deutschlernen vereinbaren. Frau Irma Wörner (P2) verbindet mit ihrem Sohn / ihrer Tochter Andreas / Andrea Wörner (P3).

Herr/Frau Roberts (P1) interessiert sich für die Stelle eines Vertriebsassistenten / einer Vertriebsassistentin. Frau/Herr Rollshagen (P2) verbindet mit Herrn/Frau König (P3), Personalabteilung.

6. Rolf Nehrlinger ist nicht zu Hause.

Hören Sie die Nachricht, die Kurt Bleyer auf den Anrufbeantworter von Familie Nehrlinger spricht.
Was ist richtig?

a) Kurt Bleyer wohnt in Dresden.
Und Rolf Nehrlinger?

- A Er wohnt auch in Dresden oder bei Dresden.
- B Es ist völlig unklar, wo er wohnt.
- C Er wohnt in einem Hotel.
- D Er wohnt in Bingen.

b) Kurt Bleyer ist verheiratet und hat zwei Kinder.
Und Rolf Nehrlinger?

- A Er ist ledig.
- B Er ist verheiratet, aber er hat keine Kinder.
- C Er ist verheiratet und hat ein Kind.
- D Er ist verheiratet und hat mehr als ein Kind.

Es ...	wird werden	...	PARTIZIP

Gr. S. 134

c) Warum ruft Kurt Bleyer an?

- A Er möchte Rolf Nehrlinger zu einer Feier einladen.
- B Er möchte Rolf Nehrlinger einen Termin mitteilen.
- C Er möchte mit Rolf Nehrlinger eine Reise machen.
- D Er möchte mit Rolf Nehrlinger essen gehen.

d) Kurt Bleyer isst regelmäßig in der Pizzeria da Pino zu Mittag. Geht Rolf Nehrlinger auch öfter dahin?

- A Er ist dort auch oft zu Gast.
- B Er hat dort noch nie zu Mittag gegessen.
- C Er isst dort sehr selten zu Mittag.
- D Das hört man nicht im Telefongespräch.

e) Kurt Bleyer ruft Rolf Nehrlinger an. Soll Rolf Nehrlinger zurückrufen?

- A Ja, er soll den angebotenen Termin bestätigen.
- B Nein, er kann ein Fax schicken.
- C Nur wenn es Terminschwierigkeiten gibt.
- D Nicht unbedingt, aber es wäre gut.

7. Kurt Bleyers Nachricht auf dem Anrufbeantworter

	falsch	richtig	von wem?
a) Kurt Bleyer wird angerufen.	☐	☐	________
b) Es wird eine Nachricht auf den Anrufbeantworter gesprochen.	☐	☐	________
c) Es wird ein Termin mitgeteilt.	☐	☐	________
d) Es wird ein Vorschlag gemacht.	☐	☐	________
e) Kurt Bleyer und Rolf Nehrlinger werden um 14.00 Uhr erwartet.	☐	☐	________
f) Es wird ein Brief mit Informationen über die IVV geschickt.	☐	☐	________
g) Irene und die Kinder werden gegrüßt.	☐	☐	________

8. Worin sind Sie (nicht) der/die Größte?

Machen Sie Dialoge.

▷ *Worin bist du der Größte?*
▶ *Im Kochen.*
▷ *Wieso bist du darin der Größte?*
▶ *Weil ich besser als die anderen bin.*

▷ *Bist du im Schwimmen die Größte?*
▶ *Nein, darin bin ich nicht die Größte.*
▷ *Wieso bist du im Schwimmen nicht die Größte?*
▶ *Weil ich nicht so gut bin wie die anderen.*
▶ *Weil ich schlechter als die anderen bin.*

im Autofahren
im Arbeiten
im Singen
im Tanzen
im Schwimmen
im Kochen
im Schreiben
in Sachen Pünktlichkeit
in Sachen ...

9. Rolf Nehrlinger schreibt seiner Schwester.

Liebe Julia,

gestern wollte ich dich anrufen, aber es hat niemand abgenommen. Ich habe es in der Firma versucht. Weil ich heute den ganzen Tag da auch kein Glück hatte, habe ich gedacht, jetzt kriegt sie mal wieder einen Brief. Meine liebe Schwester, du lässt nicht sehr viel von dir hören. Aber ich bin im Schreiben auch nicht der Größte. Wie geht es im Geschäft? Was macht Vater? Habt ihr endlich die neue EDV? Nein? Dann wird es aber höchste Zeit! Kurt Bleyer und ich besichtigen morgen ein interessantes Objekt in einem Neubaugebiet für unseren geplanten Büromarkt. Vielleicht wird in der Geschäftswelt schon bald die Frage diskutiert, wo der modernste und schönste Büromarkt der Welt steht: in Bingen oder in Dresden. Jetzt habe ich aber genug über das Geschäft geredet. Wie geht es dir? Bist du noch mit Peter zusammen?

Was ist richtig?

a) Rolf Nehrlinger schreibt: „Es hat niemand abgenommen.“ Damit will er sagen:

- A Alle sind dick geblieben.
- B Niemand ist dünner geworden.
- C Niemand ist ans Telefon gegangen.
- D Alle sind da geblieben.

b) Rolf Nehrlinger schreibt: „Ich habe es in der Firma versucht.“ Damit will er sagen:

- A Ich habe in der Firma angerufen.
- B Ich bin in die Firma gefahren.
- C Ich habe die Firma besichtigt.
- D Ich habe die Firma geprüft.

c) Rolf Nehrlinger schreibt: „Weil ich heute auch kein Glück hatte, ...“. Damit will er sagen:

- A Weil ich heute Pech hatte, ...
- B Weil ich dich heute nicht erreicht habe, ...
- C Weil ich heute keine Post bekommen habe, ...
- D Weil heute niemand angerufen hat, ...

d) Rolf Nehrlinger schreibt: „Du lässt nicht viel von dir hören.“ Damit will er sagen:

- A Du hörst schlecht.
- B Du schreibst nicht und du rufst nicht an.
- C Ich kann dich nicht verstehen.
- D Du sagst kein Wort.

e) Rolf Nehrlinger schreibt: „Im Schreiben bin ich nicht der Größte.“ Damit will er sagen:

- A Ich kann nicht gut schreiben.
- B Ich brauche wenig Papier zum Schreiben.
- C Ich schreibe sehr klein.
- D Ich schreibe nicht oft genug.

f) Rolf Nehrlinger schreibt: „Dann wird es höchste Zeit.“ Damit will er sagen:

- A Das muss schnell gemacht werden.
- B Ihr habt noch viel Zeit.
- C Ihr seid alle verrückt.
- D Das kann noch nicht gemacht werden.

10. Sprechübungen

a) ● *Wie findest du den neuen Fotokopierer?*
● *Ich weiß nicht. Gibt es keinen besseren?*

b) ● *Wie findest du den neuen Fotokopierer?*
● *Nicht so gut wie den alten.*

c) ● *Wie findest du den neuen Fotokopierer?*
● *Genauso gut wie den alten.*

Gr. S. 131

11. Vergleichen Sie die beiden Objekte.

billig, hoch, modern, schmal

teuer, niedrig, altmodisch, breit

Das linke Objekt ist billiger als das rechte.

Das rechte Objekt ist nicht so billig wie das linke.

Das linke Objekt ist genauso ...

12. Termine planen

Heute ist der … . Sie haben folgende Termine:

8 Dienstag **April**
Tuesday April
Mardi Avril
Martes Abril
Martedì Aprile
Dinsdag April

7	Vorstellungsgespräche (Verkäuferin): Fr. Bleile, Fr. Rohr	Vormittag	?	Büro /
8	Friseur	?	ca. 30 Min.	Figaro (Kohlweg)
9	Hotelreservierung Hotel Astoria (Düsseldorf)			
10	Arzttermin: Dr. Ritter	10.30	ca. 30 Min.	Museumsstraße
11	Wartungsdienst Fotokopierer			
12	Mittagessen mit Theo	12.30	?	China-Town
13	Vertreterbesuch: Herr Gerster (Geschenkpapiere)	Nachmittag	ca. 1 Std.	im Haus
14	Besprechung mit der Buchhaltung	?	30 Min.	im Haus
15	Finanzprüfer	Nachmittag	1 Std.?	Buchhaltung
16	Angebot Fa. Müller kalkulieren	?	ca 30 Min.	
	und diktieren	17.00		Verabschiedung Frau Roller
17	Kegeln	17.30		Weißer Hirsch (Urlaub)
18				

Überprüfen Sie den Terminplan. Denken Sie an die Wege (Sie gehen zu Fuß!).
Was müssten/könnten Sie absagen, verschieben, delegieren?

13. Termine ansetzen, absagen, verschieben, delegieren

Ein Termin wird angesetzt:

Morgen ab 14.00 Uhr ist in der Buchhaltung ein Gespräch mit den Prüfern.

Ich kann nicht.

Ich muss den Termin absagen. Ich bin krank.

Ich muss den Termin auf übermorgen verschieben.

Ich muss den Termin delegieren. Können Sie hingehen?

a) Lesen Sie die folgenden Äußerungen. Die anderen sagen mit Hilfe der Sätze 1–8, was passiert.

Für die Reparatur kann ich leider erst morgen Nachmittag kommen.

Tut mir Leid, ich habe mich geirrt. Am nächsten Montag geht es nicht.

Ich glaube, das ist in nächster Zeit nicht möglich. Bitte haben Sie dafür Verständnis.

Gut, Montag um acht.

Immer ich! Aber meinetwegen.

Herr Korn, das ist doch etwas für Sie, oder?

Das mache ich in Ruhe heute Abend zu Haus.

Also, zum Zahnarzt müssen Sie schon selbst gehen.

Gut, einverstanden. Ich mache das.

Bei mir wäre der nächste Dienstag möglich. Mittwoch würde auch gehen.

Frau Kohlmann, bitte übernehmen Sie das!

Dafür bin ich beim besten Willen nicht zuständig.

Ich rufe im Auftrag von Herrn Nehrlinger an. Der Gesprächstermin am nächsten Freitag geht in Ordnung.

1 Hier wird ein Termin verschoben.
2 Hier wird ein Termin vereinbart.
3 Hier wird ein Termin vorgeschlagen.
4 Hier wird ein Termin abgesagt.
5 Hier wird ein Termin bestätigt.
6 Hier wird eine Aufgabe übernommen.
7 Hier wird eine Aufgabe delegiert.
8 Hier wird eine Aufgabe abgelehnt.

Gr. S. 134

b) Lesen Sie die Sätze 1–8. Hören Sie die Äußerungen A–H. Kommentieren Sie jede Äußerung nach dem Signalton mit Hilfe der Sätze 1–8.

c) Lesen Sie die folgenden Äußerungen. Hören Sie die Kurzdialoge A–F. Reagieren Sie nach dem Signalton mit Hilfe der Äußerungen.

1. *Gut, Herr Wendlandt, dann übernehme ich die Sache.*
2. *Na ja, wenn Sie meinen, Herr Wendlandt, dann verschiebe ich die Sache.*
3. *Wenn das wirklich sein muss, Herr Wendlandt, dann sage ich die Sache ab.*
4. *Das geht doch nicht, Herr Wendlandt. So etwas kann man doch nicht absagen.*
5. *Meinen Sie das im Ernst, Herr Wendlandt? So etwas kann man doch nicht verschieben.*
6. *Das ist doch Unsinn, Herr Wendlandt. So etwas kann man doch nicht übernehmen.*

14. Sprechübungen

a)
- *Jemand ruft mich an.*
- *Ach so, du wirst angerufen.*

b)
- *Jemand ruft uns an.*
- *Ach so, ihr werdet angerufen.*

Gr. S. 134

15. Rolf Nehrlingers Terminkalender

a) Sehen Sie sich den Terminkalender von Rolf Nehrlinger an und beantworten Sie die Fragen.

1 Braucht Rolf Nehrlinger zusätzliches Personal?
2 Erwartet er den Besuch eines Vertreters?
3 Ist er krank?
4 Hat er an das Mittagessen mit Kurt Bleyer gedacht?
5 Ist er Eigentümer des Geschäftes?
6 Möchte er an der Einrichtung etwas ändern?
7 Verkauft er auch Büroregale?
8 Ist er ein guter Ehemann?

b) Kurt Bleyer hat den Besichtigungstermin für ein interessantes Objekt in Weißig für zwei Uhr vereinbart.

Sagen Sie Termine ab oder verschieben und delegieren Sie Termine und Aufgaben so, dass er genug Zeit für den Besichtigungstermin hat. Übrigens: Rolf Nehrlinger beschäftigt einen Abteilungsleiter, zwei Verkäuferinnen, einen Verkäufer und eine Auszubildende (= Lehrling).

10 Donnerstag April
Thursday / Jeudi / Jueves / Giovedi / Donderdag
April / Avril / Abril / Aprile / April

7.00	Hochzeitstag! Blumen!
30	
8.00	Vorstellung: Frau Rohr, Bleile
30	(Verkäuferin)
9.00	Vertreter: Gerster (Geschenkpapier) Angebot Fa Berheim (10 Paletten)
30	
10.00	~~Vert~~ Verlängerung Mietvertrag
30	
11.00	Massage (Holusek)
30	
12.00	
30	"da Pino"! Kurt
13.00	
30	
14.00	Planung Regallager
30	
15.00	Vorstellung: Frau Kirsch
30	
16.00	Kassenprüfung
30	
17.00	
30	
18.00	
30	Stammtisch
19.00	

Zahlungseingänge kontrollieren!

Persönliches
Hochzeitstag: Blumen für Irene
Stammtisch
Massage!! nicht vergessen

16. Rolf Nehrlinger löst das Terminproblem.

a) Welche Terminänderungen spricht Rolf Nehrlinger auf den Anrufbeantworter von Kurt Bleyer?

	Terminänderungen
Lagerplan	
Bewerberin	
Stammtisch	

b) Vergleichen Sie Ihren Vorschlag (Übung 15b) und Rolf Nehrlingers Planung: Hat Rolf Nehrlinger gut geplant? Was müsste/sollte er außerdem noch delegieren, verschieben oder absagen?

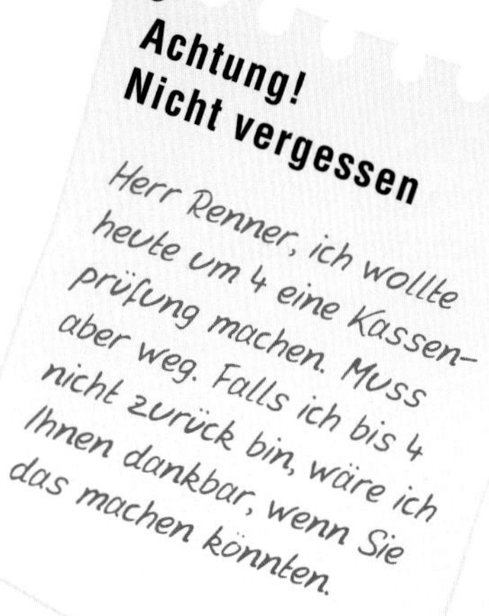

Achtung!
Nicht vergessen
Herr Renner, ich wollte heute um 4 eine Kassenprüfung machen. Muss aber weg. Falls ich bis 4 nicht zurück bin, wäre ich Ihnen dankbar, wenn Sie das machen könnten.

Frau
Renate Kirch
Reichenhalle
01279 Dresd

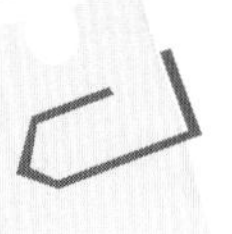

Frau Hering, bitte fahren Sie auf dem Nachhauseweg bei dieser Adresse vorbei und werfen Sie den Brief ein. Sehr wichtig! Eilt sehr.

c) Hören Sie noch einmal, was Rolf Nehrlinger sagt. Was will er damit sagen?

1 „Das klingt gut." Damit will er sagen: Die Nachricht …

A ist originell.
B kann man gut verstehen.
C ist günstig und positiv.
D hat eine schöne Musik.

2 „Ich muss ein paar Termine umstellen." Damit will er sagen: Einige Termine müssen …

A verschoben werden.
B vereinbart werden.
C delegiert werden.
D abgesagt werden.

3 „Im Lager müssen ein paar Dinge umgestellt werden." Damit will er sagen:

A Das Lager muss anders eingerichtet werden.
B Teile des Lagers werden verkauft.
C Das Lager soll etwas vergrößert werden.
D Das Lager soll renoviert werden.

4 „Du hast die Augen offen gehalten." Damit will er sagen:

A Du schläfst zu wenig.
B Du hast gut aufgepasst.
C Du hast viel gesehen.
D Du hast die ganze Nacht gearbeitet.

5 „Schöne Grüße an alle." Damit will er sagen: Kurt Bleyer soll …

A alle Betriebsangehörigen grüßen.
B alle gemeinsamen Freunde grüßen.
C alle Leute vom Stammtisch grüßen.
D seine Familie grüßen.

17. Sprechübung

- *Halb zehn, ist das zu spät?*
- *Ja, etwas früher wäre mir eigentlich lieber.*

Gr. S. 131

18. Der Anrufbeantworter

Viele Leute sprechen originelle Texte auf ihren Anrufbeantworter. Hören Sie vier Beispiele.

Anrufbeantworter von:

A Ramona Kohlmann
B Julia Nehrlinger
C Rolf Nehrlinger
D Kurt Bleyer

Vergleichen Sie die Texte auf den Anrufbeantwortern.

Den Text von Rolf Nehrlinger finde ich am klarsten.

Ramona Kohlmann hat den originellsten Text auf ihrem Anrufbeantworter.

Ich finde, der netteste Text ist der Text von Julia Nehrlinger.

Der Text von Rolf Nehrlinger ist meiner Meinung nach langweiliger als der Text von Julia Nehrlinger.

Der Text von Julia Nehrlinger ist nicht so verrückt wie der Text von Ramona Kohlmann.

lang	→	länger	→	am längsten	
schön	→	schöner	→	am schönsten	
…	→	**…er**	→	**am …sten**	

…en	→	schönen	→	schöneren	→	schönsten
…e	→	schöne	→	schönere	→	schönste
…es	→	schönes	→	schöneres	→	schönstes
…er	→	schöner	→	schönerer	→	schönster
…em	→	schönem	→	schönerem	→	schönstem

Gr. S. 131

Kurt Bleyer hat einen besseren Text als Rolf Nehrlinger.

Ich finde den Text von Kurt Bleyer nicht so originell wie den Text von Julia Nehrlinger.

19. Ein Brief von Julia Nehrlinger an ihren Bruder Rolf

a) Welchen Beruf hat Peter?
b) An welchem Wochentag schreibt Julia den Brief?
c) An welchem Wochentag möchte sie in Dresden ankommen?
d) Wie lange möchte Julia in Dresden bleiben?
e) Was möchte sie in Dresden machen?
f) Um wie viel Uhr beginnt die Wochenbesprechung bei Firma Nehrlinger normalerweise?
g) Um wie viel Uhr beginnt die Wochenbesprechung an diesem Montag?
h) Ist Herr Nehrlinger Sen. krank?

Dingen des Lebens. Peter ist ab nächste Woche für 14 Tage oder etwas länger in Erfurt und Jena. Er hat dort für seine Diplomarbeit etwas zu tun. Ich wollte mitfahren, zwei Tage in Jena bleiben (kenne ich noch nicht!) und einen Abstecher zu dir nach Dresden machen, wenn es dir passt. Da kannst du mir euren geplanten Büromarkt zeigen.
Ich könnte Mittwoch bei dir sein und würde Samstag wieder zurückfahren. Ich will natürlich nicht nur euren Büromarkt, sondern auch von Dresden etwas sehen. Wir telefonieren noch in dieser Angelegenheit.
Jetzt mache ich mich wieder an die Arbeit. Gleich haben wir unsere Wochenbesprechung - du weißt ja: jeden Montag um 9.00 Uhr -, aber heute eine halbe Stunde später, weil Vater einen Arzttermin hatte. Aber gleich geht es los. Also, viele liebe Grüße an euch alle von deiner
Julia

20. Julia und Rolf Nehrlinger

a) Julia und Rolf Nehrlinger sind Geschwister. Julia wohnt in Bingen und arbeitet im Betrieb der Eltern. Dort hat Rolf bis vor zwei Jahren gearbeitet. Dann hat er sich in Dresden selbstständig gemacht.
Was glauben Sie: Wie alt sind die beiden? Welche Hobbys haben sie? ...? Tragen Sie in die Tabelle ein.

	Alter	Familienstand	Hobbys	Raucher/in?	Größe	Figur
Julia Nehrlinger	*ca. 26 Jahre*					
Rolf Nehrlinger		*verheiratet*			*1.80 m*	

b) Diskutieren Sie: Wer ist älter (sportlicher, größer, schlanker, sympathischer, seriöser, fleißiger, ...)? Julia oder Rolf Nehrlinger?

21. Sprechübungen

a) ○ *Was meinst du? Ist das kurz?*
● *Nein, lang.*

b) ○ *Möchtest du es so groß?*
● *Nein, kleiner.*

Gr. S. 131

22. Julia Nehrlingers gute Ideen

Hören Sie das Gespräch zwischen Julia Nehrlinger und ihrem Bruder Rolf.

a) Das Gespräch wird von der Kellnerin dreimal unterbrochen; es besteht also aus vier Teilen. In jedem Teil wird über ein anderes Thema gesprochen. In welcher Reihenfolge kommen die Themen vor?

☐ Raumplanung ☐ Termine ☐ Unternehmensform ☐ Finanzierung

b) Bei der Raumplanung macht Julia Eintragungen in einen Plan. Unten sehen Sie den Plan mit den Eintragungen. Hören Sie das Gespräch noch einmal ganz und sehen Sie sich dabei Julias Raumplanung an.

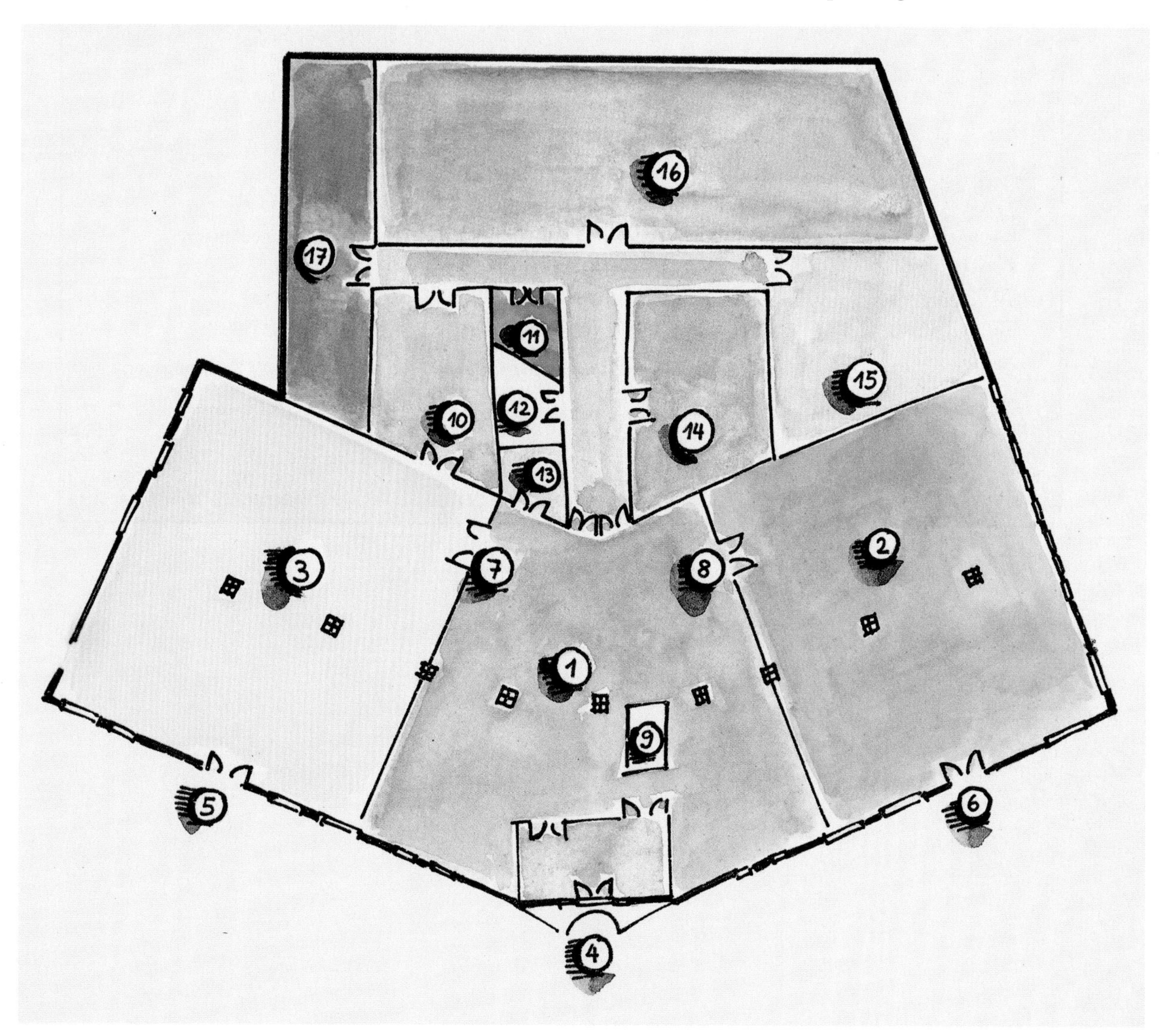

c) Hören Sie den Teil über die Raumplanung noch einmal und setzen Sie dann die Zahlen in die Kästchen ein.

☐ Schreibwarenmarkt
☐ Bürofachgeschäft
☐ Abteilung Büromöbel
☐ Haupteingang
☐ Kundenbüro
☐ Büro I
☐ Büro II

☐ Lager
☐ Laderampe
☐ Kundentoilette
☐ Personaltoilette
☐ Teeküche
☐ Eingang zum Bürofachgeschäft
☐ Eingang zur Abteilung Büromöbel

☐ Kasse
☐ Durchgang zwischen Schreibwarenmarkt und Bürofachgeschäft
☐ Durchgang zwischen Schreibwarenmarkt und Abteilung Büromöbel

Ein Tag in Deutschland
Jeden Tag ...
... werden 1 200 Ehen geschlossen und 430 Ehen gelöst
... gibt es 2 100 Geburten und 2 410 Sterbefälle
... werden 18 500 Straftaten begangen und 8 100 aufgeklärt
... werden 10 170 Kraftfahrzeuge neu zugelassen
... passieren 6 210 Straßenverkehrsunfälle (mit 27 Toten und 1 415 Verletzten)
... werden 373 Millionen Zigaretten geraucht
... werden 125 Millionen Telefongespräche geführt und 47,7 Millionen Briefe verschickt
... kommen 36 600 Besucher aus dem Ausland
... werden Waren und Dienste im Wert von 9 Milliarden DM produziert
... werden 1 570 Wohnungen gebaut
... gibt der Staat 4,8 Milliarden DM aus und macht 372 Millionen DM Schulden
... müssen die Bundesbürger 2,4 Milliarden DM Steuern und 1,9 Milliarden DM Sozialabgaben zahlen
... werden 1,3 Millionen Tonnen Energie verbraucht und 2,4 Millionen Tonnen CO2 ausgestoßen
... fallen 79 500 Tonnen Hausmüll an
... verdienen die Bundesbürger 6,1 Milliarden DM netto, geben 5,4 Milliarden DM aus und legen 660 Millionen DM auf die hohe Kante
© Globus
2700

LEKTION 5

der Firmengründer

der erste Firmensitz

das erste Produkt

1950:
die ersten
Nachkriegsmodelle

Werkserweiterung

die 90er Jahre:
ein neues Zweigwerk

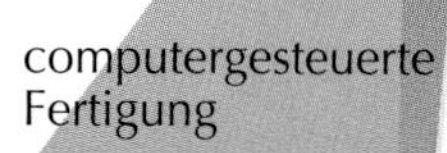
computergesteuerte
Fertigung

Ausbildung

in der Lehrwerkstatt

in der Berufsschule

im Labor

nach Abschluss der Ausbildung

in Büro und Verwaltung

in Technik und Betrieb

Berufliche Fortbildung

Seminare und Kurse

der weitere Berufsweg

Beförderung

Dienstjubiläum

im Ruhestand

1. Aus der Werkzeitschrift: Namen und Nachrichten

Überfliegen Sie die Nachrichten und tragen Sie die passenden Namen in die Tabelle ein.

Sein 50-jähriges Dienstjubiläum begeht Laborchef Hans Schmollendorf. Am 12. Mai 1946 begann der Jubilar seine Tätigkeit bei der PharmaChemie. Zunächst absolvierte er eine Lehre als Chemielaborant. Als Laborleiter bearbeitete er eine Vielzahl von Projekten, die für die Entwicklung und Marktposition des Unternehmens äußerst wichtig waren.

Von Bochum nach Leipzig
Abteilungsdirektorin Dr. Hanna Spöde, bisher Finanzverantwortliche im Werk Bochum, übernimmt mit sofortiger Wirkung das Controlling im neugegründeten Werk Leipzig. In einer schwierigen Umbauphase verlangt diese Aufgabe die ganze Energie und Tatkraft, aber auch eine glückliche Hand. All das wünschen wir ihr an dieser Stelle.

Anke Peters, Bernd Kempf und Bärbel Kühn haben nach zweijährigem Schulbesuch die Technikerprüfung an der Technischen Akademie Hohenstein bestanden. Eine gute Investition für die weitere berufliche Entwicklung in unserem Unternehmen – herzlichen Glückwunsch zu diesem Erfolg!

Prüfungszeugnis
INDUSTRIE- UND HANDELSKAMMER HOCHRHEIN-BODENSEE

Hermann Strohm, Jahrgang 1958, ist Nachfolger des langjährigen Versandleiters Johann Bartsch, der ab 1. Juli 1997 in den Ruhestand geht. Drei Jahre lang hat sich H. Strohm im Lager und Versand in seine neue Aufgabe eingearbeitet. Der frischgebackene Hauptabteilungsleiter und Prokurist ist verheiratet und Vater von zwei Kindern.

Verbesserungsvorschlag prämiert

Mit einem einfachen Einsatzsieb, das Renate Carstensen entwickelte, können Abfälle reduziert und wertvolle Materialien wieder verwendet werden. Jährliche Kostenersparnis: 25 000 Mark. Die Prämie für diese clevere Idee: 8500 Mark.

Ereignis	Name
Fortbildung, Prüfung, Diplom	
Beförderung	
Auszeichnung, Prämie	
Dienstjubiläum	
Beginn des Ruhestands	
Versetzung	

2. Die Firma informiert.

Ergänzen Sie die Sätze in der rechten Spalte.

versetzen – ~~übertragen~~ – beauftragen mit – prämieren – befördern zu – einstellen – entlassen – pensionieren

Die Firma beschließt …	… und informiert die Mitarbeiter.
a) Dr. Spöde bekommt eine neue Aufgabe.	*Frau Dr. Spöde wurde eine neue Aufgabe übertragen.*
b) Sie geht nach Leipzig.	*Sie wurde nach*
c) Sie ist dort für das Controlling zuständig.	*Sie wurde mit dem*
d) Frau Carstensen erhält eine Prämie für ihre gute Idee.	*Die gute Idee von*
e) Herr Strohm ist unser neuer Versandleiter.	*Hermann Strohm*
f) Der alte Abteilungsleiter geht in den Ruhestand.	*Der alte*
g) Wir stellen 20 neue Mitarbeiter ein.	*20 neue*
h) Im Zweigwerk müssen wir 30 Monteure entlassen.	*Im Zweigwerk*

1	wurde wurden	…	PARTIZIP

Gr. S. 134

3. Hast du schon gehört?

a) Worüber wird gesprochen?

Dialog	A	B	C	D	E	F
Person	*Herr Köhler*			*eine Kollegin*		
Ereignis		*Prämie*				

b) Gerüchte: Lesen Sie und reagieren Sie.

▷ *Hast du schon gehört?*

Der Köhler	*soll*	*befördert werden.*
Die Schulze		*eine Prämie bekommen.*
...		*in den Ruhestand gehen.*
		versetzt werden.
		Abteilungsleiter werden.
		mehr Geld bekommen.
		zur Fortbildung geschickt werden.
		krank sein.
		in seine Sekretärin verliebt sein.
		ihre Prüfung bestanden haben.
		sehr kritisiert worden sein.

AKTIV

... soll ... bekommen	PRÄSENS
... soll ... bestanden haben	PERFEKT

PASSIV

... soll ... befördert werden	PRÄSENS
... soll ... versetzt worden sein	PERFEKT

Gr. S. 132/134

▶ ▬ *Das habe ich auch gehört.* ▬ *Das ist mir neu.* ▬ *Kaum zu glauben!* ▬ *Das stimmt nicht.* ▬ *Das darf doch nicht wahr sein!* ▬ *Hoffentlich nicht.* ▬ *Das tut mir Leid.* ▬ *Unglaublich!* ▬ *Das hätte ich nicht gedacht.* ▬ *Das freut mich.* ▬ *Das ist doch nur ein Gerücht.* ▬

4. Sprechübung

○ *Ist das wahr, Müller geht in den Ruhestand?*
● *Ja, der soll in den Ruhestand gehen.*

Gr. S. 132

5. Personalpolitik

Arbeiten Sie in Gruppen. Lassen Sie die größte Hoffnung, die schlimmste Befürchtung Ihrer Kollegen wahr werden:

Wen in der Gruppe ...
... befördern Sie? Wozu?
... versetzen Sie? Wohin?
... entlassen Sie? Warum?

Wer in der Gruppe ...
... begeht sein 25-jähriges Dienstjubiläum?
... bekommt eine Prämie? Wofür?
... glaubt, er wird befördert, wird aber nur versetzt?
... bekommt eine Gehaltserhöhung? Wie hoch?
... besteht seine Prüfung (nicht)?

Paul wird zum Chef der Putzkolonne befördert. Anna wird in die Filiale in Grönland versetzt. Simon hat seine Pförtnerprüfung bestanden und bekommt 30 Pfennig Gehaltserhöhung.

6. Vom Familienbetrieb zum Großunternehmen

a) Sprechen Sie über die Geschichte der Adam Opel AG anhand der Bilder 1–5.
b) In welchen Zeilen des Textes stehen die Informationen, die zu den Bildern passen?

Firmengründer: Adam Opel

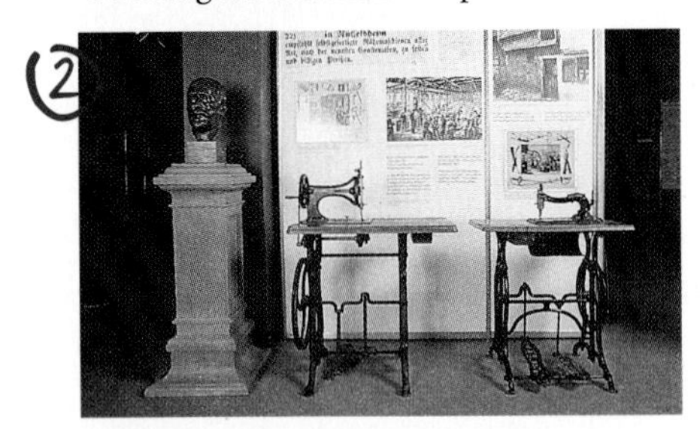

1862: Die ersten Nähmaschinen

Bestseller 1909: Der „Doktorwagen“

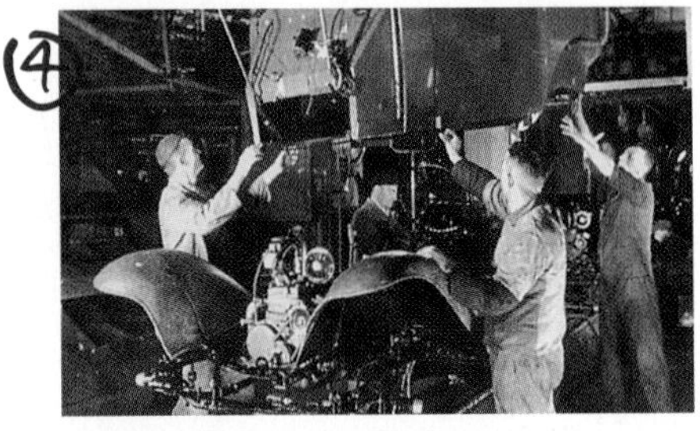

Schon 1924: Serienfertigung

Heute

An den Bau von Automobilen dachte Adam Opel natürlich nicht, als
er 1862 in Rüsselsheim seine Firma gründete – das Automobil wurde
erst 20 Jahre später erfunden. Er fertigte zunächst Nähmaschinen,
dann, ab 1886, auch Fahrräder – rund 16 000 Stück pro Jahr.
5 1889 produzierten seine Söhne das erste Auto: Den 3,5 PS starken
Zweisitzer „Patentmotorwagen System Lutzmann“, der eine
Geschwindigkeit von 20 km/h erreichte. Aber Erfolg hatten die Brüder Opel erst mit einem kleinen, einfachen Modell, das sie 1909 auf
den Markt brachten. Es wurde als „Doktorwagen“ berühmt. Es
10 kostete nur halb so viel wie die üblichen Luxusmodelle. Die Jahres-
produktion wurde in einem Jahr von 845 auf 1615 Stück verdoppelt.
Mit dem Modell 5/14 PS wurde Opel im Jahr 1914 zum größten deutschen Automobilhersteller.
Nach dem Ersten Weltkrieg modernisierte Opel die Werksanlagen,
15 denn jetzt mussten große Stückzahlen hergestellt werden. 1924 führ-
te das Unternehmen als erster deutscher Hersteller die industrielle
Serienfertigung ein. Die Herstellung von Einzelstücken in hand-
werklicher Arbeit gehörte damit der Vergangenheit an. Opel bot das
erste Serienmodell in grasgrüner Einheitsfarbe an. Es wurde unter
20 dem Spitznamen „Laubfrosch“ berühmt.
Im Jahr 1929 übernahm der amerikanische Automobilkonzern
General Motors die Opel AG. Als Tochtergesellschaft des weltgröß-
ten Automobilherstellers blieb das Unternehmen aber bei Material-
einkauf, Modellentwicklung und Verkauf selbstständig. 1936 mon-
25 tierte Opel 120 293 Fahrzeuge. Jetzt war das Unternehmen der größte
Automobilhersteller Europas.
Schon ein Jahr nach dem Zweiten Weltkrieg liefen in Rüsselsheim
wieder die Montagebänder. Zehn Jahre später, am 9. November
1956, lief der zweimillionste Opel vom Band. Und auch der Olympia-
30 Rekord P 1 war wieder ein Beststeller: Von 1957 bis 1960 wurde er
824000-mal gebaut.
Ab 1962 hatte Opel auch wieder einen Kleinwagen im Programm. In
Bochum baute Opel ein zweites Werk, in dem von August 1962 bis
September 1991 die Kadett-Baureihe gefertigt wurde. Seit 1966
35 arbeitet in Kaiserslautern das dritte Opel-Werk, zuständig für die
Lieferung von Fahrzeug-Komponenten. 1992 dann ein weiterer
Höhepunkt der Firmengeschichte: Das Werk Eisenach/Thüringen
wird eröffnet.

c) Notizen zu Produkten und Modellen in der Opel-Geschichte

Produkt/Modell	Jahr/Zeitraum	Stichwörter
Nähmaschinen		
		16 000 pro Jahr
	1909	*billiger*

d) In welchem Jahr war das?

1 _____ Von der Einzelfertigung zur Serienproduktion
2 *1929* General Motors kauft das Unternehmen.
3 _____ Nummer 1 in Europa
4 _____ Eröffnung des Werks Bochum
5 _____ Produktionsbeginn in Eisenach

7. Verben

a) *produzieren:* Suchen Sie Verben mit ähnlicher Bedeutung im Text von Übung 6.

	PRÄTERITUM	INFINITIV
1	*produzierte*	*produzieren*
2		
3		
4		
5		

b) Unterstreichen Sie die folgenden Verben im Text von Übung 6. Ergänzen Sie die Verbformen in der Tabelle.

SCHWACHE VERBEN		STARKE VERBEN		GEMISCHTE VERBEN	
PRÄTERITUM	INFINITIV	PRÄTERITUM	INFINITIV	PRÄTERITUM	INFINITIV
gründete			*erfinden*	*dachte*	
erreichte	*erreichen*	*bot ... an*			*bringen*
kostete		*übernahm*			*werden*
	modernisieren		*bleiben*	*war*	
	arbeiten		*laufen*	*hatte*	

Gr. S. 133

8. Jahreszahlen

1862 1889 1909 1914 1924 1929 1956 1962 1992

a) Was passierte in diesen Jahren? Schreiben Sie Sätze.

1862 gründete Adam Opel die Firma.

1889

ich er/es/sie	mach-te arbeit-e-te **...-(e)-te** begann ging ...

b) **Sprechübung**

- *Wann gründete Adam Opel die Firma?*
- *Das war 1862.*

Sprechen Sie die Jahreszahlen oben langsam und deutlich!

Gr. S. 133

9. Firma PERMACOR ELEKTRONIK AG

a) Fragen und antworten Sie. Arbeiten Sie zu zweit.

- ▷ *Wann wurde Permacor gegründet?*
- ▶ *1960.*
- ▷ *Wer ...?*
- ▶ *Perlmann ...*
- ▷ *Was produzierte Permacor 1960?*
- ▶ *Rechenmaschinen.*
- ▷ *Wann ...?*
- ▶ *...*

Permacor Elektronik AG

Gründung:	• 1960 • Perlmann, Mahler, Cordes
Produkte:	• 1960: Rechenmaschinen • 1965: Personenrufanlagen, Gegensprechanlagen • 1977: Alarm- und Sicherungssysteme • seit 1983: elektronische Maschinensteuerungen
Sitz:	• Köln
Besondere Ereignisse:	• Eröffnung eines Zweigwerks in Mailand (1980) • Gründung der Niederlassung Buenos Aires (1987) • Bau eines Werks in Magdeburg (1991)

b) Beschreiben Sie die Geschichte von Permacor 1960–1991 oder die Geschichte des Unternehmens, in dem Sie arbeiten.

10. Glückwünsche, Fragen, Bemerkungen

Welche Äußerungen passen zu welcher Gelegenheit? Welche passen gut / weniger gut / nicht zu einem Dienstjubiläum?

Eine wirklich gute Leistung!
Prost!
Gesundheit!
Weiterhin alles Gute!
Darf ich Sie nach Ihren weiteren Plänen fragen?
Noch viele glückliche Jahre!
Ein toller Karrieresprung!

Viel Erfolg!
Herzlichen Glückwunsch!
Frohes Fest!
Sie freuen sich sicher auf die neuen Aufgaben.
Alles Gute am neuen Arbeitsplatz!
Viel Glück für den neuen Lebensabschnitt!
Vielen Dank für die gute Zusammenarbeit.

50

11. Erich Mühlbrandt, Jahrgang 29

1943-1946	Lehre als Werkzeugmacher in der Werkzeugmaschinenfabrik Weise & Co.
1946-1952	Werkzeugmacher bei der Schlosser AG, Fortbildung zum Maschinenbautechniker und Ingenieur in Abendkursen
1954-1958	Arbeitsgruppenleiter in der Werkzeugentwicklung
1958	Beförderung zum Abteilungsleiter Fertigungsplanung
1972	Betriebsleiter
seit 1982	Mitglied der Unternehmensleitung

a) In welchem Jahr begann Erich Mühlbrandt seine Berufstätigkeit?

b) Von wann bis wann hat er sich beruflich fortgebildet?

c) In welchen Jahren wurde er befördert?

d) In welchem Jahr war sein 25-jähriges Dienstjubiläum?

e) Seit wann ist er Mitglied der Geschäftsführung?

f) Nach 50 Dienstjahren im Unternehmen ging Erich Mühlbrandt in den Ruhestand. Wann war das?

12. Ansprache an die Mitarbeiter

a) Um welches Ereignis aus dem Berufsleben von Erich Mühlbrandt geht es?

b) Machen Sie Notizen zu mindestens sechs Daten, die in der Ansprache erwähnt werden.

1943: ____

1946: ____

1948: ____

1952: ____

1953: ____

1954: ____

1957: *Preis, Auszeichnung*

1958: *Beförderung*

1965: *in die USA versetzt*

1968: ____

1972: ____

1980: ____

1982: ____

1993: ____

c) Beschreiben Sie den Berufsweg von Erich Mühlbrandt.

■ eine Lehre, eine Ausbildung, eine Fortbildung, ein Studium beginnen/abschließen ■ in der Werkstatt, in der ...-Abteilung, ... arbeiten ■ eine Gruppe, ... leiten ■ die ...schule/Universität, ... besuchen ■ eine Prüfung bestehen ■ ein Zeugnis, ein Diplom bekommen ■ ins Ausland, nach ..., in die USA gehen ■ ein Produkt entwickeln ■ zum ... befördert werden ■ ...

19..
Im Jahre 19..
Von ... bis ...
Vor/Nach 19..
Seit ...

19.. begann Erich Mühlbrandt ... *Im Jahre 19..*
Von 19.. bis ... *Vor 19.. arbeitete er ...*

Gr. S. 133

13. Sprechübung

○ *1980 – was haben Sie da gemacht?*
● *1980? Da begann ich eine Lehre.*

1980	eine Lehre beginnen	1993	eine Arbeitsgruppe leiten
1986	die Technikerprüfung bestehen	1994	ins Ausland gehen
1987	den Wettbewerb gewinnen	1995	wieder zurückkommen
1989	neue Aufgaben übernehmen	heute	Abteilungsleiter
1992	befördert werden		

14. Erich Mühlbrandt erinnert sich.

a) Hören Sie das Gespräch. Wann war was?

A Der Krieg war zu Ende.
B Er war knapp 20 Jahre alt.
C Er war etwa 23 Jahre alt.
D Er arbeitete in der Entwicklung.
E Er war 36 Jahre alt.
F Er war in Amerika.

(1) Die Zeiten waren schwer. Erich Mühlbrandt machte eine Technikerausbildung. Die Studenten hungerten und froren.
(2) Er wollte Englisch lernen. Er heiratete seine Sekretärin.
(3) Er ging nach Amerika.
(4) Den Menschen ging es schon besser. Sein Team gewann einen Preis.
(5) Er beendete das Ingenieurstudium. Er wurde in der Entwicklungsabteilung beschäftigt.
(6) Er arbeitete in der Versuchswerkstatt. Er machte viele praktische Erfahrungen. Er begann sein Ingenieurstudium.

b) Berichten Sie über Erich Mühlbrandt: Als der Krieg zu Ende war, waren die Zeiten schwer, und er ... Mit knapp 20 Jahren arbeitete er ... Als er ... alt war, ... Als er in der Entwicklung ..., ... Mit 36 ...

Gr. S. 133

15. In welchem Alter war das?

a) Fragen Sie Ihren Nachbarn/Ihre Nachbarin: Wie alt waren Sie, als Sie ... ?

■ Schule beendet ■ Berufsausbildung gemacht ■ Studium begonnen ■ Prüfung bestanden ■ den ersten Job gefunden ■ ins Ausland gegangen ■ zurückgekommen ■ befördert worden ■

▷ *Wann haben Sie die Schule beendet?*
▶ *Als ich 19 Jahre alt war. Und wann haben Sie ... ?*
▷ *Mit 22 Jahren. Und wann ... ?*
▶ *Als ich ... Und wann ... ?*
▷ ...

b) Sprechübung

○ *Als Sie 17 waren, machten Sie eine Lehre?*
● *Ja, mit 17 machte ich eine Lehre.*

Gr. S. 133

16. Ihr Berufsweg

Halten Sie ein kurzes Referat über Ihren Berufsweg und Ihre Pläne.

19...	habe	ich ...	Von ... bis ...	habe	ich ...	Seit ...	mache	ich ...
Mit ...	arbeitete			studierte		Ab ...	arbeite	
Als ich ... war,	begann			machte			lebe	

17. Erwartungen

Was erwarten Sie (persönlich, beruflich) von dem Ort, an dem Sie arbeiten? Was ist für die Firma wichtig? Worauf legen Sie Wert? Worauf legt die Firma Wert?

■ Akademien ■ Konzerte ■ Sportvereine ■ Schulen ■ Musical ■ Verkehrsverbindungen ■ Universität ■ Oper/Operette ■ Bahnhof ■ Volkshochschule ■ Schauspiel/Theater ■ Bus/U-Bahn usw. ■ Ausflugsmöglichkeiten ■ Altstadt ■ Flughafen ■ Arbeitskräfte ■ Bauplätze ■ Dienstleistungen ■ Berge und Seen ■ historische Gebäude ■ Infrastruktur ■ Parks/Wälder ■ attraktive Lage ■ Fernstraßen ■ Museen ■ Rohstoffe ■ Sportanlagen ■

18. Die vier Opel-Standorte

a) Welchen Standort finden Sie am attraktivsten? Warum?

Standort Bochum:
Opels zweite Heimat
Im Ruhrgebiet fand Opel 1962 eine zweite Heimat. Opel suchte damals einen Standort für ein Werk, das einen preisgünstigen Kompaktwagen herstellen sollte. In der Bochumer Region hatten in der Strukturkrise des Kohlebergbaus fast 14000 Bergleute ihre Arbeit verloren. Neben qualifizierten Arbeitskräften, denen das Werk neue beruf-

Bochum: 18000 Mitarbeiter

liche Chancen bot, gab es Platz für einen modernen Montagebetrieb und ein Komponentenwerk. Bochum hat heute über 400000 Einwohner. Opel beschäftigt hier insgesamt rund 18000 Menschen, die den Astra herstellen. Damit gehört Opel heute zu den größten industriellen Arbeitgebern im Ruhrgebiet. Das Freizeitangebot ist riesig: Planetarium, Starlight-Halle und Bergbaumuseum sind landesweit bekannt. Naturfreunde treffen sich in den großen Parks der Stadt. Der nahe gelegene Ruhrstausee ist Bochums Paradies für Segler, Surfer und Angler. Spitzensport bietet die Stadt im Ruhrstadion, das 45000 Zuschauern Platz bietet.

Standort Eisenach:
Stadt im Aufschwung
Eisenach – das sind mittelalterliche Gassen vor bewaldeten Hängen, historische Gebäude zwischen modernen Neubauten. Seit 1899 werden in Eisenach Automobile gebaut. Diese Tradition setzt Opel seit 1992 fort. Nach der Vereinigung Deutschlands fand Opel hier gut ausgebildete Facharbeiter, gute Infrastruktur und Verkehrsverbindungen für das jüngste und modernste Opelwerk mit rund 2000 Arbeitsplätzen. Als erster

Eisenach: Eröffnung 1992

Hersteller verarbeitet Opel Eisenach ausschließlich umweltfreundliche Lacke auf Wasserbasis. Hier fanden auch Wartungsfirmen, Speditionen, Zulieferbetriebe und Software-Firmen Platz, die Opel nach Eisenach folgten. So entstanden weitere 1000 Arbeitsplätze rund ums Werk. Sehenswürdigkeiten sind die Wartburg, in der Martin Luther lebte, das Bach-Haus und das Nikolaitor. Der Thüringer Wald, der Eisenach umgibt, bietet endlose Wanderwege, mittelalterliche Burgen und eindrucksvolle Natur.

Standort Rüsselsheim:
Traditionsreiche Autostadt
Rüsselsheim ist der älteste Opel-Stand-

Rüsselsheim: Stadt mit großem Freizeitangebot

ort. Als Adam Opel hier seine Fabrik gründete, zählte die Stadt nur knapp 2000 Einwohner. Heute sind es schon über 60000. In Rüsselsheim beschäftigt Opel rund 29000 Mitarbeiter. Sie fertigen u.a. den Omega. Hier ist aber auch der Sitz des Technischen Entwicklungszentrums, in dem ca. 7500 Mitarbeiter und Mitarbeiterinnen Automobile für die ganze Welt konstruieren. In Rüsselsheim gibt es 30 Sporthallen, 16 Sportplätze, drei Freibäder und ein Hallenschwimmbad. Das Stadttheater, in dem sowohl Bühnenstücke als auch Opern, Operetten und Konzerte aufgeführt werden, ist ein Zentrum des kulturellen Lebens. Knapp die Hälfte des Rüsselsheimer Stadtgebiets ist mit Wald bedeckt. Interessant und abwechslungsreich ist aber auch ein Ausflug in die nähere Umgebung: in die Großstädte Mainz, Wiesbaden und Frankfurt, ins Rheintal, in den Odenwald oder den Taunus.

Standort Kaiserslautern:
Mittelpunkt der Pfalz
In der Universitätsstadt Kaiserslautern baute Opel 1966 sein drittes Werk, in dem rund 6500 Beschäftigte Fahrzeug-Komponenten herstellen. Der Bau des modernen Werks hatte große Bedeutung für den Arbeitsmarkt in der Westpfalz. Opel ist dort größter industrieller Arbeitgeber. Die Mitarbeiter kommen aus über 270 Städten und Dörfern in einem Umkreis von 40 km um das Werk. Zentral gelegen, liefert das Werk Kaiserslautern Tag für Tag über 2000 Motoren, 50000 Karosserieteile, 4200 Hinterachsen und 38000 Kunststoff-Komponenten an Werke in ganz Europa. Vor den Toren von Kaiserslautern liegt das größte zusammenhängende Waldgebiet Deutschlands. Schauspiel, Oper, Operette und Musical am Pfalztheater sind weit über die Stadtgrenzen hinaus bekannt. Sportfans stehen zahlreiche Sportanlagen zur Verfügung – vom Fußballstadion bis zur Kunsteisbahn.

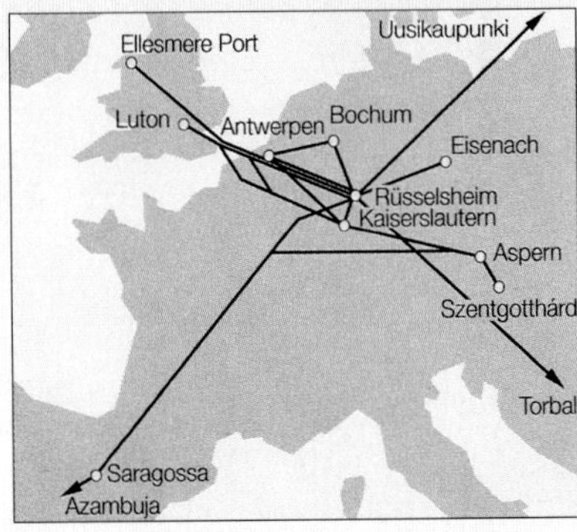

Kaiserslautern: Zulieferer für Werke in ganz Europa

b) Beantworten Sie die Fragen. Verteilen Sie die Aufgaben auf vier Gruppen.

1. Welche Stadt hat …
   … eine Kunsteisbahn?
   … 30 Sporthallen?
   … Museen und Theater?
   … eine traditionsreiche Autoindustrie?
   … die meisten Einwohner?
   … historische Straßen und Häuser?

2. Wo ist der Firmen-Standort mit …
   … dem größten Opel-Werk?
   … dem Opel-Entwicklungszentrum?
   … vielen Großstädten in der Nähe?
   … 18 000 Opel-Mitarbeitern?
   … den meisten Beschäftigten?
   … einer guten Facharbeiter-Reserve?

3. An welchem Standort gibt es …
   … ein Theater?
   … ein Stadion?
   … große Waldgebiete?
   … viele neu gegründete Firmen?
   … Konzerte?
   … eine moderne Lackieranlage?

4. Wo ist der Sitz des Werks, das …
   … 1992 gebaut wurde?
   … von Adam Opel gegründet wurde?
   … Komponenten herstellt?
   … den Opel Astra produziert?
   … 1962 mit der Produktion begann?
   … Teile für die anderen Opel-Werke herstellt?

c) Informieren Sie sich. Fragen Sie die anderen in der Gruppe.

▷ *Hat Bochum ein Theater?*
▶ *Ja, Bochum hat ein Theater.*
▷ *Ist Bochum die Stadt, die das größte Opel-Werk hat?*
▶ *Nein, die Stadt mit dem größten Opel-Werk ist Rüsselsheim.*
▷ *Ist Bochum Sitz des Werks, das 1962 …*
▶ *Ja, …*
▷ *…?*

der Standort, ein Standort,	der	…	(VERB 2)	VERB 1
das Werk, ein Werk,	das	…	(VERB 2)	VERB 1
die Stadt, eine Stadt,	die	…	(VERB 2)	VERB 1

Gr. S. 142

▷ Hat	Bochum Eisenach …	… ?

Ist	Bochum Eisenach …	der Standort Sitz des Werks die Stadt	mit … ? , der/das/die …	produziert? hat? … wurde? …?

▶ Ja,	… hat …		
	… ist	der Standort Sitz …	mit … , der/das/die …

▶ Nein,	der Standort, der …, Sitz des Werks, das …, die Stadt, die …,	ist …

Gr. S. 142

19. Sprechübung

○ *Hier steht, das Werk Bochum fertigt den Astra. Stimmt das?*
● *Ja, Bochum ist das Werk, das den Astra fertigt.*

Gr. S. 142

20. Sätzestaffel: Achtung – fertig – los!

1 *Ich arbeite in einem Werk.*
2 *Ich arbeite in einem großen Werk.*
3 *Ich arbeite in einem großen Werk mit 300 Mitarbeitern.*
4 *Ich arbeite in einem großen Werk mit 300 Mitarbeitern, das …*
5 …
6 *Ich lebe in einer Stadt.*
7 …

21. Interview mit einer Mitarbeiterin

a) Hören Sie das Gespräch. Was glauben Sie: Wo hat Frau Kramer früher gearbeitet? Wohin wurde sie versetzt?

b) Gefällt es Frau Kramer an ihrem neuen Arbeitsplatz? Oder würde sie lieber wieder in ihrem früheren Betrieb arbeiten?

c) Wo arbeitete und lebte Frau Kramer früher? Wo ist sie heute?

Heute	arbeitet lebt	sie	A in einem Werk, … B in einer Stadt, … C an einem Arbeitsplatz, … D in einer Region, …
Früher	arbeitete lebte		

Gr. S. 142

▬ 1. in dem mehr Leute in der Produktion beschäftigt sind. ▬ 2. das stärker automatisiert ist. ▬ 3. in der es mehr Kulturangebote gibt. ▬ 4. von der viele Menschen ein falsches Bild haben. ▬ 5. die mehr Einwohner hat. ▬ 6. in dem relativ wenige Leute in der Fertigung arbeiten. ▬ 7. an dem zum Beispiel die Roboter programmiert werden. ▬ 8. die eine attraktive Altstadt hat. ▬ 9. das Anfang der neunziger Jahre in Betrieb genommen wurde. ▬ 10. für den sie einen Kurs besuchen musste. ▬ 11. in der man Wassersport treiben kann. ▬ 12. an dem sie für die Büroorganisation zuständig war. ▬ 13. in der es viele Großstädte gibt. ▬ 14. in der man schöne Wanderungen machen kann. ▬ 15. in der es nicht so viele Theater gibt. ▬

Früher arbeitete sie in einem Werk, in dem mehr Leute in der Produktion beschäftigt sind.

Heute lebt sie in einer Region, in der …

Gr. S. 142

22. „Ich hätte lieber …“

a) Was hätten Sie lieber? Fragen Sie andere.

Eine Stadt, in der …
Einen Arbeitsplatz, …
Ein Auto, in das …
Kollegen, mit denen …
Ein Unternehmen, bei dem …
Eine Gegend, in der …
Eine Wohnung, die …

Es gibt viele Theater und Museen.
Es gibt viel Industrie.
Modernste Technik wurde eingebaut.
Das Betriebsklima ist angenehm.
Sie ist nicht weit vom Arbeitsplatz.
Man arbeitet mit netten Kollegen zusammen.
Man hat Spaß in der Freizeit.

oder

Man hat gute Karrierechancen.
Sie ist nicht zu groß und hektisch.
Man kommt schnell ins Grüne.
Sie sind sehr gute Fachleute.
Es ist robust und braucht wenig Benzin.
Man kann wandern.
Man verdient gut.

▷ *Hätten Sie lieber Kollegen, mit denen man Spaß in der Freizeit hat, oder wären Ihnen Kollegen lieber, die sehr gute Fachleute sind?*

▶ …

b) Schreiben Sie einige Antworten.

Ich hätte lieber Kollegen, die sehr gute Fachleute sind.
Ich hätte lieber

23. Was versteht man unter ... ?

a) Erklären Sie die Wörter.

Sporthalle			Sport treiben
Wohnort	in	dem	wohnen
Konferenzraum	an	der	sich zu Konferenzen treffen
Kopiergerät	auf		kopieren
Durchwahlnummer	mit		Gesprächspartner direkt anwählen
Besucherstuhl	in		Besucher sitzen
Schreibwarengeschäft	...		Schreibwaren kaufen
Personenrufanlage			Mitarbeiter rufen

NOMINATIV	DATIV	
..., der ...	..., (mit)	dem ...
..., das ...	..., (in)	dem ...
..., die ...	..., (bei)	der ...
	..., (...)	
..., die ...	...,	denen ...

Gr. S. 142

Der Wohnort ist der Ort, in dem man wohnt.
Eine Sporthalle

b) Sprechübung

○ *Was versteht man unter einem Kopiergerät?*
● *Das ist ein Gerät, mit dem man kopiert.*

Gr. S. 142

24. Elisabeth Kramer

a) Lesen Sie den Ausschnitt aus der Reportage über Elisabeth Kramer. Notieren Sie: Was fand sie früher gut, was ist heute gut?

Automatisierungstechnik in der Fertigungsplanung. Der Beginn am neuen Arbeitsplatz, in der neuen Stadt war nicht einfach für die sympathische 43-jährige. Sie musste sich von ihren Freunden und von ihrer Familie trennen, die sie jetzt nur noch alle paar Monate sieht. Ein Hobby von Elisabeth Kramer war Wassersport: Segeln und Surfen. Die sonntäglichen Segelpartien mit dem Segelboot, das sie zusammen mit Freunden hatte, sind nur noch eine schöne Erinnerung. Und das Surfbrett holt sie nur noch im Sommerurlaub aus dem Keller. Theater- und Konzertbesuche, die früher regelmäßig zu ihrem Freizeitprogramm gehörten, sind jetzt seltener geworden. Sie sagt: „Im Ruhrgebiet habe ich mich wohl gefühlt."
Aber sie sieht auch die Vorteile ihrer Versetzung: Berufliche Qualifizierung, neue Aufgaben an einem zukunftssicheren Arbeitsplatz; besserer Verdienst und niedrigere Lebenshaltungskosten – für die Wohnung und für das tägliche Leben zahlt sie hier weniger als früher. Und nicht zuletzt: „Wenn ich nicht hier arbeiten würde, hätte ich keine Ahnung von der schönen Altstadt, der phantastischen Natur und den vielen Sehenswürdigkeiten in der Umgebung." So oft wie möglich macht Elisabeth Kramer Wanderungen im Thüringer Wald. „Inzwischen bin ich richtig verliebt in diese Stadt." sagt sie.

Vorteile früher: *1. Freunde in der Nähe*
2.
3.
...

Vorteile heute: *1. berufliche Qualifizierung*
2. neue Aufgaben
3.
...

b) Diskutieren Sie über die Konsequenzen von Elisabeth Kramers Versetzung.

▷ *Wenn sie in Bochum arbeiten würde, könnte sie weiter segeln gehen.*
▶ *Aber dann hätte sie keinen neuen, interessanten Arbeitsplatz.*
▷ *Wenn sie nicht in ... wäre, könnte sie aber ...*
▶ *Aber dann ...*

Gr. S. 135

25. Ihre ideale Firma, Ihre ideale Stadt

Wie stellen Sie sich die ideale Firma, den idealen Wohnort, Kollegen, Chef oder ... vor? Notieren Sie Stichwörter und berichten Sie.

Stichwörter zum Thema Wohnort: billig wohnen, etwa 50 000 Einwohner, viele Sportanlagen

Vortrag: *Der ideale Wohnort für mich wäre eine Stadt mit etwa 50 000 Einwohnern, die viele Sportanlagen hätte und in der man billig wohnen könnte.*

MUSEUM der Stadt Rüsselsheim

Themen:
- Von der Urgeschichte bis zur Römerzeit
- Vom Mittelalter bis zur Industrialisierung
- Industrialisierung

Handwerk und vorindustrielle Technik
Vorindustrielle Energiegewinnung, rekonstruierte Schmiede, Geschichte des Dorfschmiedehandwerks und seiner Verdrängung in der Industriezeit, rekonstruierte Wagnerwerkstatt mit Übergang zur Arbeit mit werkzeugführenden Maschinen.

Kunstwerke und Kunsthandwerk
Gemälde zum Übergang von der vorindustriellen zur industriellen Epoche, Kunsthandwerk zur Wohnkultur vom 16.–18. Jahrhundert.

Firmengeschichte und Arbeitsverhältnisse
Der Wandel von der Frühindustrialisierung zum Fließband am Beispiel Rüsselsheimer Firmen, vor allem der Fa. Opel.

Soziale und politische Entwicklung
Die Geschichte der Arbeiterbewegung, soziale und politische Verhältnisse der Kaiserzeit, der Weimarer Republik, der NS-Zeit.

Industrialisierung
Die Ausstellung veranschaulicht am Beispiel der Stadt Rüsselsheim die Geschichte der Industrialisierung zwischen 1830 und 1945.

Schwerpunkte:
Technik
- Technischer Fortschritt im 19. und 20. Jahrhundert
- Dampfmaschine
- Drehbänke
- Industrieprodukte wie Nähmaschine, Fahrrad und Automobil

Wohnverhältnisse
Rekonstruierte Wohnräume, Baupläne und Fotografien zum Stadtbild.

Kunstwerke
Gemälde, Grafiken, Plastiken zu industriellen Arbeits- und Lebensverhältnissen.

Im Jahre 1980 erhielt das Museum Rüsselsheim den Museumspreis des Europarats. 1981 wurde es in der Unesco-Zeitschrift „museum" weltweit vorgestellt.

Adresse: Museum der Stadt Rüsselsheim, Hauptmann-Scheuermann-Weg 4 (In der Festung) 65424 Rüsselsheim, Telefon: 06142/42620, Telefax: 06142/23916

Öffnungszeiten (Änderungen vorbehalten):
Dienstag bis Freitag 9.00–12.30 und 14.30–17.00 Uhr, Samstag und Sonntag 10.00–13.00 und 14.00–17.00 Uhr, Montag geschlossen

Tonbandführung: in Englisch, Französisch, Finnisch, Griechisch, Türkisch und Italienisch sowie thematische Führungen in deutscher Sprache kostenlos erhältlich.

LEKTION 6

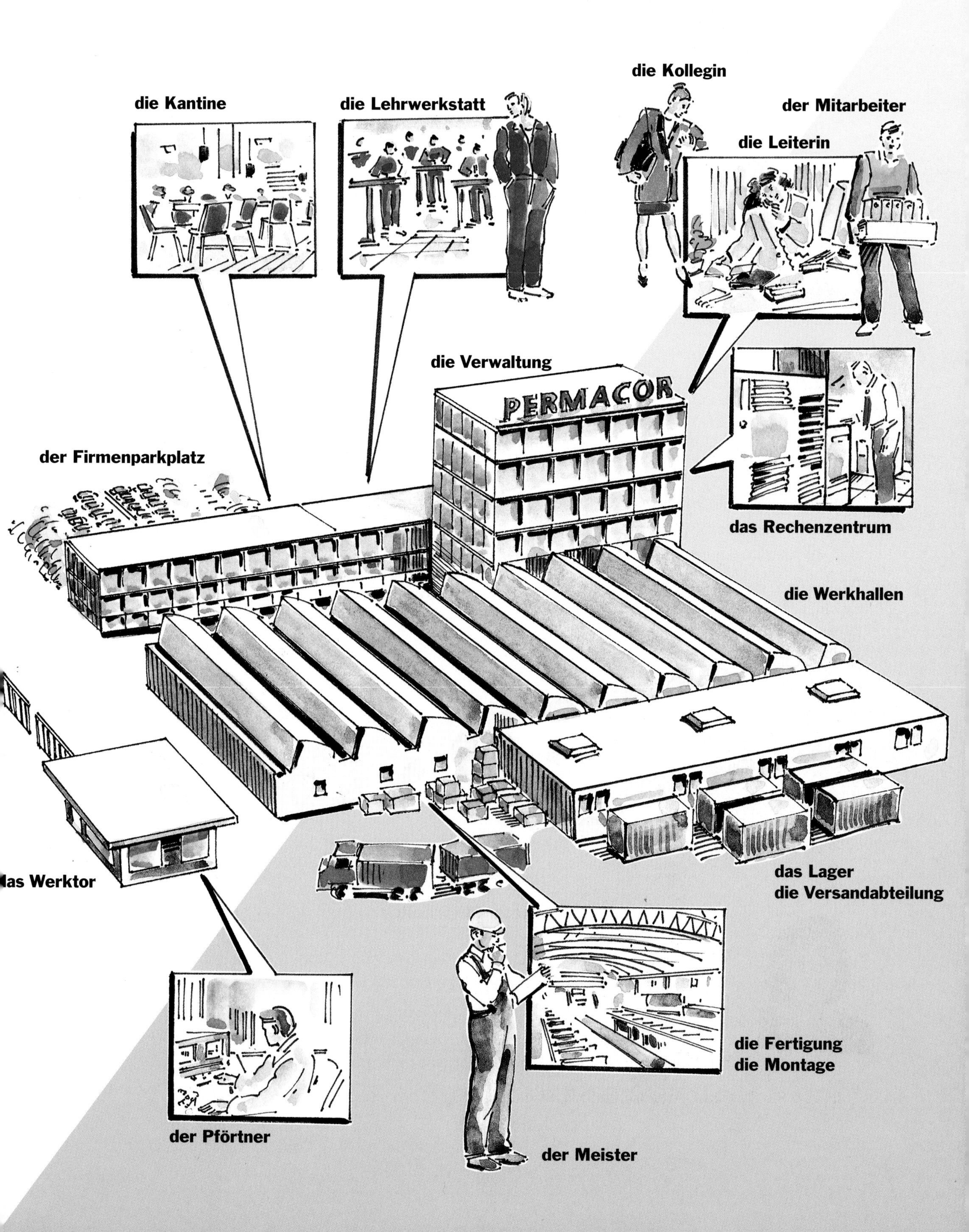
die Kantine
die Lehrwerkstatt
die Kollegin
der Mitarbeiter
die Leiterin
die Verwaltung
PERMACOR
der Firmenparkplatz
das Rechenzentrum
die Werkhallen
das Werktor
das Lager
die Versandabteilung
die Fertigung
die Montage
der Pförtner
der Meister

1. Start in der neuen Firma

a) Andreas Bitzmann beginnt bei der Firma Permacor in der Montage.

Er braucht: Die Personalabteilung erledigt sofort: Später:

Personalakte

Andreas Bitzmann

Personal-Nr. 30221

Tipps für neue Mitarbeiter

Was macht Andreas Bitzmann? Was macht die Firma? Ergänzen Sie.

Andreas Bitzmann bringt seine *Lohnsteuerkarte*, ein __________ und das __________ mit. Das Personalbüro legt eine __________ an, und er bekommt die __________ für neue Mitarbeiter. Später bekommt er seinen __________, und er nimmt an einem __________teil.

b) Sie fangen in einer neuen Firma an. Was glauben Sie: Was müssen Sie machen? Was macht die Firma? Kreuzen Sie an.

	Sie selbst	Firma
den Personalausweis vorlegen	X	☐
in den Arbeitsplatz einweisen	☐	X
die Personaldaten aufnehmen	☐	☐
die Arbeitserlaubnis vorlegen	☐	☐
an einem Einführungsseminar teilnehmen	☐	☐
die Lohnsteuerkarte mitbringen	☐	☐
den Firmenausweis ausstellen	☐	☐
einarbeiten	☐	☐
ein Gesundheitszeugnis vorlegen	☐	☐
die Info für neue Mitarbeiter aushändigen	☐	☐
die Aufenthaltsgenehmigung vorlegen	☐	☐
die Schulzeugnisse vorlegen	☐	☐
das Benachrichtigungsschreiben mitbringen	☐	☐
eine Personalakte anlegen	☐	☐

Ich glaube, man muss die Arbeitserlaubnis mitbringen.

Den Firmenausweis bekommt man wahrscheinlich von der Personalabteilung.

Die Schulzeugnisse sind nicht nötig.

Die Firma muss eine Personalakte anlegen.

2. Neue Mitarbeiter

Carla Klause beginnt beim Gutpreis-Lebensmittelmarkt als Verkäuferin.
Was muss Frau Klause machen? Was macht die Firma?

Mitarbeiterin: Gesundheitszeugnis und Lohnsteuerkarte vorlegen
Firma: Arbeitsordnung, Firmenausweis und Garderobenschlüssel aushändigen
Mitarbeiterin: später an einem Einarbeitungsseminar teilnehmen

Und jetzt Sie: Passfoto, Arbeitserlaubnis, Firmenausweis, Einweisung in den Arbeitsplatz

Ich ...

____

____

3. Benachrichtigungsschreiben

PermacorElektronik AG

Postfach 10 02 04
D-50231 Köln

Herrn Diego Sánchez Altana
PERMACOR Electrónica SA
Avenida Simón Bolívar, 324 / 8°
RA-Buenos Aires / Argentinien

5 Ihr Zeichen | Unser Zeichen PA / 4.11 Ko / SS | Datum 3. Februar 1997

Beginn Ihres Praktikums

Sehr geehrter Herr Sánchez,
wir freuen uns, dass Ihre Bewerbung um eine Fortbildung in der Hauptniederlas-
10 sung von PERMACOR erfolgreich war.
Wir erwarten Sie am Montag, dem 3. März 1997, um 8.00 Uhr in der Personalabteilung. Dort erledigen wir alle notwendigen Formalitäten. Bitte melden Sie sich
beim Pförtner am Haupttor und legen Sie dieses Schreiben vor. Vor Beginn Ihrer
Tätigkeit in der Abteilung Forschung und Entwicklung weist Sie die zuständige
15 Personalreferentin, Frau Schmollinger, kurz in den Betrieb ein. Genauere Informationen bekommen Sie bei unserem nächsten Einweisungsseminar für neue Mitarbeiter im April.
Die Einzelheiten Ihrer Anreise und Unterkunft regeln Sie bitte mit dem zuständigen Kollegen in Ihrer Niederlassung. Bitte vergessen Sie nicht Ihre Aufenthalts-
20 genehmigung und Arbeitserlaubnis sowie ein Passfoto für den Firmenausweis.

Mit freundlichen Grüßen
Dagmar Konz
25 (Personalabteilung)

Notieren Sie.

a) Wohin muss Herr Sánchez?
Zum ____
Zur ____

b) Was soll er mitbringen?
1. ____
2. ____
3. ____
4. ____

c) Was macht die Personalabteilung sofort?
1. ____
2. ____

d) Was macht die Personalabteilung später?
____

e) Wofür ist die Hauptniederlassung nicht zuständig?
1. ____
2. ____

4. Herr Sánchez schreibt einen Antwortbrief an Frau Konz.

a) Ordnen Sie die folgenden Gliederungspunkte den Teilen des Briefes zu.

1. Absender	3. Datum	5. Anrede	7. Problem	9. Bitte	11. Gruß
2. Empfänger	4. Betreff	6. Dank	8. Frage	10. Schlussformel	12. Unterschrift

( ) Für Ihre Bemühungen danke ich Ihnen sehr.

( ) Es sind nur noch zwei Wochen bis zu meiner Abreise. Ich bitte Sie also um baldige Nachricht in dieser Sache.

( ) Schicken Sie mir diese Dokumente noch? Oder senden die zuständigen Behörden sie direkt an unsere Zweigniederlassung?

( ) ich danke Ihnen für Ihr Schreiben vom 3. Februar und freue mich sehr auf den Aufenthalt in Deutschland.

( ) Ihr Schreiben vom 03. 02. 1997

( ) Mit freundlichen Grüßen

(1) PERMACOR Electrónica SA
Avenida Simón Bolívar, 324 / 8°
RA-Buenos Aires

( ) Permacor Elektronik AG
Personalabteilung: Frau D. Konz
Postfach 10 02 04
D-50231 Köln
Deutschland

( ) Sehr geehrte Frau Konz,

( ) Ich komme rechtzeitig in Köln an und bin pünktlich bei Ihnen. Allerdings habe ich die Arbeitserlaubnis und die Aufenthaltserlaubnis noch nicht bekommen.

( ) 12. Februar 1997

( ) Diego Sánchez

b) Schreiben Sie den Brief. Achten Sie auf die richtige Reihenfolge der Teile und auf die Form.

5. Bericht

Wie kommt Herr Sánchez zu Permacor? Was muss er mitbringen? Wohin muss er gehen? Mit wem spricht er? Was passiert? Waren Sie schon einmal in einer ähnlichen Situation? Berichten Sie.

6. Aus der Personalakte

a) Stellen Sie Herrn Sánchez vor.

Er ist | Mitarbeiter bei ... in ...
seit ... bei ...
in der ...abteilung tätig.
zuständig für ...

b) Zeigen Sie im Organigramm, wo Herr Sánchez arbeitet.

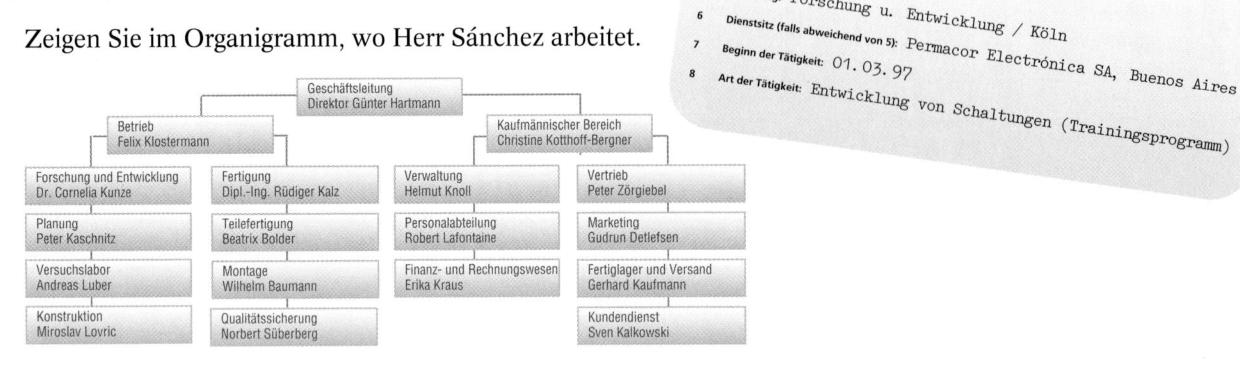

Permacor Elektronik AG

1 Personal-Nr.: 2 1 4 2 2
2 Name: Sánchez Altana Vorname: Diego
3 Geburtsdatum / -ort: 10. 06. 70, Buenos Aires
4 Tätigkeit: Entwicklungsingenieur
5 Abteilung: Forschung u. Entwicklung / Köln
6 Dienstsitz (falls abweichend von 5): Permacor Electrónica SA, Buenos Aires
7 Beginn der Tätigkeit: 01. 03. 97
8 Art der Tätigkeit: Entwicklung von Schaltungen (Trainingsprogramm)

7. Mitarbeiter bei Permacor

a) Hören Sie die Dialoge A–F. Welche Mitarbeiter lernt Herr Sánchez kennen? Tragen Sie die Angaben in die Tabelle ein. Einige Namen finden Sie auch in Übung 6.

	A	B	C	D	E	F
Name (Wer?)		*Ida Mertl*				
Abteilung (Wo?)	*Werkschutz / Werktor*				*Kundendienst*	
Funktion (Als was?)	*Pförtner*	*Bereichsleiterin*				
Firmenzugehörigkeit (Wie lange schon?)			*7 Jahre*			
Aufgaben (Wofür zuständig?)	*Empfang von Besuchern*		*Neue Geräte testen*		*Service, Wartung der Geräte*	

DATIV	AKKUSATIV
im Labor	für den Versand
in der Montage	für das Labor
seit drei Jahren	für die Montage

Gr. S. 137

Darf ich Ihnen Herrn/Frau ... vorstellen?
Ich möchte Ihnen Herrn/Frau ... vorstellen.

Er / Sie | ist (seit ...) | Mitarbeiter(in) im / in der ...
im / in der ... (als ...) tätig.

Er / Sie | ist | für ... zuständig.
dafür zuständig, ... zu ...

Gr. S. 139

b) Stellen Sie die Mitarbeiter vor:

Darf ich Ihnen Herrn Luber vorstellen?
Er ist seit 7 Jahren in der Versuchsabteilung tätig.
Er ist für die Überprüfung von neuen Entwicklungen zuständig.

c) Stellen Sie sich selbst vor:

Mein Name ist ... Ich bin ...

8. Zuständigkeiten

a) Wer ist wofür zuständig? Wer leitet was?

Wer ist zuständig?	Wofür ist er/sie zuständig?	Was leitet er/sie?
	die Lagerlogistik und den Versand	
der Pförtner		
Frau Detlefsen		das Marketing
	die Zusammenarbeit mit der Teilefertigung	
Herr Luber		
	Anlagen warten und instand halten	
		das Unternehmen
	Fehler suchen und analysieren	die Qualitätssicherung
Frau Schmollinger	Einweisung in den Betrieb	
	neue Mitarbeiter empfangen	

b) Sprechen Sie über die Aufgaben und Zuständigkeiten in der Tabelle oben und im Organigramm auf Seite 70.

▷ *Wer ist für das Marketing zuständig?*

▶ *Für das Marketing ist Frau Detlefsen zuständig.*

▷ *Und wofür ist Frau Schmollinger zuständig?*

▶ *Sie ist dafür zuständig, neue Mitarbeiter zu empfangen.*

WOFÜR?
für den/das/die NOMEN
dafür, ... zu INFINITIV

Gr. S. 139

c) Schreiben Sie:

Frau Schmollinger ist für die Einweisung in den Betrieb zuständig.

Der Pförtner ist dafür zuständig, Besucher zu

Frau Bolder leitet die Abteilung

9. Sprechübung

- ○ *Wofür ist Herr Kaufmann zuständig?*
- ● *Für die Lagerlogistik und den Versand.*
- ○ *Und der Pförtner?*
- ● *Dafür, Besucher zu empfangen.*

Gr. S. 139

10. Sprechübung

- ○ *Wer leitet das Marketing?*
- ● *Das macht Frau Detlefsen.*

11. Mitarbeiter, Kollegen, Zuständigkeiten

Fragen Sie jemand in Ihrer Gruppe,
... in welcher Firma er/sie arbeitet.
... wo in der Firma er/sie tätig ist.
... als was er/sie arbeitet.
... wie lange er/sie diese Aufgabe schon hat.
... wofür er/sie zuständig ist.

Füllen Sie die Karteikarte aus.

Firma:
1 Name: Vorname:
2 Funktion:
3 Abteilung:
4 Dienstsitz (falls abweichend von 3):
5 Beginn der Tätigkeit:
6 Art der Tätigkeit:

12. Einführungsgespräch

a) Worüber informiert man einen neuen Mitarbeiter? Worüber informiert Frau Schmollinger Herrn Sánchez? Was vermuten Sie? Zu Ihrer Hilfe:

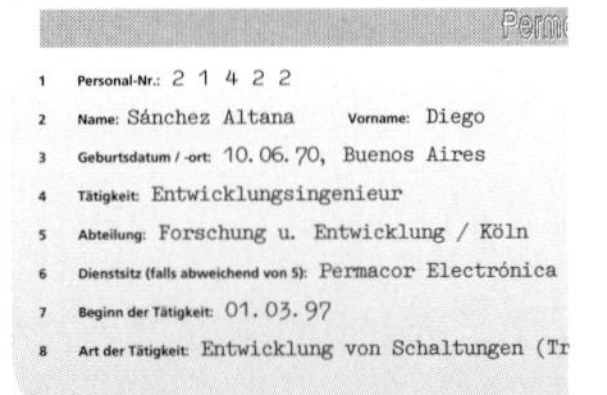

Perso…
1 Personal-Nr.: 2 1 4 2 2
2 Name: Sánchez Altana Vorname: Diego
3 Geburtsdatum / -ort: 10. 06. 70, Buenos Aires
4 Tätigkeit: Entwicklungsingenieur
5 Abteilung: Forschung u. Entwicklung / Köln
6 Dienstsitz (falls abweichend von 5): Permacor Electrónica
7 Beginn der Tätigkeit: 01. 03. 97
8 Art der Tätigkeit: Entwicklung von Schaltungen (Tr

1   

5 6 7

b) Hören Sie sich das Gespräch an. Konzentrieren Sie sich auf drei Punkte, die Sie für wichtig halten. Schreiben Sie die passenden Stichwörter unter die Abbildungen oben. Die Wörter in e) helfen Ihnen.

c) Sprechen Sie mit anderen über das, was Sie gehört haben.

d) Hören Sie Herrn Sánchez und Frau Schmollinger noch einmal zu. Ergänzen Sie Ihre Antworten.

e) Welche Wörter finden Sie außerdem noch wichtig oder interessant? Wählen Sie sechs Stichwörter.

10 Regeln für effektives Hören

1. Lesen Sie die Aufgabe. Was müssen Sie verstehen?
2. Sprechen Sie mit anderen über das, was Sie schon zu dem Thema wissen und was Sie vermuten.
3. Zurücklehnen und entspannt zuhören.
4. Sprechen Sie mit anderen über das, was Sie gehört haben. Wissen Sie jetzt genug? Was möchten Sie noch verstehen?
5. Aufrecht sitzen und gezielt zuhören – weiter wie in Regel 4.
6. Ist die Aufgabe erledigt? Vielleicht interessieren Sie sich jetzt noch für weitere Punkte. Welche?
7. Hören Sie noch einmal. Kommen „Ihre" Punkte vor?
8. Berichten Sie anderen, was Sie gehört haben.
9. Noch einmal in Ruhe zuhören und Stichwörter notieren.
10. Jetzt kann man darüber sprechen.

allgemeine Beschwerden ▬ Arbeitsbeginn ▬ Arbeitsplan ▬ Arbeitsstunden ▬ Arbeitszeit ▬ Augenblick ▬ Bildung ▬ Betriebsarzt ▬ Busverbindungen ▬ Chipfertigung ▬ Einführungsseminar ▬ Einkommen ▬ Feierabend ▬ Firmenausweis ▬ Firmenparkplatz ▬ Gehaltskonto ▬ gesundheitliche Probleme ▬ gleitende Arbeitszeit ▬ Gott sei dank ▬ Informationen ▬ Kantine ▬ Merkblatt ▬ Mitarbeiter ▬ Mittagessen ▬ Mittagspause ▬ Parkausweis ▬ Personalabteilung ▬ Rauchen ▬ Reinräume ▬ Schutzkleidung ▬ Schutzzone ▬ schwarzes Brett ▬ Speiseplan ▬ 38-Stunden-Woche ▬ Verkehrsverbindungen ▬ Verwaltungsgebäude ▬ Vorschriften ▬ Werkschutz

Hören Sie das Gespräch noch einmal. Achten Sie auf „Ihre" Wörter. Machen Sie Notizen.

f) Tauschen Sie Ihre Ergebnisse aus, berichten Sie.

13. Die Informationsbroschüre „Tipps von A – Z für Mitarbeiter"

a) Welche Begriffe im Inhaltsverzeichnis der Informationsbroschüre kennen Sie?

b) Zu welchen Themen haben Sie im Einführungsgespräch schon etwas gehört?

c) Zu welchen Themen können Sie selbst etwas sagen?

Etwa	drei Viertel (75%) die Hälfte (50%) ein Drittel (33%) ein Viertel (25%) ein Fünftel (20%)	der Wörter	habe ich schon kenne ich.	gehört. gelesen.

Über das Thema ... hat Frau Schmollinger (nicht) gesprochen.

Zu dem Thema ... | gibt es Informationen auf Seite ...
weiß ich, dass ...

INHALT

Arbeitsordnung	9
Arbeitssicherheit	10
Arbeitszeit	10
Betriebl. Altersversorgung	11
Betriebsarzt	14
Betriebskrankenkasse	14
Betriebsrat	15
Bibliotheken	15
Bildung	16
Einkommen	17
Feuerwehr	18
Informationstafeln	19
Kantinen/Verkaufsstellen	19
Mitarbeiterstruktur	20
Mitarbeiterzeitschrift	20
Personalabteilungen	21
Raucherregelung	22
Sport und Freizeit	23
Umweltschutz	24
Verbesserungsvorschläge	25
Verkehr	26
Werkssicherheit	26

Gr. S. 128

14. Mitarbeiterstruktur

600 der weltweit 900 Permacor-Mitarbeiter sind in Köln beschäftigt. Etwa 33 % sind im kaufmännischen Bereich tätig, 66 % arbeiten in der Fertigung und der Entwicklung. Davon sind nur etwas über 25 % in der Teileherstellung und der Montage beschäftigt; über 50% arbeiten in Forschung und Entwicklung, Planung, Konstruktion und Versuch, und allein 20 % in der Qualitätssicherung. Von den kaufmännischen Mitarbeitern sind etwa 70 % im Vertrieb tätig, und nur 30 % in der Verwaltung. Hier ist die Personalabteilung mit 5 % die kleinste Abteilung im kaufmännischen Bereich.

	Teil der Mitarbeiter:
Kaufmännischer Bereich:	*ein Drittel*
Vertrieb	... *Zehntel*
Verwaltung	
Personalabteilung	
Fertigung und Entwicklung:	*zwei*
Fertigung	
Forschung und Entwicklung	
Qualitätssicherung	

1/1 das Ganze	1/5	ein	Fünftel
1/2 die Hälfte	1/...	ein	...**tel**
1/3 ein Drittel	1/20	ein	Zwanzigstel
1/4 ein Viertel	1/100	ein	Hundertstel

Gr. S. 128

15. Ein Brief nach Buenos Aires

Köln, 5. März 1997

Sehr geehrter Herr Brüsewitz,

ich bin gut hier angekommen, und vorgestern war ich zum ersten Mal in der Hauptniederlassung. Am ersten Tag gab es praktisch nur eine Einweisung für neue Mitarbeiter. Ich habe mich in der Personalabteilung gemeldet. Da musste ich meine Arbeits- und Aufenthaltserlaubnis vorlegen. Die zuständige Mitarbeiterin hat mir einige Abteilungen gezeigt. Sie hat mir einige Kollegen vorgestellt. Sie hat mir die Arbeitszeitregelung erklärt. Ich habe ein paar Hinweise über den Firmen- und den Parkausweis bekommen. Ich kann in der Kantine essen, und es gibt einen Betriebsarzt. Und natürlich muss ich Schutzkleidung in der Elektronikfertigung tragen. Wie läuft Ihr neues Projekt? Ich wünsche Ihnen dazu weiterhin alles Gute.

Mit besten Grüßen, auch an alle Kolleginnen und Kollegen

Ihr *Diego Sánchez*

Worüber berichtet Diego Sánchez seinem deutschen Abteilungsleiter in Argentinien? Schreiben Sie einige Sätze.

Er berichtet, dass vorgestern seine Arbeit in Köln begonnen hat.
Er schreibt, dass ...
Er teilt mit, ...

16. Sprechübung

○ *Ist er gut angekommen?*
● *Ja, er schreibt, dass er gut angekommen ist.*

Gr. S. 140

17. Hinweise für Mitarbeiter

Überfliegen Sie die Texte.

(A)

§ 13 **Anwesenheit, Pünktlichkeit**
Der Mitarbeiter muss die geltende Arbeitszeit einhalten. Maßgebend ist die Werkuhr. Den Arbeitsplatz darf man in der Arbeitszeit nur verlassen, wenn der Vorgesetzte dazu die Erlaubnis gegeben hat. Die Firma kann Mehrarbeit verlangen, aber nur bis zur höchstzulässigen Tagesarbeitszeit. (...)

§ 16 **Kontrollen und Sicherheit**
Die Mitarbeiter dürfen das Werk nicht ohne gültigen Firmenausweis betreten. Zur Kontrolle der Arbeitszeit muss der Mitarbeiter die dafür vorgesehenen Kontrolleinrichtungen benutzen.

§ 17 **Behandlung von Maschinen und Material**
Der Mitarbeiter muss darauf achten, Material, Strom, Gas und Wasser sparsam zu verwenden. Er muss den Arbeitsplatz sauber halten. Der Arbeitsplatz kann während der Arbeit sauber gemacht werden.

INHALT

Arbeitsordnung	9
Arbeitssicherheit	10
Arbeitszeit	10
Betriebl. Altersversorgung	11
Betriebsarzt	14
Betriebskrankenkasse	14
Betriebsrat	15
Bibliotheken	15
Bildung	16
Einkommen	17
Feuerwehr	18
Informationstafeln	19
Kantinen/Verkaufsstellen	19
Mitarbeiterstruktur	20
Mitarbeiterzeitschrift	20
Personalabteilungen	21
Raucherregelung	22
Sport und Freizeit	23
Umweltschutz	24
Verbesserungsvorschläge	25
Verkehr	26
Werkssicherheit	26

(C)

1 Jeder weiß: Das ist ein Gesundheitsrisiko. Denken Sie also bitte an die Nichtraucher! Beachten Sie die Hinweisschilder! Bei Konflikten zwischen Rauchern und Nichtrauchern sprechen Sie bitte mit dem zuständigen Vorgesetzten.

2 Ausweiskontrollen beim Betreten des Werks sind notwendig. Bitte haben Sie dafür Verständnis. Der Werkschutz ist in Notfällen da. Man erreicht ihn unter Nummer 110. Er hilft auch, wenn man mal den Büroschlüssel vergessen hat.

3 Neben Lohn oder Gehalt bekommen Sie auch andere Leistungen: u.a. Urlaubsgeld und ein 13. Monatsgehalt (ganz oder teilweise). Auch eine Beteiligung am Gewinn gehört zum Einkommen.

4 Er vertritt die Interessen der Mitarbeiter. Er berät Sie in sozialen, personellen und arbeitsrechtlichen Fragen. Die Büros der Mitarbeitervertretung finden Sie in Gebäude 11, 2. Etage.

5 Die Mitarbeiter des Werks entwickeln und vertreiben vor allem Hightechprodukte. Deshalb haben wir nur relativ wenige gewerbliche Mitarbeiter. 13 000 Mitarbeiter sind Angestellte, nur 2 000 bekommen Lohn. Es gibt 4 000 weibliche und 11 000 männliche Mitarbeiter.

6 Hier beantwortet man Ihre Fragen zu Lohn und Gehalt, zu Steuern und Sozialversicherung oder zur beruflichen Weiterbildung. Denken Sie daran, bei schriftlichen Anfragen immer Ihre Personalnummer (siehe Mitarbeiterausweis!) anzugeben.

Führungswechsel in der Entwicklung

Frau Dr. Kunze, bis zum 15. Dezember des Jahres Leiterin der Abteilung Planung, hat jetzt die Leitung der Hauptabteilung Forschung und Entwicklung übernommen. Bis Herr Kaschnitz in den nächsten Wochen die Leitung der Planung übernimmt, ist Dr. Kunze weiter Leiterin dieser Abteilung. Als neue Hauptabteilungsleiterin hat sie die Verantwortung für die ganze Produktentwicklung unseres Unternehmens in einer kritischen Zeit übernommen. Wir stehen vor der Aufgabe, unsere gesamte Produktpalette zu modernisieren.

Beantworten Sie die Fragen zu den Texten A–D. Arbeiten Sie zu zweit oder zu dritt.

a) Woher kommen die Texte?
- aus der Werkzeitschrift ☐
- aus der Broschüre „Tipps von A–Z für Mitarbeiter“ ☐
- aus der Arbeitsordnung ☐

b) Welche zwei Texte gehören direkt zusammen? ☐ und ☐

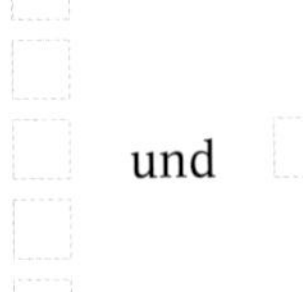

c) Welcher Text passt nicht so gut zu den anderen? ☐

d) Welcher Text hat etwas mit dem Organigramm von Permacor zu tun? ☐

e) In welchem Text geht es darum, was verboten, erlaubt, Pflicht ist? ☐

f) Welche Texte passen zu welchen Stichwörtern im Inhaltsverzeichnis?

18. Sprechübungen

a) ○ *Den Firmenausweis mitbringen?*
● *Das muss man.*

○ *Rauchen?*
● *Das darf man.*

b) ○ *Rauchen?*
● *Das ist erlaubt, das darf man.*

○ *Nach 9 Uhr kommen?*
● *Das ist verboten, das darf man nicht.*

Gr. S. 132

19. Erlaubt, verboten oder Pflicht?

a) Suchen Sie in der Lektion nach Regeln und Vorschriften und tragen Sie sie in die Tabelle ein. Gr. S. 132

	verboten	erlaubt	Pflicht	nicht Pflicht	Arbeitsordnung
die Arbeitszeit einhalten			*X*		*§ 13*
den Firmenparkplatz benutzen				*X*	
am Einführungsseminar teilnehmen					
	nicht dürfen	dürfen	müssen	nicht brauchen zu	steht in

b) Was man machen darf und nicht darf, was man machen muss und nicht zu machen braucht. Sprechen Sie zu zweit darüber.

▷ Ist es | Pflicht, / erlaubt, / verboten, | (…) zu …en?
▶ | Ja, / Nein, | laut § … der Arbeitsordnung | muss man … / darf man … / darf man nicht …

▷ Muss man …?
▶ | Ja, | das ist Pflicht. / laut § … der Arbeitsordnung ist das Pflicht.
Nein, | den/das/die … braucht man nicht zu … / das braucht man nicht.

▷ Darf man …?
▶ | Ja, das ist erlaubt.
Nein, | das ist verboten. / laut § … der Arbeitsordnung ist das verboten.

▷ *Ist es erlaubt, Mehrarbeit zu verlangen?*
▶ *Ja, laut § 13 der Arbeitsordnung darf der Arbeitgeber Mehrarbeit verlangen.*

▷ *Muss man den Firmenparkplatz benutzen?*
▶ *Nein, den braucht man nicht zu benutzen, aber es ist erlaubt.*

▷ *Muss man den Firmenausweis vorzeigen?*
▶ *Ja, das ist Pflicht.*

20. Sprechübung

○ *Bitte den Ausweis zeigen!*
● *Ist es Pflicht, den Ausweis zu zeigen?*

Gr. S. 139

21. Sprechübung

○ *Muss man Überstunden machen?*
● *Ja, das muss man.*

○ *Muss man in der Kantine essen?*
● *Nein, das braucht man nicht.*

Gr. S. 132

22. Wochenbesprechung bei Permacor

a) Wer nimmt an der Wochenbesprechung teil? Benutzen Sie das Organigramm auf Seite 70.

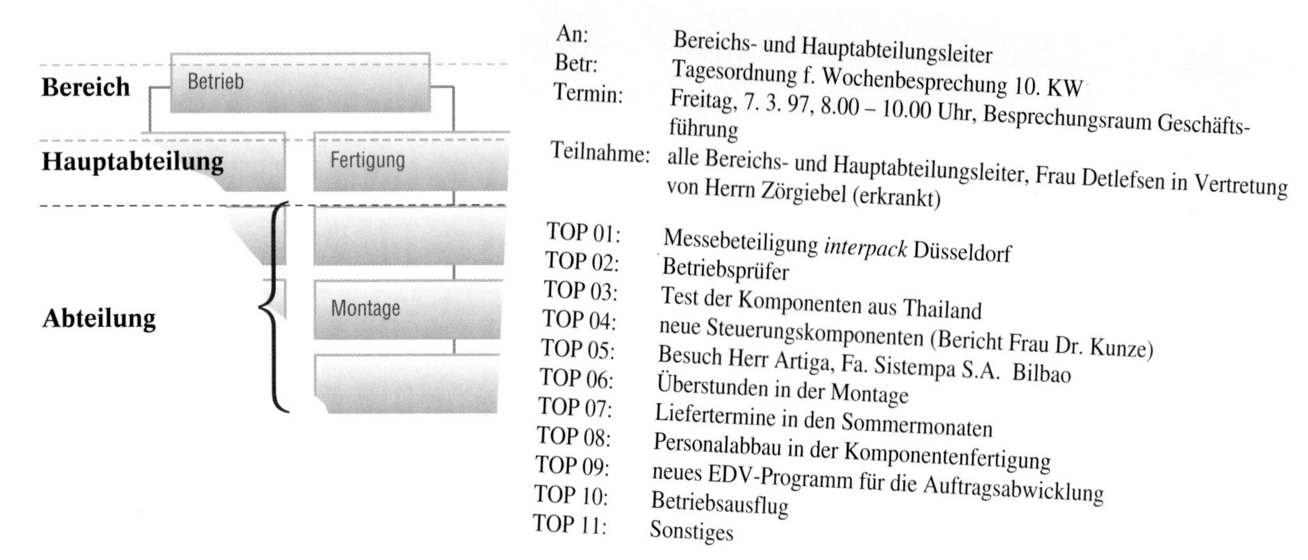

An: Bereichs- und Hauptabteilungsleiter
Betr: Tagesordnung f. Wochenbesprechung 10. KW
Termin: Freitag, 7. 3. 97, 8.00 – 10.00 Uhr, Besprechungsraum Geschäftsführung
Teilnahme: alle Bereichs- und Hauptabteilungsleiter, Frau Detlefsen in Vertretung von Herrn Zörgiebel (erkrankt)

TOP 01: Messebeteiligung *interpack* Düsseldorf
TOP 02: Betriebsprüfer
TOP 03: Test der Komponenten aus Thailand
TOP 04: neue Steuerungskomponenten (Bericht Frau Dr. Kunze)
TOP 05: Besuch Herr Artiga, Fa. Sistempa S.A. Bilbao
TOP 06: Überstunden in der Montage
TOP 07: Liefertermine in den Sommermonaten
TOP 08: Personalabbau in der Komponentenfertigung
TOP 09: neues EDV-Programm für die Auftragsabwicklung
TOP 10: Betriebsausflug
TOP 11: Sonstiges

b) Hören Sie das Gespräch und beantworten Sie die Fragen.

	Ihre Antwort in Stichwörtern	Woher wissen Sie das? Das hört man im Gespräch.	Das weiß man auch so.
1 Welche Tagesordnungspunkte kommen vor?			
2 Warum nimmt Frau Detlefsen teil?			
3 Welcher Hauptabteilungsleiter spricht Spanisch?			
4 Spricht Herr Artiga Spanisch?			
5 Kann Frau Kotthoff gut Englisch?			
6 Welche Position hat Herr Artiga bei Sistempa?			
7 Welche Lösung schlägt Frau Detlefsen vor?			
8 Welches Interesse könnte Permacor an einer Zusammenarbeit mit Sistempa haben?			

23. Was, wann, wo, mit wem?

a) Herr Sánchez hat die Unterlagen gelesen.
Herr Artiga hat großes Interesse an elektronischen Steuerungen für Verpackungsmaschinen und Hydrauliksysteme. Jetzt muss Herr Sánchez Herrn Artigas Besuch (zwischen 9.30 Uhr und 14.00 Uhr) mit den zuständigen Abteilungen und Mitarbeitern absprechen.

Diskutieren Sie über einen Ablaufplan. Orientieren Sie sich an dem Notizzettel rechts.

Arbeiten Sie in Gruppen und ergänzen Sie das Besuchsprogramm.

- Begrüßung u. Verabschiedung, Foyer (Geschäftsführung?)
- Erinnerungsgeschenk
- Permacor-Produktinfos (komplett!) zusammenstellen / überreichen (wer/wann?)
- Besichtigungen:
  Montage
  QS
  Mittagessen
  „Goldene Gans"?
  Kantine??
- Forschung u. Entwickl. / Gespr. Abt.leit.
- Einladung Permacor-Messestand
- Demo/Versuchslabor

Besuchsprogramm *für Herrn José María Artiga Pons, Sistempa S.A. Bilbao/Spanien*

Uhrzeit	Programmpunkt	Ort	Teilnehmer
Wann?	Was?	Wo?	Mit wem?

b) Fragen Sie, was wann wo mit wem geplant ist. Ihr Partner antwortet mit Hilfe des Besuchsprogramms.

▷ *Wann ist die Begrüßung geplant?*
▶ *Um 9.30 Uhr.*
▷ *Wo findet die Begrüßung statt?*
▶ *Im Foyer.*
▷ *Wer nimmt an der Begrüßung teil?*
▶ …
▷ *Wann … ?*
▶ …

c) **Sprechübung**

○ *Begrüßung: im Foyer*
● *Also, die Begrüßung ist im Foyer.*

○ *Begrüßung: 9.30 Uhr*
● *Also, die Begrüßung findet um 9.30 Uhr statt.*

○ *Begrüßung: mit Direktor Hartmann*
● *Also, an der Begrüßung nimmt Direktor Hartmann teil.*

24. Interne Notiz

Herr Sánchez muss Frau Detlefsen über das Besuchsprogramm informieren.
Er muss dazu eine interne Notiz schreiben.
Ergänzen Sie die Notiz unten.

Interne Notiz

von: D. Sánchez
an: Frau Detlefsen/Marketing

Besuchsprogramm von Herrn José María Artiga Pons, Sistempa S.A. Bilbao/Spanien am 10.3.1997

Herr Artiga kommt um 9.30 Uhr. Es wäre gut, wenn Herr Hartmann 10 Minuten Zeit für die Begrüßung hätte. Um 9.45 Uhr gehen wir dann

- ▷ *Schmoll & Co, Rößler, guten Tag.*
- ▶ *Guten Tag, hier ist die Heinze GmbH, Gombrowitz. Ihre Möbel sind jetzt fertig. An wen soll ich die Rechnung schicken?*
- ▷ *Sie sprechen mit dem Pförtner. Das kann ich Ihnen auch nicht sagen. Einen Moment, ich frage bei der Verwaltung nach.*
- ▶ *Verwaltung, Knoll.*
- ▷ *Morgen, hier ist Rößler, Werktor/Telefonzentrale. Ich habe hier jemanden, der möchte Möbel liefern und fragt, wohin er sie schicken kann.*
- ▶ *Einen Moment, ich glaube, dafür ist der Einkauf zuständig. Ich frage mal nach.*
- ▷ *In Ordnung, ich warte.*
- ▷ *Einkauf, Brinkmann, guten Morgen. Was gibt's?*
- ▶ *Hier ist Knoll, Hauptabteilung Verwaltung. Hören Sie, da ist ein Mann, der hat Möbel. Ich glaube, damit ist etwas nicht in Ordnung, er will sie zurückgeben.*
- ▷ *Aber warum rufen Sie dann bei uns im Einkauf an? Dafür ist doch der Kundendienst zuständig. Warten Sie, ich frage mal nach.*
- ▶ *Ist gut. Tun Sie das und rufen Sie mich zurück.*
- ▶ *Kundendienst, Knesebeck, guten Tag.*
- ▷ *Hier ist Brinkmann, Einkauf. Sagen Sie, haben Sie die Möbel in Ordnung gebracht, die Ihnen Herr Knoll gegeben hat?*
- ▶ *Knoll? Möbel? Warten Sie ... ja, richtig, vor sechs Monaten haben wir Reparaturen für die Verwaltung gemacht. Und dann haben sie die Rechnung nicht bezahlt.*
- ▷ *Nicht bezahlt? Ich informiere das Finanz- und Rechnungswesen! Warten Sie!*
- ▶ *Schnitzler, Finanz- und Rechnungswesen. Was kann ich für Sie tun?*
- ▷ *Hören Sie, bei mir ruft Knesebeck vom Einkauf an. Er sagt, dass Knoll von der Verwaltung bei ihm Möbel bestellt hat. Und jetzt will Knoll, dass der Kundendienst bezahlt! Können Sie mir helfen?*
- ▶ *Nein, aber versuchen Sie es doch einmal beim Werkschutz! Der hilft doch in Notfällen! Ich rufe mal unter 110 an.*
- ▷ *Rößler, Werktor. Wo brennt's?*
- ▶ *Schnitzler, Finanz- und Rechnungswesen. Ich habe hier ein Problem mit Möbeln und der Rechnung ...*
- ▷ *Gott sei Dank, dass Sie endlich anrufen! Der Mann wartet ja schon eine Ewigkeit! Also – er schickt die Rechnung direkt an Sie, ans Finanz- und Rechnungswesen. Besten Dank, ich sage dem Mann Bescheid. Wiederhören!*

Machen Sie es besser als die Mitarbeiter von Firma Schmoll & Co.

Geben Sie die Information weiter. Wer ist zuständig? Finden Sie die richtige Person und die richtige Abteilung.

Der neue Mitarbeiter sucht seinen Arbeitsplatz.

Ein wichtiges Maschinenteil ist angekommen. Jetzt kann die Fertigung wieder arbeiten.

Ein Kunde hat ein Problem mit einem neuen Gerät.

LEKTION 7

1. Wer macht was?

a) Ordnen Sie jeder Person einen Beruf zu. Ordnen Sie dann jedem Beruf mindestens zwei Tätigkeiten zu.

Berufe
A Sachbearbeiter
B Ausbilder
C Sekretärin
D Techniker
E Abteilungsleiterin
F Kundenberater
G Entwicklungsingenieurin

Tätigkeiten
1 Daten eingeben
2 Kunden beraten
3 Vorträge halten
4 einen Kopierer bedienen
5 zeichnen und entwerfen
6 Fehler suchen
7 Gäste betreuen
8 Prozesse kontrollieren
9 Auszubildende unterweisen
10 Vorgänge bearbeiten
11 Rechnungen ausstellen
12 neue Produkte entwickeln
13 Rechnungen verschicken
14 Geräte zusammenbauen
15 die Korrespondenz erledigen
16 Lehrlinge ausbilden
17 Zahlungen erledigen
18 Aufträge abwickeln
19 Bestellungen aufnehmen
20 Tests durchführen
21 Messungen durchführen
22 Baugruppen montieren
23 Geräte überprüfen

b) Welche Tätigkeiten üben Sie in Ihrem Beruf aus?

2. Ida Riedlingers kleine Abschiedsparty

Der Redakteur der Betriebszeitung „inform“ interviewt Frau Riedlinger.

a) Was können die Personen besonders gut? Was machen die Personen jetzt? Was haben die Personen früher gemacht?

A Frau Listl ___ B Frau van Dülmen ___ C Herr Kabbeck ___ D Frau Selbert ___ E Herr Cardosa ___ F Frau Riedlinger ___

1 muss Lehrlinge unterweisen.
2 ist eine gute Organisatorin.
3 macht Betriebsführungen und betreut Gäste.
4 beschäftigt sich mit der Qualitätssicherung.
5 kümmert sich um Termine und Dienstreisen.
6 ist in allen Marketingfragen kompetent.
7 ist die Spezialistin im EDV-Bereich.
8 muss oft Vorträge halten.
9 war früher in der Lohnbuchhaltung beschäftigt.
10 kennt sich mit Computern aus.
11 führt Tests und Messungen durch.

b) Was hat Frau Riedlinger zuletzt gemacht (= kleines z), was hat sie früher gemacht (= f), was hat sie für die Zukunft vor (= großes Z) ?

1 ___ die Welt kennen lernen
2 ___ Vorträge halten
3 ___ wandern und reisen
4 ___ Personaldaten eingeben
5 _f_ Personalakten bearbeiten
6 ___ Briefe mit dem PC schreiben
7 ___ Gäste betreuen und beraten
8 ___ in der Buchhaltung aushelfen
9 ___ Zeit für Hobbys nutzen
10 ___ Leute empfangen
11 _z_ Besuchergruppen führen und informieren

3. Was machen die Leute den ganzen Tag?

Hören Sie die beiden Dialoge und bringen Sie die Textbausteine in die richtige Reihenfolge.

a) Textbausteine zu den Angaben von Ilona Listl

A Aber ihren kleinen Schraubenzieher braucht sie auch oft.
B Das heißt, sie kümmert sich um die EDV-Anlagen und sorgt dafür, dass immer alles funktioniert.
C Ilona Listl ist Systembetreuerin.
D Ohne den geht es nicht.
E Für diese Tätigkeit braucht sie alle möglichen Werkzeuge und Messgeräte.

Ilona Listl ist

b) Textbausteine zu den Angaben von Franz Althoff

A Dazu braucht er natürlich einen Computer.
B Zu den Aufgaben eines Fortbildungsreferenten gehört es, Vorträge und Seminare zu halten.
C Ohne Textverarbeitung, ohne Tabellenkalkulation und ohne Datenbank geht heute nichts mehr.
D Aber die meiste Zeit ist er mit Vorbereitungsarbeiten beschäftigt.
E Franz Althoff ist Fortbildungsreferent.
F Er muss Seminarkonzepte entwickeln, Dozenten aussuchen, Lehrunterlagen gestalten.

Franz Althoff ist

4. Sprechübungen

a) ○ *Und am PC arbeiten, gehört das auch zu Ihren Aufgaben?*
● *Nein, am PC habe ich noch nie gearbeitet.*

b) ○ *Hast du schon mal am PC gearbeitet?*
● *Natürlich, am PC zu arbeiten gehört auch zu meinen Aufgaben.*

Gr. S. 139

5. Spielen Sie Dialoge.

Vorschläge:

	Wer	Was	Womit
a)	Frau Selbert, Sekretärin	Termine planen, Reisen buchen, Tickets bestellen	Telefon
b)	Herr Kabbeck, Mitarbeiter in der Qualitätssicherung	Geräte prüfen, Messungen durchführen	Messgeräte mit Drucker
c)	Frau Riedlinger, Gästebetreuerin	Besuchergruppen betreuen, Vorträge halten, Gäste informieren	Overheadprojektor, Mikrophon mit „Ohrhörern“
d)	Herr Cardosa, Ausbildungsleiter	Lehrlinge unterweisen, neue Mitarbeiter einweisen	?

▷ *Herr/Frau … Sie sind doch … von Beruf?*
▶ *Ja richtig.* / *Nein, ich bin …*
▷ *Was macht man denn als …?*
▶ *Die meiste Zeit verbringe ich damit, …*
▷ *Brauchen Sie dazu irgendwelche …?*
▶ *Natürlich, ohne …*
▷ *Und welche Tätigkeit ist Ihnen am liebsten?*
▶ *Am liebsten …*

6. Was könnte das sein?

a) Versuchen Sie, im Gespräch mit anderen die abgebildeten Gegenstände zu identifizieren.

Anrufbeantworter ___ Telefon ___ Automotor ___ Werkzeugkasten ___ Rechenmaschine ___ Bildtelefon ___ Briefwaage ___ Computer ___ Schreibmaschine ___ Drucker ___ Faxgerät ___ Kaffeemaschine ___ Elektrokabel ___ Modem ___ Notebook ___ Overheadprojektor ___ Stehlampe ___ Solartaschenrechner ___ Steckdose ___ Videokamera ___

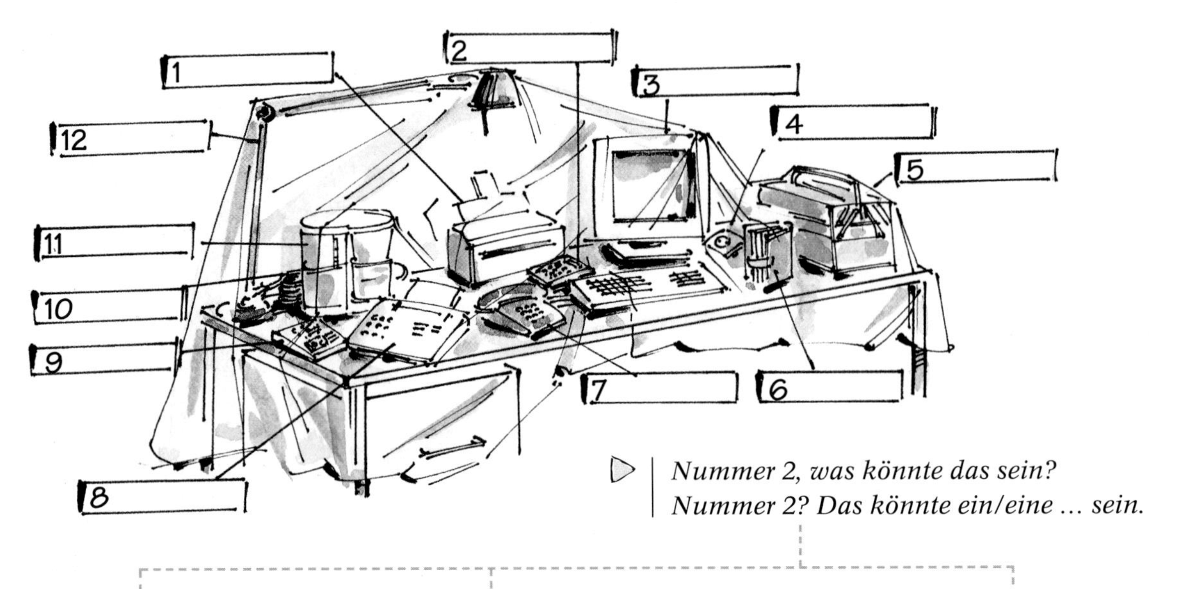

▷ *Nummer 2, was könnte das sein?*
Nummer 2? Das könnte ein/eine … sein.

▷ *Ja, das kann sein.*
Ja, das ist möglich.

▷ *Glaubst du wirklich? Ich halte das eher für einen/ein/eine …*

▷ *Das glaube ich nicht.*
Das ist bestimmt ein/eine …

▷ *Ja, das kann sein.*
Ja, das ist möglich.

b) Hören Sie das Gespräch. Worüber sprechen die beiden Personen? Was meint die Frau? Was meint der Mann?

7. Zu Hause und im Büro: Die „Notwerkstatt" für alle Fälle

Wie nennt man diese Werkzeuge auf Deutsch? Fragen Sie auch andere.

15	Elektrozange	1	Schraubendreher (auch: Schraubenzieher)
___	Schere	___	Hammer
___	Inbusschlüssel	___	Spachtel
___	Nägel und Schrauben	___	Säge
___	Wasserrohrzange	___	Kombizange
___	Körner mit T-Griff	___	Maßband
___	Teppichbodenmesser	___	Isolierband
___	Kreuzschlitzschraubendreher		

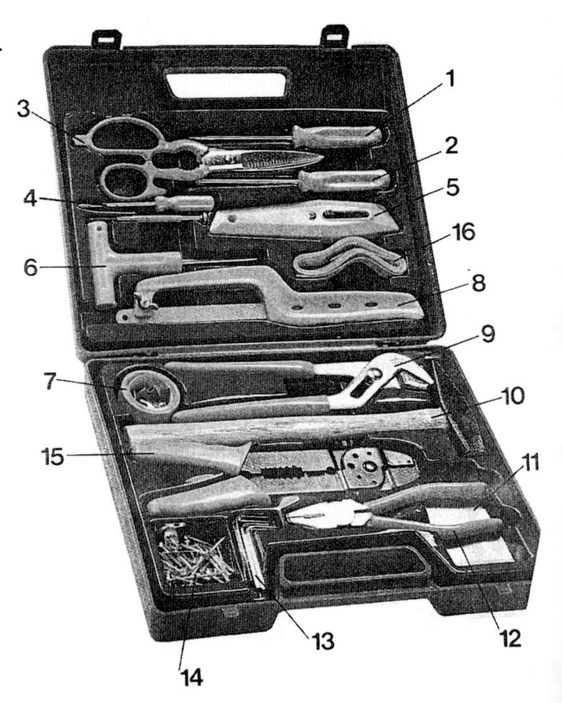

▷ *Nummer 15 ist eine Elektrozange.*

▷ *Wie heißt das? Elektrozange?*
Woher weißt du das?

8. Berufe, Maschinen und Geräte, Tätigkeiten

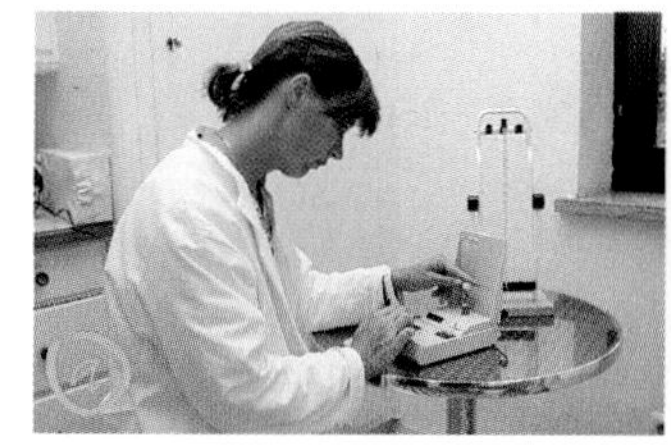

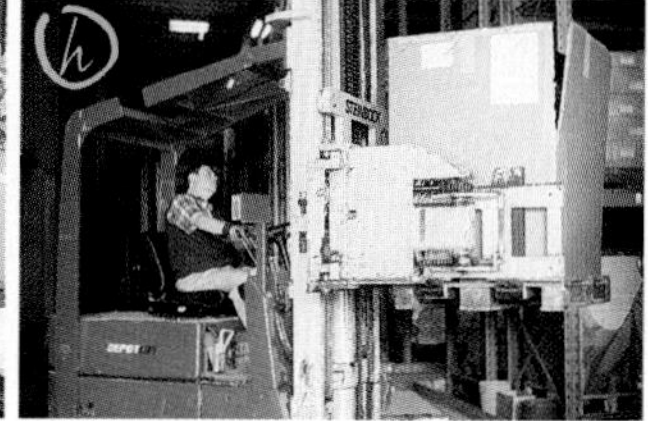

a) Ordnen Sie die Bilder den Berufen unten zu.

Berufe	Maschinen/Geräte	Tätigkeiten
____ Lagerarbeiter	A Faxgerät	1 Bestätigungen ausdrucken
____ MTA (Medizinisch-Technische Assistentin)	B Diktiergerät	2 Bestellungen bestätigen
	C Gabelstapler	3 Blutproben kontrollieren
e Dozent	D Overheadprojektor	4 Schaubilder und Grafiken präsentieren
____ Kfz-Mechaniker	E PC	5 Gebühren abbuchen
____ Exportkauffrau	F Reinigungsmaschine	6 Kisten stapeln
____ Verwaltungsangestellte	G Schraubenzieher	7 die Korrespondenz erledigen
____ Putzfrau	H Schraubenschlüssel	8 Ferngespräche führen
____ Abteilungsleiterin	I Messgerät	9 Mahnungen schreiben
	J Telefon	10 Fehler beheben
		11 den Teppichboden reinigen
		12 Termine vereinbaren

b) Hören Sie die Aussagen. Wer benutzt welches Gerät/welche Maschine? Wozu wird es/sie benutzt? Ordnen Sie oben zu.

um	die Korrespondenz	zu erledigen
um	…	zu + INFINITIV

zur	Erledigung der Korrespondenz
zum/zur	+ NOMEN

c) Schreiben Sie Sätze.

Gr. S. 138

Der Dozent benutzt den Overheadprojektor, um Schaubilder und Grafiken zu präsentieren.
Der Dozent benutzt den Overheadprojektor zur Präsentation von Schaubildern und Grafiken.
Die MTA benutzt …

9. Sprechübung

Gr. S. 138

○ *Und wozu benutzen Sie das Faxgerät? Zur Bestätigung von Bestellungen?*
● *Ja, um Bestellungen zu bestätigen.*

10. Aufgaben, Tätigkeiten und Geräte

Unterhalten Sie sich in Ihrer Gruppe über folgende Fragen: Was machen Sie beruflich? Welche Geräte benutzen Sie für welche Tätigkeiten?

11. Ein Computersystem

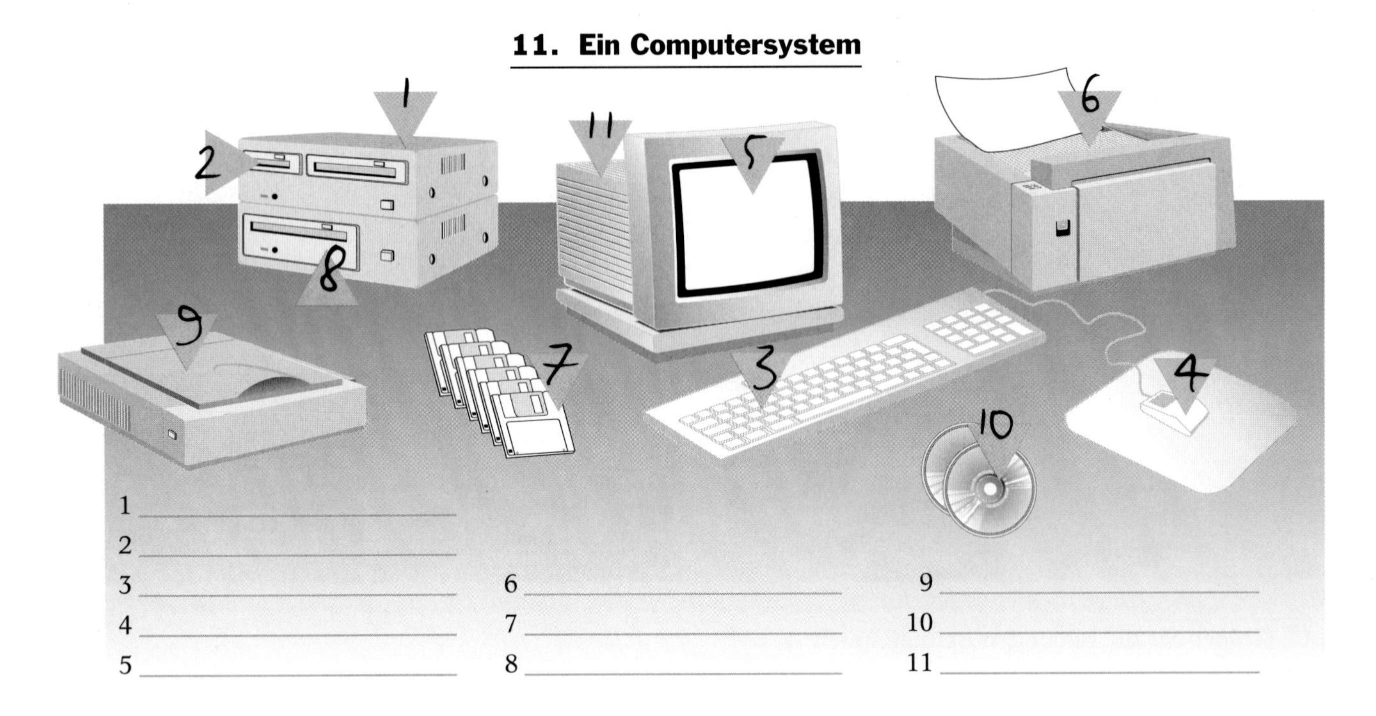

a) Welche Bestandteile des Computersystems kennen Sie? Wie nennt man die Teile in Ihrer Muttersprache? Wie heißen sie auf Deutsch? Fragen Sie auch andere Kursteilnehmer.

b) Welcher Text passt zu welcher Abbildung? Wie heißen die Teile des Systems? Sie brauchen die Texte nicht vollständig zu verstehen.

A Der Computer ergibt erst mit seinen Peripheriegeräten zusammen ein sog. Computersystem. Die Geräte werden – im Gegensatz zu den Programmen – auch als Hardware bezeichnet.

B An die sog. Zentraleinheit (engl. CPU = Central Processing Unit) werden die anderen Geräte, die Peripheriegeräte (Tastatur, Maus, Monitor, Drucker), angeschlossen. Hier erfolgt die eigentliche Verarbeitung aller Daten. Man hat sie deshalb auch schon das „Herzstück des Computers" genannt. Im Gehäuse der Zentraleinheit (auch Haupteinheit) befindet sich normalerweise auch die Festplatte (auch Hard-Disk im Unterschied zur Floppy-Disk, siehe unten). Außerdem sind hier die Laufwerke, das Diskettenlaufwerk und das CD-ROM-Laufwerk, untergebracht.

C Disketten – manchmal auch Floppys oder Floppy-Disks genannt – sind das häufigste Mittel zum Speichern von Daten. Es gibt unterschiedlich große Disketten, Standard ist heute die 3,5-Zoll-Diskette. Vorsicht! Man kann von der Größe einer Diskette nicht auf ihre Speicherkapazität schließen. Andere Speichermedien sind die Festplatte und die CD-ROM.

D Unter „Ausgabe" (engl. Output) versteht man in der „Computer-Sprache" sowohl die Darstellung auf dem Bildschirm als auch das Ausdrucken von Texten mit dem Drucker.

E Mit der Tastatur – im Englischen als Keyboard bezeichnet – kann man Texte und Befehle (d.h. was der Computer machen soll) in den Computer eingeben. Sie besteht aus einem Schreibmaschinenfeld, das durch Funktionstasten, Steuertasten, Cursortasten und einen numerischen Tastenblock ergänzt wird. Deutsche und amerikanische Tastaturen unterscheiden sich durch die sog. QWERTZ- bzw. QWERTY-Anordnung. Ebenfalls zur Dateneingabe dienen Maus, Trackball und Scanner.

F Mit dem Drucker können Texte, Tabellen usw. ausgedruckt werden. Für den Ausdruck komplizierterer Grafiken und Zeichnungen kann ein Plotter erforderlich sein.

G Alle Texte, Tabellen, Befehle etc. kann man sich auf dem Bildschirm ansehen. Sie werden dazu auf dem Bildschirm, der Vorderseite eines Monitors, gezeigt oder – wie man auch sagt – dargestellt.

c) Woraus besteht das Computersystem, die Zentraleinheit, die Tastatur?

Das Die	... besteht aus	dem ... der ...

12. Der Computer

dient | zum
dienen | zur

a) Wozu dienen die Komponenten?

A das Ausdrucken von Ergebnissen
B der Anschluss der Peripheriegeräte
C die Darstellung von Computermeldungen
D die Eingabe von Informationen und Befehlen
E die Verarbeitung von Daten und Befehlen
F die Speicherung von Dateien
G die Eingabe von Texten
H das Kopieren von Dateien
I die Ausgabe von Meldungen und Ergebnissen
J die Bearbeitung von Texten
K das Löschen von Dateien
L das Ausdrucken von Texten und Tabellen

Sprechübungen

b) ○ *Zur Speicherung der Dateien haben wir die Disketten.*
● *Gut. Also dazu dienen die Disketten.*

c) ○ *Zur Speicherung der Dateien haben wir die Disketten.*
● *Aha, also um die Dateien zu speichern.*

d) ○ *Wie lautet die genaue Typenbezeichnung des Computers?*
● *SkyTower 500 ZE-90.*

Typenbezeichnung
Mikroprozessor
Taktfrequenz
Arbeitsspeicher
Kapazität der Festplatte
Laufwerk

SkyTower 500 Ze-90

Microprozessor	Intel Pentium
Taktfrequenz	90 Mhz
Bus	PCI-Bus
Speicher	8 MB RAM
Cache	258 K
Festplatte	540 MB
Floppy	3,5" 1.44 MB
VGA-Karte	1 MC PCI-Karte
Tastatur	Cherry
Monitor	LE 48P
MSB/Zoll	33,5 cm/14"
Strahlungsarm	MPR II
Power Manag.	ja
Hz-Frequenz	31-48 Khz
HIGHSCREEN Standard-Software	

Gr. S. 138

13. Die Einzelteile eines Computersystems

a) Sprechen Sie in Gruppen zu dritt.

Woraus besteht denn so ein Computersystem?

Aus dem Rechner, also der Zentraleinheit und den Peripheriegeräten.

Wozu dienen die Disketten?

Die dienen dazu, Dateien zu speichern.

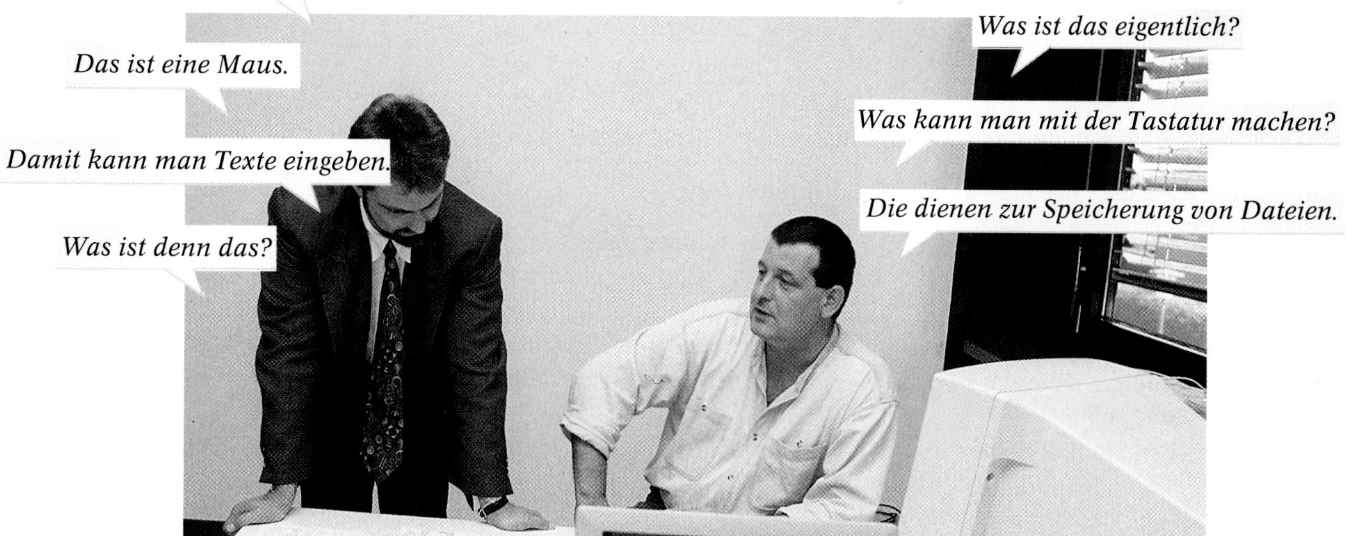
Was ist das eigentlich?
Das ist eine Maus.
Was kann man mit der Tastatur machen?
Damit kann man Texte eingeben.
Die dienen zur Speicherung von Dateien.
Was ist denn das?

b) Können Sie jetzt das Computersystem von Übung 11 mit eigenen Worten beschreiben? Auch schriftlich?

14. Das Kopiergerät: Platte und Fläche, Kassette und Fach, Schalter und Taste

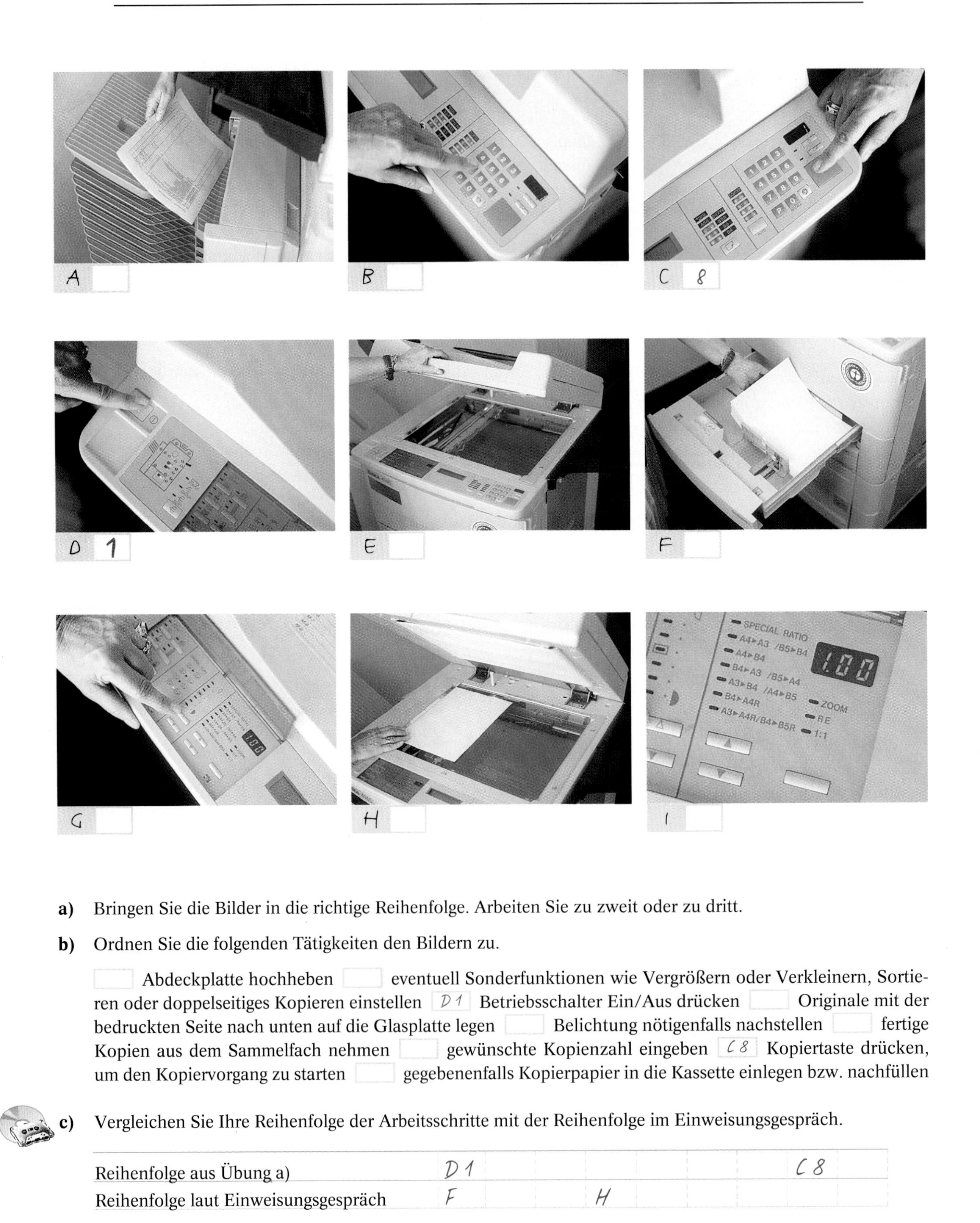

a) Bringen Sie die Bilder in die richtige Reihenfolge. Arbeiten Sie zu zweit oder zu dritt.

b) Ordnen Sie die folgenden Tätigkeiten den Bildern zu.

[ ] Abdeckplatte hochheben [ ] eventuell Sonderfunktionen wie Vergrößern oder Verkleinern, Sortieren oder doppelseitiges Kopieren einstellen [D1] Betriebsschalter Ein/Aus drücken [ ] Originale mit der bedruckten Seite nach unten auf die Glasplatte legen [ ] Belichtung nötigenfalls nachstellen [ ] fertige Kopien aus dem Sammelfach nehmen [ ] gewünschte Kopienzahl eingeben [C8] Kopiertaste drücken, um den Kopiervorgang zu starten [ ] gegebenenfalls Kopierpapier in die Kassette einlegen bzw. nachfüllen

c) Vergleichen Sie Ihre Reihenfolge der Arbeitsschritte mit der Reihenfolge im Einweisungsgespräch.

Reihenfolge aus Übung a)	D1							C8	
Reihenfolge laut Einweisungsgespräch	F			H					

15. Ein Vorgang – vier Perspektiven

BEDIENUNGSANLEITUNG:

Überprüfen Sie zuerst die Papierkassette. Falls nötig, füllen Sie bitte Kopierpapier nach. Dann wird das Gerät eingeschaltet, indem man den Betriebsschalter Ein / Aus drückt. Als Nächstes heben Sie die Abdeckplatte hoch und legen das Original auf die Glasplatte, und zwar mit der bedruckten Seite nach unten. Jetzt kann die gewünschte Kopienzahl eingegeben werden. Eventuell müssen Sie die Belichtung nachstellen und verschiedene Sonderfunktionen wie Vergrößern oder Verkleinern einstellen. Drücken Sie dann die grüne Kopiertaste und der Kopiervorgang beginnt. Wenn der Kopiervorgang beendet ist, können Sie die fertigen Kopien aus dem Sammelfach nehmen. Vergessen Sie nicht, Ihr Original wieder von der Glasplatte zu nehmen.

Man kann das Ganze auch anders darstellen. Schreiben Sie einen der drei Texte zu Ende.

Anfang	Verlauf	Ende
zuerst	dann	schließlich
zunächst	danach	zuletzt
als Erstes	als Nächstes	zum Schluss

Bericht

So habe ich das gemacht:

Zuerst habe ich Kopierpapier nachgefüllt und das Gerät ...

Regeln

So wird das gemacht:

Zuerst wird Kopierpapier nachgefüllt und das Gerät ...

Anweisung

So muss das gemacht werden:

1. Kopierpapier nachfüllen und Gerät ...
2. ...

Gr. S. 134

16. Sprechübungen

a) ○ *Zuerst Kopierpapier nachfüllen.*
● *Also, zuerst wird Kopierpapier nachgefüllt.*

b) ○ *Muss ich noch Kopierpapier nachfüllen?*
● *Nein, Kopierpapier brauchen Sie nicht nachzufüllen.*

Gr. S. 132/134

17. Ein Text mit Fehlern

In den „7 Regeln“ sind Fehler. Verbessern Sie die Fehler.

7 Regeln für erfolgreiches Kopieren

1. Nachsehen, ob noch genügend Disketten da sind und nötigenfalls Floppy-Disks nachfüllen
2. Zentraleinheit hochheben und CD-ROM auf die CPU legen
3. Bildschirm eventuell nachstellen
4. Gewünschte Speicherkapazität eingeben
5. Entertaste drücken, um den Ausdruck der Texte zu starten
6. Ausgedruckte Texte aus dem Drucker nehmen
7. Cursortasten drücken, um den Computer auszuschalten

18. Schwierigkeiten mit dem PC

a) Um welche Schwierigkeiten geht es?

Störung
Dialog
1 Der Text ist weg.
2 Die ganze Anlage funktioniert nicht.
3 Der Brief kann nicht eingegeben werden.
4 Der Text kann nicht ausgedruckt werden.
5 Der Bildschirm ist plötzlich ganz schwarz.
B
6 Die Diskette ist nicht verwendbar.
7 Das Programm kann nicht gestartet werden.
8 Datensätze wurden vernichtet.

b) Ursachen und Lösungen. Welcher Kasten nennt Ursachen, welcher nennt Lösungen?

A den Text gelöscht
B das ganze Netz zusammengebrochen
C Stromausfall
D Computerviren eingeschleust
E das Kabel nicht angeschlossen
F die Diskette passt nicht ins Laufwerk
G PC nicht an den Drucker angepasst
H das falsche Programm geladen

1 den Stecker in die Steckdose stecken
2 den Rechner nachrüsten
3 den Text noch mal eingeben
4 eine USV (unterbrechungsfreie Stromversorgung) einbauen
5 den Hardwarehändler anrufen
6 das richtige Programm aufrufen
7 die Datei auf eine passende Diskettengröße kopieren
8 ein Antivirenprogramm installieren

c) Tragen Sie Störungen, Ursachen und passende Lösungsvorschläge in eine Liste ein.

Störungen: Was ist passiert?	**Ursachen:** Woran liegt das?	**Lösungen:** Was muss man tun?
Der Text ist weg.		*Den Text noch mal eingeben.*
	Das Kabel ist nicht angeschlossen.	

Sprechen Sie über die Liste:

▷ *Was ist denn passiert?* ▷ *Der Text ist weg.*

▷ *Woran liegt das?* ▷ *Sie haben ihn wahrscheinlich gelöscht.*

▷ *Und was nun?* ▷ *Tja, Sie müssen ihn wohl noch einmal eingeben.*

19. Maßnahmen, um Störungen zu beheben

a) Hören Sie die beiden Dialoge, ergänzen Sie die Dialoge. Spielen Sie ähnliche.

Erster Dialog:

▷ *Wir haben jetzt keine Schwierigkeiten mehr. Wir haben ...*
▶ *Wozu habt ihr das gemacht?*
▷ *Damit ...*

Zweiter Dialog:

▷ *Unser Netz ...*
▶ *Wie habt ihr denn das geschafft?*
▷ *Indem wir ...*

Gr. S. 138, 141

b) Was passt zusammen? Ergänzen Sie die Sätze 1–8 unten.

A die Daten schützen B die Augen schonen und schützen C die Kommunikation zwischen den Geräten verbessern D die Texte gehen nicht mehr verloren E das Netz bricht nicht mehr zusammen F keine Probleme mehr mit der Stromversorgung G bei Problemen nicht ohne Hilfe sein H auf neue Software vorbereitet sein

1 Wir rüsten die Computer nach, ______
2 Eine USV wird eingebaut, ______
3 Wir schaffen kompatible Geräte an, ______
4 Das Personal wird auf Fortbildung geschickt, ______
5 Man optimiert die Lichtverhältnisse, ______
6 Wir schließen einen Servicevertrag ab, ______
7 Wir führen Passwörter ein, ______
8 Man speichert die Texte regelmäßig, ______

c) Sprechen Sie nach dem Schema.

Passwörter einführen	→ damit ← indem	die Daten schützen

Wir haben Passwörter eingeführt, damit die Daten geschützt werden.

Man schützt die Daten, indem man Passwörter einführt.

Passwörter werden eingeführt, damit die Daten geschützt werden.

Daten werden geschützt, indem ...

Gr. S. 138, 141

20. Sprechübungen

a) ○ *Wozu haben Sie die Computer nachgerüstet?*
● *Damit das Netz nicht mehr zusammenbricht.*

b) ○ *Wie kann man vermeiden, dass das Netz zusammenbricht?*
● *Indem man die Computer nachrüstet.*

21. Schritt für Schritt

START: → 1. den Computer einschalten → 2. das Programm laden → 3. den Text eingeben → 4. den Text formatieren → 5. den Text speichern → 6. den Drucker einschalten → 7. Papier einlegen → 8. den Text drucken → 9. den Text noch einmal speichern → 10. die Arbeit am PC beenden → 11. das Gerät ausschalten → **ZIEL**

Zuerst wird der Computer eingeschaltet.

Wenn der Computer eingeschaltet ist, dann wird das Programm ...

Wenn das Programm geladen ist, dann wird ...

COMPUTER GEWINNSPIEL

1. Preis

multimedialer Alleskönner
„Spectria“ Multimedia-PC mit Farbmonitor, CD-ROM-Laufwerk, Stereo-Boxen, Fax, TV, UKW-Radio … Eine echte „Work- and Fun“-Maschine

2. Preis

Seikoshha SpeedJet 200
Tintenstrahldrucker mit Long-Life-Druckkopf, 128 K Druckspeicher, für bedruckte Einzelblätter, Folien und Briefumschläge

3. Preis

Casio Datenbank SF-5300
elektronische Datenbank, Wecker, Kalender, Rechner, Notizbuch, Daten im PC oder auf Diskette speicherbar

10 Testfragen zum „Computer-Führerschein“

1 Welche Begriffe zählen zur Software?

- ☐ Prozessor
- ☐ Textverarbeitung
- ☐ Monitor
- ☐ Betriebssystem

2 Am Prozessor erkennen wir …

- ☐ die Farbe des Geräts.
- ☐ die Taktfrequenz.
- ☐ den Preis.
- ☐ die Breite der Busse.

3 Welches sind Massenspeicher (beweglich)?

- ☐ Disketten
- ☐ Maus
- ☐ Arbeitsspeicher
- ☐ CD-ROM

4 Welcher Drucker arbeitet wie ein Kopierer?

- ☐ Kugelkopfdrucker
- ☐ Laserdrucker
- ☐ Thermotransferdrucker
- ☐ Tintenstrahldrucker

5 Die Abkürzung EVA bedeutet …

- ☐ Electric Vision Power.
- ☐ Eingabe-Verarbeitung-Ausgabe.
- ☐ Elektronische Verarbeitungs-Anlage.

6 Mit der Maus kann man …

- ☐ Befehle starten.
- ☐ Texte eingeben.
- ☐ Schrauben festdrehen.
- ☐ Texte markieren.

7 Möglichkeiten in einer Textverarbeitung:

- ☐ Zeit umstellen
- ☐ Briefe schreiben
- ☐ Musik hören
- ☐ Schriftarten auswählen

8 Welche Begriffe zählen zur Hardware?

- ☐ Malprogramm
- ☐ Programmiersprache
- ☐ Peripheriegeräte
- ☐ CD-ROM

9 Computerviren sind …

- ☐ Antivirenprogramme.
- ☐ völlig ungefährlich.
- ☐ nur für Disketten gefährlich.
- ☐ „Killer“- bzw. Störprogramme.

10 DFÜ bedeutet …

- ☐ Datenfreie Abnahme.
- ☐ Drahtlose Fernübertragung.
- ☐ Datenfernübertragung.

LEKTION 8

1
Anfrage
Haben Sie Käsekuchen?
2
Angebot
Tut mir Leid. Käsekuchen ist aus. Aber Obstkuchen ...
3
Bestellung
Gut, ein Stück Apfelkuchen mit Schlagsahne.
4
Lieferung
Bitte sehr, einmal Apfelkuchen mit ...
5
Rechnungsstellung
Ein Kaffee, ein Apfelkuchen, das macht zusammen ...
6
Zahlung
Bitte schön.
A
Anfrage
Unser Fotokopierer geht nicht mehr, könnten Sie jemand vorbeischicken?
B
Angebot
Heute Nachmittag gegen 15 Uhr kann unser Servicetechniker bei Ihnen sein.
C
Auftrag
Gut, kommen Sie um 15 Uhr.
D
Lieferung
Gleich ist er wieder in Ordnung.
E
Rechnungsstellung
Helmreich Kopiersysteme
Firma
Lerchl
Eschenweg 16
85579 Neubiberg
Rechnung
Rechnungsnummer: 966554
Rechnungsdatum: 08.08.1996
Kundennummer: 33454
Artikel-Nr. Bezeichnung Menge Einzelpreis Gesamtpreis
Canon 6000 Gleiter 1.50 85.00 127.50
F
Zahlung
ÜBERWEISUNG

1. Von wem — für wen?

Sehen Sie sich das Schema rechts und die Texte unten an. Ergänzen Sie.

Auftraggeber ↔ Auftragnehmer
(= Kunde) (= Lieferant)

Anfrage → Angebot/Preisliste
Auftrag/Bestellung ←
→ Lieferung/Lieferschein
Lieferschein unterschreiben ←
→ Rechnung
Zahlung oder Reklamation ←
→ Kontrolle des Geldeingangs

a) Die Anfrage kommt vom *Kunden.*
b) Das Angebot kommt …
c) Der Auftrag …
d) Die Lieferung …
e) Die Rechnung …
f) Die Reklamation …
g) Die Zahlung …
h) Der Lieferschein …
i) Der Lieferant erhält die Anfrage vom *Kunden.*
j) Der Kunde erhält das Angebot vom …
k) Der Lieferant erhält den …
l) Der Kunde …

NOMINATIV	der/ein Kunde	die Kunden
GENITIV	des/eines Kunden	der Kunden
DATIV	dem/einem Kunden	den Kunden
AKKUSATIV	den/einen Kunden	die Kunden

ebenso: der Kollege, der Lieferant, der Angestellte

Gr. S. 129

BÜROMARKT
Nehrlinger KG

Preisliste (gültig bis 30.03.1997)

Artikel	Preise (zuzügl. 15% MwSt; * = Lieferung frei Ha…
1 Palette (100.000 Blatt) Kopierpapier „Praxi-Copy" (80 g, Spezialpapier für Xerographie, staubarm und chlorfrei, Laser-geeignet)	DM 1.070,--
1 Paket (1000 Blatt)	DM 11,20

TELEFAX – TELECOPIE – FAX-MESS…

Absender: Büromarkt Nehrlinger KG
Verkauf: A. Grüner
Robert-Bosch-Straße 11, 55411 Bingen
Telefon: 06721 / 2478 Telefax: 06721 / 13 991
Empfänger: Firma Neidhardt KG Ingelheim
Frau Rosenberger
Telefax: 06132 / 17 644
Angebot Nr. 3006: Kopierpapier „Praxi-Copy" 05.03.1997

Sehr geehrte Frau Rosenberger,

besten Dank für Ihre telefonische Anfrage. Ich kann Ihnen folgendes A… unterbreiten:
1 Palette (100.000 Blatt) Praxi-Copy, 80 g, für Xerographie, staubarm un… chlorfrei, Laser-geeignet: DM 1.070.-- (zzgl. 15% MwSt, Lieferung frei H…

Mit freundlichen Grüßen
Grüner
i.A. Büromarkt Nehrlin…

Firma
Neidhardt KG
Sonnenberg 14
55545 Bad Kreuznach

BÜROMA…
Robert-Bosch-Straße
Tel: 06721 / 2478

Lieferschein

Nummer	Datum	Kd.Nr.
1721	12.03.97	126

Art.Nr.	Warenbezeichnung
07214	Kopierpapier Praxi-Copy

Kolb
Ware ordnu…

BÜROMARKT Nehrlinger KG
Robert-Bosch-Straße 11, 55411 Bingen
Tel: 06721 / 2478 Fax 06721/ 13991

Rechnung Nr. 30 665
Auftrag Nr. 03 / 95-121, vom 06.03.1997

Stück Ware	DM/Stück	DM/gesamt
2 Pal. „Praxi-Copy"	DM 1.070,--	DM 2.140,--
15 % Mehrwertsteuer: DM 160,50	DM 321,--	DM 321,--
Gesamtbetrag:		DM 2.461,--

Zahlungsbedingungen: innerhalb 10 Tagen nach Erhalt der Rechnung abzgl. 2% Skonto

Telefax

von: Neidhardt KG, C. Rosenberger
an: Firma Büromarkt Nehrlinger KG
z.Hd. Frau A. Grüner

Hiermit bestellen wir gemäß Ihrem Angebot Nr. 3006 vom 5.3. 2 Paletten à 100.000 Blatt „Praxi-Copy" zum Preis von DM 2.140,-- + 15% MwSt, Lieferung frei Haus, Liefertermin nicht später als 10.3.

Ingelheim, den 6.3.97
Rosenberger
i.A. (C. Rosenberger)

2. Antworten Sie mit Hilfe der Texte von Übung 1.

Anfrage		a) Wonach wird von wem gefragt?
Angebot	Artikel:	b) Was wird angeboten?
	Preis:	c) Zu welchem Preis wird angeboten?
Bestellung	Menge:	d) Wie viel wird bestellt?
	Liefertermin:	e) Wann soll geliefert werden?
Rechnung	Betrag:	f) Wie hoch ist die Rechnung?
	Zahlungsziel:	g) Bis wann muss die Rechnung bezahlt werden?
Zahlung	Betrag:	h) Welcher Betrag muss überwiesen werden?
	Zahlungsweise:	i) Wie soll gezahlt werden?
	Zeitpunkt:	j) Wann soll gezahlt werden?
Lieferschein	Überbringer:	k) Wer bringt den Lieferschein?
	Empfänger:	l) Wer bekommt den Lieferschein?
	Unterzeichner:	m) Von wem muss der Lieferschein unterschrieben werden?

3. Was passiert mit dem Auftrag?

1 VERB 1	...	(VERB 2)	
... muss	...	PARTIZIP	werden
... kann	...		
... soll	...		

Gr. S. 134

a) Was glauben Sie: Wer macht was?

A die Bestellung zur Kenntnis nehmen
B von der Bestellung eine Kopie machen und sie ins Lager geben
C den Auftrag (= 2 Paletten) bereitstellen
D den Lieferschein schreiben
E dem Einkauf eine Kopie des Lieferscheins geben
F den Originallieferschein und eine Kopie dem Fahrer geben
G die Ware ausliefern
H den Lieferschein dem Kunden geben
I den Lieferschein unterschreiben
J Kopie des Lieferscheins in der Buchhaltung abgeben
K die Rechnung schreiben
L den Geldeingang kontrollieren
M den Zahlungsbetrag mit der Rechnung vergleichen
N eventuell reklamieren

1 der Einkauf: Herr Weniger
2 der Verkauf: Frau Grüner
3 die Buchhaltung: Frau Regenhardt
4 das Lager: Herr Öztürk
5 der Fahrer: Herr Roland
6 der Kunde: Firma Neidhardt KG

b) Hören Sie die Erklärungen von Frau Grüner an. Überprüfen Sie Ihre Vermutungen aus a).

4. Was wann zu welchem Preis?

Machen Sie Dialoge.

Bestellung				Lieferung			
Menge	Artikel	Preis	MwSt	Menge	Artikel	Preis	Datum
a) 10	Locher	DM 395,--	15%	10	Locher	DM 454,25	15.6.
b) 1	Kaffeemaschine	DM 98,--	15%	1	Kaffeemaschine	DM 112,70	18.6.
c) 400	Aktenordner	DM 1.560,--	–	200	Aktenordner	DM 780,--	20.6.
Auftrag erteilt		Preis	MwSt	**Leistung erbracht**		Preis	Datum
d) Reparatur des Computers		?	15%	Festplatte ausgetauscht		DM 782,--	23.6.
e) Glasarbeiten		DM 160,--	?	Fenster repariert		DM 184,--	14.7.
f) Reinigungsarbeiten		DM 230,--	15%	Teppichboden gereinigt		DM 274,50	4.7.

▷ *Wie viele Locher wurden bestellt?*
▶ *Zehn.*
▷ *Was kostet ein Locher?*
▶ *Neununddreißig Mark fünfzig.*
▷ *Wann wurden die Locher ...?*
▶ ...

▷ *Wann wurde der Computer repariert?*
▶ *Am dreiundzwanzigsten Juni.*
▷ *Wie hoch ist die Mehrwertsteuer?*
▶ *Fünfzehn Prozent.*
▷ *Wie viel kostet ...?*

5. Eine Reklamation

a) Hören Sie das Telefongespräch zwischen Frau Rosenberger und Herrn Karoui und vergleichen Sie es mit dem Vorgang in Übung 1 (Bestellung, Lieferschein, Rechnung) und mit der Telefonnotiz.

b) Herr Karoui hat sich ein paar Mal verhört bzw. verschrieben. Korrigieren Sie seine Notiz.

Telefonnotiz 

von:	Firma Neider / Engenheim, Frau Rossberge	
Betr.:	Lieferung vom 12.3.1997, 2 Paletten ~~Praxipapier~~	Praxi-Copy
Text:	2 Paletten bestellt, nur 1 Palette erhalten, 2 Paletten berechnet, Rechnungs-Nr. 30 656 vom 23.3., bitte klären.	
angenommen von:	Karoui	
Zeit:	23.3.97 um 9.30 Uhr	

6. Frau Grüner beauftragt Herrn Karoui.

Hören Sie das Gespräch zwischen Frau Grüner und Herrn Karoui.

A Was macht Herr Karoui bis zur Mittagspause?
B Was macht Frau Grüner bis zur Mittagspause?
C Was macht Herr Regula bis zur Mittagspause?
D Was macht Frau Fischer-Ortmann bis zur Mittagspause?
E Was macht Herr Wendlandt bis zur Mittagspause?
F Was macht Frau Regenhardt bis zur Mittagspause?
G Was macht Herr Roland bis zur Mittagspause?

1 die Reklamation von Frau Rosenberger bearbeiten
2 Das weiß ich nicht. Ich nehme an: Waren ausliefern.
3 an einer Besprechung teilnehmen
4 Herrn Karoui helfen
5 die Rechnung an Firma Neidhardt schreiben
6 einen Messebesuch vorbereiten

7. Was befindet sich wo?

a) Wo, glauben Sie, sind die Papiere, die Herr Karoui braucht?

Gr. S.137

Was?
das Angebot
der Auftrag
die beiden Lieferscheine
die Rechnungskopie

Wo?
im Aktenschrank
im Schreibtisch
in einer Ecke des Büros
im Regal
unter dem Besuchertisch
auf dem Schreibtisch
von Frau Fischer-Ortmann

Wo genau?
im Papierkorb
in einer Mappe
im Ordner „Rechnungsausgänge“
in der Schublade links oben

b) Hören Sie das Gespräch zwischen Frau Fischer-Ortmann und Herrn Karoui. Sind Ihre Vermutungen richtig?

8. Herr Karoui schickt Frau Rosenberger ein Fax.

Schreiben Sie das Fax mit diesen Informationen:

- 2 Lieferungen
- 2 Lieferscheine vom 12.3. und vom 16.3.
- 1 Lieferschein bei Ihnen verloren/verlegt?
- Kopie der 2 Lieferscheine in der Anlage
- weitere Fragen?
- Durchwahl Karoui: -251

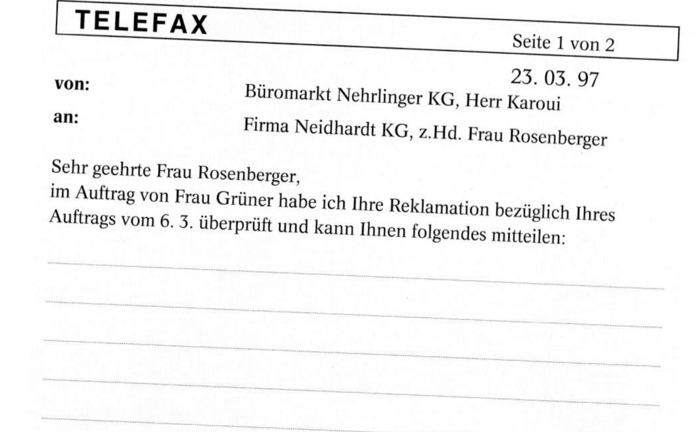

TELEFAX

Seite 1 von 2

23. 03. 97

von: Büromarkt Nehrlinger KG, Herr Karoui

an: Firma Neidhardt KG, z.Hd. Frau Rosenberger

Sehr geehrte Frau Rosenberger,
im Auftrag von Frau Grüner habe ich Ihre Reklamation bezüglich Ihres Auftrags vom 6. 3. überprüft und kann Ihnen folgendes mitteilen:

Mit freundlichen Grüßen

Karoui
i.A. (H.A. Karoui)

Seite 2: Kopie 2 Lieferscheine

9. Frau Rosenberger liest das Fax und sucht die Lieferscheine.

a) Was glauben Sie?

1 Wo sucht Frau Rosenberger die Lieferscheine?
2 Wohin hat Herr Kolbe den Lieferschein gelegt?
3 Wo ist der gesuchte Lieferschein?
4 Frau Rosenberger telefoniert mit Herrn Kolbe. Wie endet das Gespräch?

So? *Aber, Herr Kolbe, das ist doch nicht so schlimm. Das kann doch jedem einmal passieren.*

Oder so? *Na ja gut, Herr Kolbe. Das darf aber nicht noch einmal passieren.*

Oder so? *Herr Kolbe, bitte passen Sie in Zukunft besser auf! Ich muss mich auf meine Mitarbeiter verlassen können.*

Oder so? *Herr Kolbe, das ist nicht das erste Mal, dass Ihnen so etwas passiert, aber hoffentlich das letzte Mal.*

b) Hören Sie das Telefonat, das Frau Rosenberger mit Herrn Kolbe führt. Wie würden S i e das Gespräch beenden? Warum? Diskutieren Sie.

DA	DAHIN
im Schrank	in den Schrank
im Büro	ins Büro
in der Schublade	in die Schublade

Gr. S. 137

10. Das gehört (nicht) dahin.

Sprechen Sie rasch – einzeln und in Gruppen.

der/das/die ... befindet sich (nicht) in/auf/unter ...+ DATIV

der/das/die ... gehört (nicht) in/auf/unter ... + AKKUSATIV

▷ *Der Aktenordner befindet sich im Schrank.*

▶ *Dahin gehört er (aber) nicht.*
Dahin gehört er (ja auch).

▷ *Der Aktenordner befindet sich nicht im Schrank.*

▶ *Dahin gehört er (aber).*
Dahin gehört er (ja auch) nicht.

▷ *Der Lieferschein gehört in die linke Schublade.*

▶ *Da liegt er (aber) nicht.*
Da liegt er (ja auch).

▷ *Der Lieferschein gehört nicht in den Papierkorb.*

▶ *Da ist er (aber).*
Da ist er (ja auch) nicht.

11. Im Hotel: Positiv – Negativ

SIE WOHNEN
IN EINEM RUHIGEN HOTEL MIT 25 EINZELZIMMERN, DOPPELZIMMERN UND JUNIOR-SUITEN

Einzelzimmer	150,– DM inkl. Frühstück
Doppelzimmer	210,– DM inkl. Frühstück
Suite (3 Personen)	280,– DM inkl. Frühstück

Individuelle Firmentarife ab 50 Übernachtungen* (außerhalb der Düsseldorfer Messezeiten) auf Anfrage

*EZ DM 99,-/DZ DM 144,- incl. Frühstück

Ihre Ansprechpartner: Bettina Schmidt, Jens Grün

Hoteleigener Parkplatz

Entfernungen:
Hauptbahnhof 1 200 Meter mit direkter Straßenbahnverbindung zum Messegelände und Flughafen (25 Min.).
Busverbindung (150 m vom Hotel) zum Messegelände und Flughafen (ca. 30 Min.).

Sie wohnen in ruhigen, großzügig eingerichteten Gästezimmern, alle mit Du/WC, Radio, Kabel-TV und Selbstwähltelefon ausgestattet.

Einzelzimmer (Dusche/WC)	125,– bis 180,–
Doppelzimmer (Dusche/WC)	165,– bis 250,–

ZIMMERAUSSTATTUNG

237 ausgezeichnet ausgestattete Zimmer und 8 Suiten enthalten:

- Bad mit Föhn
- Schuhputzservice
- Farbfernseher, Video, Radio
- Nichtraucherzimmer
- Extra große Betten mit Daunendecken
- Minibar

Wochenendtarif
(im Zeitraum von freitags bis sonntags)

Einzelzimmer	*95,– DM inkl. Frühstück*
Doppelzimmer	*140,– DM inkl. Frühstück*
Suite (3 Personen)	*195,– DM inkl. Frühstück*

Bei der Wahl eines Hotels:

\+ Was finden Sie gut/positiv? Worauf legen Sie Wert?

– Was finden Sie nicht so gut/negativ? Was nehmen Sie in Kauf?

Drei- und Vierbett-Zimmer ▢ ruhige Lage ▢ Frühstücksbüfett ▢ Fernseher im Zimmer ▢ zentrale Lage ▢ Diskothek im Haus ▢ Konferenzräume im Haus ▢ modern ▢ Büroservice ▢ Kühlschrank im Zimmer ▢ Dusche/WC in jedem Zimmer ▢ Zwei Sterne ▢ Vier-Sterne-Hotel ▢ verkehrsgünstig ▢ in der Nähe des Bahnhofs ▢ preisgünstig ▢ im Grünen ▢ Sauna im Haus ▢ in der Nähe des Messegeländes ▢ gemütlich ▢ WC und Dusche auf dem Flur ▢ Hallenschwimmbad ▢ Parkmöglichkeit ▢ Garagenplatz ▢ kein Aufzug ▢ laut ▢

Arbeiten Sie zu zweit oder zu dritt. Diskutieren Sie und machen Sie Notizen.

Gr. S. 140

Wir legen (keinen) Wert auf ...
Außerdem legen wir (keinen) Wert darauf, dass ...
Für uns ist ... (nicht so) wichtig.
Für uns ist es (nicht so) wichtig, dass ...
Schließlich legen wir (keinen) Wert auf ...

Wir nehmen ... (nicht gern) in Kauf.
Wir nehmen (nicht gern) in Kauf, dass ...
Außerdem nehmen wir ... (nicht) in Kauf.
Außerdem nehmen wir (nicht) in Kauf, dass ...
Schließlich nehmen wir ... (nicht) in Kauf.
Schließlich nehmen wir (nicht) in Kauf, dass ...

12. Besprechung

Lesen Sie die Fragen, hören Sie dann die Besprechung und beantworten Sie schließlich die Fragen mit Hilfe des Hörtextes.

a) Wie viele Personen nehmen an der Besprechung teil?
b) Wo findet die Besprechung statt?
c) Worum geht es bei der Besprechung?
d) Welche Meinung hat Herr Regula?
e) Was meint Frau Regenhardt?
f) Welche Meinung hat Herr Wendlandt?
g) Für welches Verkehrsmittel entscheiden sich die Leute?
h) In welchem Hotel haben sie im letzten Jahr gewohnt?
i) Wie waren sie mit dem Hotel zufrieden?

13. Argumente – Gegenargumente / Gründe – Gegengründe

a) Welche Gründe bzw. Gegengründe nennen Herr Wendlandt und Frau Regenhardt in ihrem Gespräch? Wenn Sie wollen, können Sie das Gespräch noch einmal anhören.

Herr Regula ist trotz ... mit dem Hotel ASTORIA einverstanden.
Herr Regula akzeptiert das Hotel ASTORIA, obwohl ...
Frau Regenhardt entscheidet sich wegen ... für das Hotel ASTORIA.
Frau Regenhardt ist für das Hotel ASTORIA, weil ...

b) Aus welchen Gründen oder trotz welcher Gegengründe würden Sie sich für bzw. gegen das Hotel ASTORIA entscheiden?

GRÜNDE:
wegen + GENITIV
..., weil ... (VERB 2) VERB 1

GEGENGRÜNDE:
trotz + GENITIV
..., obwohl ... (VERB 2) VERB 1

Gr. S. 141

14. Sprechübungen

a) wegen – trotz

- *Sieh mal, die schönen Möbel.*
- *Ja, ich nehme das Zimmer wegen der schönen Möbel.*
- *Sieh mal, das unbequeme Bett.*
- *Naja, ich nehme das Zimmer trotz des unbequemen Bettes.*

b) weil – obwohl

- *Nimmst du das Zimmer? Die Möbel sind schön.*
- *Ja, ich nehme das Zimmer, weil die Möbel schön sind.*
- *Aber das Bett ist unbequem.*
- *Naja, ich nehme das Zimmer, obwohl das Bett unbequem ist.*

Gr. S. 141

\+

das freundliche Personal
der Parkplatz vor dem Haus

Die Lage ist ruhig.
Man bekommt ein gutes Frühstück.
Es gibt einen Parkplatz vor dem Haus.
Hier wohnen nur nette Leute.

–

der weite Weg zum Bahnhof
das unpraktische Bad

Der Preis ist hoch.
Der Weg zum Büro ist weit.
Der Aufzug funktioniert nicht.
Es gibt keine Disko im Haus.

15. Wir fahren zur Messe.

Arbeiten Sie zu zweit oder zu dritt.
Überlegen und diskutieren Sie, ob Sie mit dem Zug oder mit dem Auto nach Düsseldorf zur Messe fahren. Sammeln Sie Argumente und Gegenargumente. Arbeitszeit: ca. 10 Minuten

Oder:
Überlegen Sie, ob Sie mit dem Bus oder mit dem Fahrrad ins Büro fahren.

Oder:
Überlegen Sie, ob Sie mit Ihren japanischen Besuchern deutsch oder japanisch essen gehen.

Oder:
...

Ich würde mit dem Zug fahren, weil das bequemer ist.

Ich würde trotz der Fahrtkosten mit dem Bus fahren.

Ich würde mit ihnen japanisch essen gehen, obwohl ich selbst im Ausland immer die Küche des Landes probiere.

16. Anrufen und angerufen werden

a) Wie würden Sie ein Gespräch am Telefon eröffnen? Kreuzen Sie an.

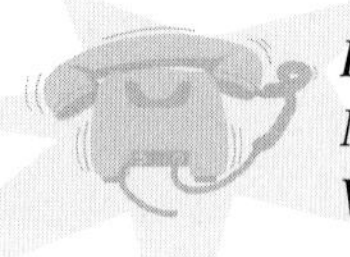

Hotel ASTORIA, guten Morgen. Mein Name ist Rensenbrink. Was kann ich für Sie tun?

A ☐ *Hier Fischer-Ortmann. Ich brauche in der Zeit vom 7. bis 9. Mai vier Zimmer. Haben Sie das?*

B ☐ *Guten Morgen. Hier Nehrlinger Büromarkt in Bingen am Rhein. Ich möchte fragen, ob Sie in der Zeit vom 7. bis 9. Mai vier Einzelzimmer haben.*

C ☐ *Guten Morgen, Frau Rensenbrink. Hier ist Frau Fischer-Ortmann. Wir wollen zur DRUPA, am 8. und 9. Mai. Und da wollte ich fragen, ob wir bei Ihnen wohnen können.*

D ☐ *Hallo, Frau Rensenbrink. Hier ist Fischer-Ortmann. Ich rufe aus Bingen an, von der Firma Büromarkt Nehrlinger. Vier Leute von uns kommen geschäftlich nach Düsseldorf zur DRUPA, und da brauchen wir vier Zimmer.*

E ☐ *Guten Morgen. Sagen Sie bitte: Haben Sie von Sonntag bis Dienstag vier Einzelzimmer frei? Also: vier Personen für zwei Nächte.*

b) Welche Gesprächseröffnung wählt Frau Fischer-Ortmann?

17. Richtig telefonieren

Wenn Sie jemand anrufen, können Sie das Gespräch so eröffnen:

1. Gruß:	bis 12.00 Uhr: Guten Morgen; ab 12.00 Uhr: Guten Tag; ab ca. 18.00 Uhr: Guten Abend / in Süddeutschland auch: Grüß Gott
2. Name:	Mein Name ist … / Ich heiße … (ohne „Herr“ oder „Frau“)
3. Identifikation (= Wer bin ich?):	Firma, Funktion …
4. Anliegen (= Was will ich?):	Was? Wann? Wie lange? Wie viel? …

a) Welche Teile fehlen in den Gesprächseröffnungen von Übung 16? Was möchten Sie außerdem noch anmerken?

In der Gesprächseröffnung Nummer … fehlt … Außerdem würde ich noch anmerken, dass …

b) Charakterisieren Sie die Gesprächseröffnungen von Übung 16.

Typ 1	zu knapp	knapp	gerade richtig	ausführlich	zu ausführlich
2	unhöflich	nicht höflich	gerade richtig	zu höflich	viel zu höflich
3	nicht geplant	schlecht geplant	gerade richtig	konstruiert	sehr konstruiert
4	zu einfach	einfach	gerade richtig	kompliziert	sehr kompliziert
A					
B					
C					
D					
E					

18. Vier Einzelzimmer? Das ist nicht so einfach.

a) Beantworten Sie die Fragen zum Telefongespräch.

1 Zu welcher Tageszeit ruft Frau Fischer-Ortmann an?
2 Wie alt ist Frau Rensenbrink?
A genau 40 Jahre B über 40 Jahre
C unter 40 Jahre D Das hört man nicht.
3 Wie teuer ist das Zimmer?
4 Haben die Zimmer Fernsehen?
A ja, jedes B nur einige
C nein D Das hört man nicht.
5 Wie weit ist es vom Bahnhof zum Hotel Astoria?
A ziemlich weit B ziemlich nah
C 15 Minuten zu Fuß D Das hört man nicht.
6 Wieviel kostet die Busfahrt vom Bahnhof zum Messegelände?
7 Frau Fischer-Ortmann reserviert Zimmer für vier Personen. Wie viele Personen sind Raucher?
A alle vier B eine
C keine D Das hört man nicht.
8 Wie viele Vegetarier befinden sich in der Gruppe?
A einer B keiner
C drei D Das hört man nicht.
9 Wie ist die Vorwahl von Düsseldorf?
A 0211 B 0221
C 0112 D Das hört man nicht.
10 Wann kommt die Gruppe von Frau Fischer-Ortmann in Düsseldorf an?

b) Wer sagt was?

Frau Fischer-Ortmann

B					

Frau Rensenbrink

A				

A Ja, das müsste gehen. Soll ich die Buchung notieren?
B Was kostet ein Zimmer pro Nacht?
C Sind die Zimmer mit Fernsehen ausgestattet?
D Und wie weit ist es vom Bahnhof zum Hotel?
E Nun sagen Sie mir bitte noch Ihre Fax-Nummer.
F Ich schicke Ihnen ein Fax zur Bestätigung.
G Haben Sie schweres Gepäck?
H Wenn möglich, hätten wir gern drei Nichtraucherzimmer.
I Ja, das geht. Ich habe das notiert.
J Die Vorwahl von Düsseldorf ist null-zwo-eins-eins.
K Moment, ich frage mal den Computer.

c) Schreiben Sie die Telefonnotiz zum Anruf von Frau Fischer-Ortmann.

Telefonnotiz
von:
Betr.:
Text:

angenommen von:
Datum
Zeit:

19. Sprechübung

○ *Unsere Fax-Nummer ist 31 16-243.*
● *Entschuldigung, wie ist Ihre Fax-Nummer?*

20. Sie rufen an!

a) Planen Sie eine Gesprächseröffnung. Arbeiten Sie in vier Gruppen.

	Gruppe ____	Gruppe ____	Gruppe ____	Gruppe ____
Gruß				
Name				
Identifikation				
Anliegen: Was? Wann? Wie lange? Wo? Wie viel?	Hotelbuchung	Reklamation	Reparatur	…

b) Schreiben Sie Ihre Gesprächseröffnung.

c) Spielen Sie das ganze Telefonat, nicht nur die Eröffnung.

21. Auftragsbestätigung

HOTEL ASTORIA
Ihr Hotel mit ♥ und Komfort

- Sauna & Fitness
- Konferenz- und Tagungsräume
- Partyservice
- Pianobar ab 16.30 Uhr

HOTEL ASTORIA · Bürgerstraße 7 · 40219 Düsseldorf
Bankverbindung: Dresdner Bank BLZ 692 100 100 KtoNr. 478 791 30
Telefon: 0211 / 31 16-222 Telefax: 0211 / 31 16-243

Firma
Büromarkt Nehrlinger KG
z. Hd. Frau Fischer-Ortmann
Robert-Bosch-Straße 11
55411 Bingen

Zeichen / Schreiben	Unser Zeichen	Datum
Fax 3.12 FO (21.03.97)	NEH-5-Re	26.3.97

Ihre Reservierung 4 EZ DU / WC für 07. – 09.05.97

Sehr geehrte Frau Fischer-Ortmann,

vielen Dank für Ihre Fax-Bestätigung der o.a. Zimmerreservierung. Anbei erhalten Sie unseren neuesten Hotelprospekt mit einem Umgebungsplan. Darin finden Sie auch die günstigsten Fahrmöglichkeiten zum Messegelände. Ich möchte Sie noch darauf hinweisen, dass wir zwei Einzelzimmer in unserem Hauptgebäude und zwei Doppelbett-Zimmer in unserer Dépendance – selbstverständlich zu den gleichen Konditionen – für Sie reserviert haben. Unser attraktives und niveauvoll ausgestattetes Nebengebäude liegt etwa 50 Meter vom Hauptgebäude entfernt auf der anderen Straßenseite. Wegen der starken Belegung während der Messetage konnten wir Ihre Gruppe leider nicht zusammen im selben Gebäude unterbringen. Ich hoffe, Sie haben dafür Verständnis und sind damit einverstanden.

Mit freundlichen Grüßen
Hotel Astoria
Rensenbrink
i.A. (V. Rensenbrink)

Ich würde fragen, | ob ...
wann ...
wie ...
...

Ich würde nach ... fragen.

Sie haben den Brief von Frau Rensenbrink gelesen. Sie wünschen genauere Angaben über das Nebengebäude.
Welche Fragen würden Sie stellen? Arbeiten Sie in kleinen Gruppen und berichten Sie.

Gr. S. 143

22. Rückfrage

Hören Sie den Anruf von Frau Fischer-Ortmann bei Frau Rensenbrink (Hotel ASTORIA, Düsseldorf).

a) Was glauben Sie: Was sagt Frau Rensenbrink in den Pausen? Notieren Sie Stichwörter.
b) Überprüfen und korrigieren Sie zu zweit Ihre Stichwörter.
c) Hören Sie das Telefongespräch noch einmal und übernehmen Sie in den Pausen die Rolle von Frau Rensenbrink.
d) Hören Sie jetzt das Telefongespräch zwischen Frau Fischer-Ortmann und Frau Rensenbrink.

23. Vergleich

Frau Fischer-Ortmann hat vier Einzelzimmer gebucht (Übung 18). Frau Rensenbrink hat den Auftrag bestätigt (Übung 20). Frau Fischer-Ortmann hat Rückfragen gestellt (Übung 21). Vergleichen Sie nun die Konditionen im Hauptgebäude und im Nebengebäude (Dépendance). Arbeiten Sie zu zweit.

Konditionen	für die Gäste im Hauptgebäude	für die Gäste im Nebengebäude
Übernachtungspreis	beträgt DM 110,– pro Nacht	beträgt DM 110,– pro Nacht
Art der Zimmer	Einzelzimmer	Doppelbett-Zimmer
Lage	Die Lage ist ruhig.	Die Lage ist ruhig.
Frühstück	Es gibt ein Frühstücksbüfett.	Es gibt ein Frühstücksbüfett.
Ausstattung	Es gibt Dusche und WC. Alle Zimmer haben Fernsehen.	Es gibt Bad und WC. Alle Zimmer haben Fernsehen.
Service	Etagenservice bis 24.00 Uhr	Minibar auf dem Zimmer
Saunabenutzung	kostenlos für alle Hotelgäste	kostenlos für alle Hotelgäste
Schlüssel	an der Rezeption abgeben	Zimmerschlüssel mitnehmen

bezüglich | des Preises / des Frühstücks / der Art der Zimmer

▷ Wie sind die Konditionen bezüglich des/des/der ...?
▷ 1 VERB 1 ... (VERB 2) .
1 VERB 1 ... auch / dagegen ... (VERB 2) .

▷ *Wie sind die Konditionen bezüglich des Übernachtungspreises?*
▷ *Der Übernachtungspreis im Hauptgebäude beträgt DM 110,--. Der Übernachtungspreis im Nebengebäude beträgt auch DM 110,--.*

▷ *Wie sind die Konditionen bezüglich der Art der Zimmer?*
▷ *Die Gäste im Hauptgebäude haben Einzelzimmer. Im Nebengebäude haben die Gäste dagegen Doppelzimmer.*

24. Sprechübung

○ *Im Hauptgebäude beträgt der Übernachtungspreis DM 110,--.*
● *Im Nebengebäude beträgt der Übernachtungspreis auch DM 110,--.*
○ *Im Nebengebäude haben die Gäste Doppelzimmer.*
● *Im Hauptgebäude haben die Gäste dagegen Einzelzimmer.*

25. Wer? Was? Wann? Wie? Wo?

a) Füllen Sie die Tabelle aus. Die Angaben finden Sie in Lektion 3 und 8. Arbeiten Sie in Gruppen.

	2 Paletten Papier	4 EZ im Hotel Astoria
Anfrage		
Angebot		
Bestellung	2 Paletten à 100.000 Blatt	
Bestätigung		2 EZ, 2 DZ
Lieferung/Leistung	am 12.3.97 nur 1 Palette	
Rückfrage		
Zwischenfälle		Messe, Unterbringung in zwei Gebäuden

b) Fragen und antworten Sie schnell mit Hilfe Ihrer Tabelle.

▷ Was hat Herr Roland geliefert? ▷ Eine Palette Papier.
▷ Wann hat Herr Roland das Papier geliefert? ▷ Am ... um ... Uhr.
▷ Wie ... ▷ ...
▷ Wer hat im Hotel Astoria angefragt? ▷ Frau Fischer-Ortmann.
▷ Wie hat Frau Fischer-Ortmann angefragt? ▷ Telefonisch.
▷ Wann ... ▷ ...

Auftragsabwicklung

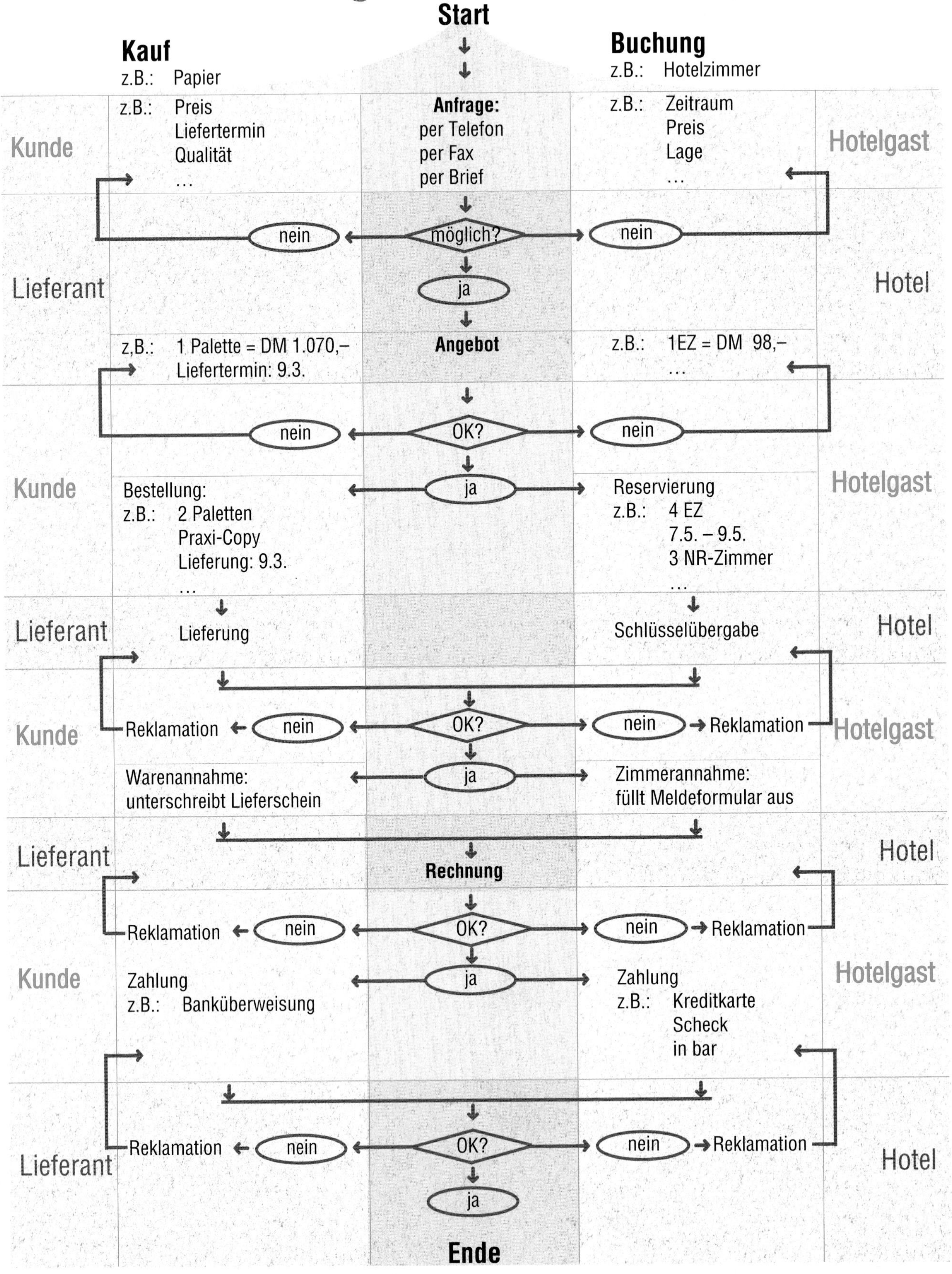

EUROMETH

Das Fortbildungsprogramm
für Einzelbucher, Klein- und Mittelbetriebe

EDV-Schulungen
- Orientierungskurse
- Das neue System
- Textverarbeitung
- Tabellenkalkulation
- Datenbank
- Buchführung
- CVC und CAD

Bürotechnik
- Maschinenschreiben
- Korrespondenztraining
- Deutsch im Büro
- Business-English
- Kommunikation

Beruf und Psychologie
- Verkaufstraining
- Sprecherziehung
- Zeitmanagement
- Bewerbungstraining
- Antistress-Training
- Sicheres Auftreten

Unsere Paket-Lösungen
- EDV-Schulung
- Verkaufstraining
- Richtig kalkulieren
- Verwalten mit EDV

Fit durch den Winter

im ehemaligen Kloster Inzigkofen

Kursarbeit. Essen und Schlafen im stimmungsvollen ehemaligen Kloster aus dem 17. Jahrhundert, Spaziergänge im wildromantischen Park am Felsental der oberen Donau.

Autogenes Training
rund- und Aufbaukurs vom 2. bis 7. Januar 1997
ga vom 8. bis 13. Januar 1997
ong - Übungen zur Lebenspfl
Chi Chuan - G

Mit Vorsprung in die Zukunft

Neu erschienen für 1997 ist das Lehrgangsprogramm der Industrie- und Handelskammer für München und Oberbayern. Unter dem Motto „Mit Vorsprung in die Zukunft" werden unterschiedliche Lehrgänge aufgelistet. Die Palette reicht von Industriemeistern über Kaufleute für Außenwirtschaft und Projektmanager bis zu den Technischen Betriebswirten.

Die Anforderungen an die Fähigkeit zur Zusammenarbeit mit Mitarbeitern, Kollegen und Kunden wachsen ständig. Nicht nur Sprachkenntnisse, sondern auch das Verständnis für andere Kulturen sind gefragt. Das Programm der IHK ist auf die Bedürfnisse der betrieblichen Praxis ausgerichtet.

Das Programm gibt es kostenlos bei IHK unter Tel. 089/

Industrie- und Handelskammer
Hochrhein-Bodensee

Konstanz Schopfheim

Export-, Industrie- und
Speditionsfirmen im
Kammerbezirk
lt. bes. Verteiler
z. H. der Geschäftsleitung

Ihr Zeichen	Ihr Schreiben	Unser Zeichen	Sachbearbeiter	Datum:
		stü-ku	Stürmer	15.02.97

Neue Fortbildungsseminare der Industrie- und Handelskammer Hochrhein-Bodensee im Bereich Außenwirtschaft - Exportmarketing und Exporttechnik März bis Juli 1997 in Waldshut-Tiengen 2 sowie in den IHK-Hauptgeschäftsstellen Konstanz und Schopfheim

Sehr geehrte Damen und Herren,

orm die
Jahr
und
(incl. EG-
r - mit
lurchführen
s IV ist
ng Ihrer

SEMINAR POOL

SEMINARE FÜR AKTIVE UNTERNEHMEN
UNTERNEHMENSENTWICKLUNG
PERSONALBERATUNG
ORGANISATION

IHR SEMINARTERMIN

Datum	Thema	Hotel	Ort	Preis
09.09.–06.10.	Lösen Sie Gordische Knoten	Hotel Bidermund	Blumenreichenau	560
07.10.–28.10.	Sprechen-Überzeugen-Verhandeln HST	Schloss Lauterach	Laurrach	560
02.11.–14.11.	Zielorientierte Zeitplanung	Elbermund	Blumenreichenau	560
16.11.–2312.	Erfolgreich Schreiben	Singermühle	Blumenreichenau	560
03.12.–18.12.	Zielorientierte Zeitplanung SHS	Schloss Lauterach	Laurrach	560
08.01.–18.01.	Moderation	Singermühle	Blumenreichenau	560
23.01.–04.02.	Lösen Sie Gordische Knoten HST	Schloss Lauterach	Laurrach	560
12.02.–20.02.	Zielorientierte Zeitplanung	Elbermund	Blumenreichenau	560
09.03.–16.03.	Sprechen-Überzeugen-Verhandeln SHS	Singermühle	Blumenreichenau	560
20.03.–30.03.	Zieltage '97	Hotel Bidermund	Blumenreichenau	585
03.04.–18.04.	Zieltage '97	Hotel Bidermund	Blumenreichenau	585

1. Kurse und Seminare

Kurse von EUROMETH Investitionen für die Zukunft
Sichern Sie sich jetzt Ihren Platz!

	WB 60	BT 65	PP 20	PP 10	FS 70
Themen Inhalte Ziele	EDV-Schulung Grundlagenkurs	Geschäftskorrespondenz nicht nur für Sekretärinnen	Werbung: Telefonakquisition, Mailings etc.	Zeitmanagement: Ziele, Prioritäten, Planung	Deutsch für den Beruf (Handel, Gewerbe, Industrie)
Methoden	Erläuterungen und praktische Übungen	Modellbriefe und Fallbeispiele	Rollenspiele Videotraining Kurzreferate	Metaplan Karten- u. Punkteabfragen Arbeitsgruppen Partnerarbeit	Sprachunterricht, mediengestützt mit Lehrbuch
Dauer	Kompaktkurs 2 Wochen täglich vormittags	6 Wochen 3 Abendtermine pro Woche	Tagesseminar	Doppeltes Wochenendseminar 2 Mal Samstag und Sonntag	4 Wochen 20 Unterrichtsstunden pro Woche
Termine	6.-10. Mai 20.-25. Mai	12. Februar bis 22. März Herbsttermin auf Anfrage	Jeder letzte Freitag eines Monats (Nicht an Feiertagen)	9./10. März und 23./24. März sowie 15./16. Juni und 29./30. Juni	In den Monaten Februar, April, Juni und September
Preis	DM 950,00 pro Person Gruppenangebot bitte erfragen	DM 790,00	DM 225,00 zzgl. Lehrmaterial, ca. DM 45,00	DM 1.050,00 ohne Hotelunterbringung	DM 1.300,00 Ermäßigung für Studenten etc. möglich

Wir entwickeln auch Kurskonzepte auf Anfrage: individuell – kleine Gruppen – auf Ihre Bedürfnisse „maßgeschneidert“, Noch Fragen? Nutzen Sie unsere Info-Line: ✆ 089/608081-0!

Bevor ... (VERB 2) VERB 1, VERB 1 ... (VERB 2).

Gr. S. 141

Was muss man prüfen, bevor man sich zu einem Kurs oder Seminar anmeldet? Diskutieren Sie in der Gruppe und entscheiden Sie sich für einen Kurs.

- Kurs oder Seminar? — Was für eine Maßnahme möchten wir?
- Titel, Thema? — Wie heißt der Kurs / das Seminar?
- Inhalt, Ziele? — Worum geht es? Was lernt man?
- Methode? — Wie wird gearbeitet?
- Termin? — Wann findet die Maßnahme statt?
- Dauer? — Wie lange dauert der Kurs / das Seminar?
- Preis? — Was kostet der Kurs / das Seminar?

Wir haben uns für die Maßnahme BT 65 entschieden, also für den Kurs Geschäftskorrespondenz. Bevor wir uns anmelden, möchten wir noch wissen, ...

Wir haben uns für FS 70 entschieden, also für den Deutschkurs. Bevor wir uns anmelden, möchten wir noch darum bitten, dass ...

Wir haben uns für die Maßnahme PP 20 entschieden, also für das Seminar „Werbung“. Bei diesem Seminar geht es um Telefonakquisition und Mailings. Das müssen wir lernen, sonst gewinnen wir keine neuen Kunden. In diesem Seminar wird mit Rollenspielen und Videotraining gearbeitet. Deshalb wollen wir daran teilnehmen. Wir finden es gut, dass das Seminar nur einen Tag dauert und mehrmals angeboten wird. Das Seminar kostet 225 Mark pro Person. Diesen Preis finden wir ziemlich hoch. Bevor wir uns anmelden, wollen wir noch über einen Gruppenpreis verhandeln.

2. Sprechübung

○ *Das Seminar dauert ja nur einen Tag.*
● *Wir finden es aber gut, dass das Seminar nur einen Tag dauert.*

Gr. S. 140

3. Was lernt man wo?

a) Ordnen Sie zu.

A	Geschäftskorrespondenz	1	Mitarbeiter motivieren
B	Kreativitätstechniken	2	Verwaltungsabläufe vereinfachen
C	Telefonakquisition	3	seine Zeit ökonomisch planen
D	EDV-Grundlagen	4	elegant formulieren
E	Rhetorik	5	mit dem PC arbeiten
F	Personalführung	6	Geschäftsbriefe schreiben
G	Büroorganisation	7	Kunden per Telefon akquirieren
H	Zeitmanagement	8	neue Ideen entwickeln
I	Sprache für den Beruf	9	im Beruf besser Deutsch sprechen

In dem Kurs „Geschäftskorrespondenz" lernt man, wie man Geschäftsbriefe schreibt.

b) Sprechübung

- *Lernt man bei dieser Veranstaltung, wie man Mitarbeiter motiviert?*
- *Ja, da geht es um Personalführung.*

4. Ihre Anmeldung

a) Melden Sie sich zu einer Fortbildungsmaßnahme an.

b) Erkundigen Sie sich bei einem Partner nach:
Inhalt, Methoden, Dauer, Preis eines Seminars/Kurses (siehe Übung 1).

Können Sie mir sagen, Kannst du mir sagen, Wissen Sie, Weißt du,	was ...? wie ...? wie viel ...? wie lange ...? ob ...?

Gr. S. 143

Anmeldung

Kursnummer	Datum	Name, Vorname(n)

PRIVAT Straße, PLZ, Ort	BERUFLICH / DIENSTANSCHRIFT Straße, PLZ, Ort	Ggf. Firmenstempel
Telefon: ______ Telefax: ______	Telefon: ______ Telefax: ______	
Rechnung bitte an	☐ privat	Datum, Unterschrift ☐ Firma

Bemerkungen: ______

5. Fortbildungsplanung – eine Gruppenbesprechung

a) Welche Argumente für und gegen die vorgeschlagenen Fortbildungsmaßnahmen hören Sie?

b) Wie drücken die Leute ihre Ablehnung bzw. Zustimmung aus?

Fortbildungsmaßnahme	Argumente dafür	Argumente dagegen
1		
2		
3		
4		

c) Machen Sie Rollenspiele:

Machen Sie Vorschläge und begründen Sie sie.
Nehmen Sie Vorschläge an oder lehnen Sie sie ab.
Machen Sie eventuell Gegenvorschläge und begründen Sie sie.

Vorschlag:	Ich schlage vor, dass wir ...
Begründung:	Ich finde nämlich, dass ...
Zustimmung:	Ich bin (auch) dafür, dass ...
Ablehnung:	Ich bin dagegen, dass ...
Gegenvorschlag:	Ich schlage dagegen vor, dass wir ...

Gr. S. 140

6. Frau Vogts Checkliste

Samstag und Sonntag findet bei EUROMETH ein EDV-Sonderkurs für die Krankenhausverwaltung statt.

An der Vorbereitung sind folgende Personen beteiligt:

- Herr Puffer, Institutsleiter,
- Frau Schaumberger, Fachleiterin für den Bereich EDV,
- Frau Vogt, Verwaltungsangestellte,
- Herr Ludwig, Hausmeister.

Rechts finden Sie die Checkliste, die Frau Vogt für Frau Schaumberger vorbereitet hat. Korrigieren Sie die Aufgabenverteilung.

CHECKLISTE

PROJEKT: *EDV-Sonderkurs, Krankenhausverwaltung*

Ansprechpartner: *Herr Sternberg, Tel. 07732/1151-17 oder 21*

Gesamtverantwortung im Haus: *Gabriele Schaumberger*

Aufgabe	Aufgabenverteilung
Kursleiter über Programmänderung informieren	*Vogt*
Änderungswünsche mit Herrn Sternberg absprechen	*Vogt*
Lehrunterlagen bestellen, mit EM-Logo	*Puffer*
Tisch-Namensschilder vorbereiten	*Vogt*
Werbegeschenke vorbereiten	*Vogt*
Pinnwandmaterialien vorbereiten, evtl. bestellen	*Schaumberger*
Für Pausengetränke sorgen	*Schaumberger*
Flipchart-Blöcke bereitstellen, blanko, gelocht	*Schaumberger*
Kurseröffnung	*Ludwig*
Nachfragen wegen Lampen für EDV-Display	*Puffer*
Heizungsfirma informieren wegen Sonntag	*Puffer*
Software installieren lassen	*Puffer*
OHP-Lampen überprüfen	*Puffer*
Rechnung an Krankenhausverwaltung schicken	*Ludwig*
Gesamte Technik überprüfen	*Ludwig*
Anmeldebestätigungen rausschicken	*Ludwig*

an	Frau Vogts Herrn Puffers ihrer seiner ...	Stelle

Gr. S. 135

Wenn ich Frau Vogt wäre, würde ich die Kursleiter auch selbst informieren.

An Frau Vogts Stelle würde ich Frau Schaumberger bitten, die Kursleiter zu informieren.

7. Dienstbesprechung bei EUROMETH

Hören Sie, wie die Aufgaben verteilt werden. Vergleichen Sie Ihre Aufgabenverteilung mit der Aufgabenverteilung in der Dienstbesprechung.

		Ihr Vorschlag	Besprechungsergebnisse
A	Kursleiter über Programmänderung informieren		
B	Änderungswünsche mit Herrn Sternberg absprechen		
C	Lehrunterlagen bestellen		
D	Tisch-Namensschilder vorbereiten		
E			

8. Memos

Vervollständigen Sie die Memos. Welche Informationen kennen Sie aus Übung 6 und 7? Was vermuten Sie?

(A)

MEMO

von: Ludwig

an: Fa. Heinrich

wegen Heizung (
am Sonntag .

Wir haben am Sonntagnach-
mittag noch einen Kurs. Sie
müssen

(B)

MEMO

von: Vogt

an: Frau Mayr

Am Donnerstag brauche ich
wieder Ihre Hilfe.
Sie wissen schon:
Seminarvorbereitung!
Namensschilder, Werbegeschenke,
Getränke.
Am besten, wir treffen

Vo 16.3.
Handzeichen/Datum

(C)

MEMO

von: Vogt

an: Frau Schaumberger

Eilt!

Nochmal wegen der
Rechnung an die
Krankenhausverwaltung.
Könnten Sie bitte

(D)

MEMO

von: Puffer

an: Frau Vogt

Die Lehrmaterialien sind
immer noch nicht da, auch
heute nicht in der Post.
Rufen Sie doch mal

(E)

MEMO

von: Schaumberger

an: Herrn Puffer

Falls Sie wollen, kann ich
am Freitag die Kurseröff-
nung machen. Sie haben ja
gesagt, dass

(F)

MEMO

von: Schaumberger

an: selbst

Unbedingt noch heute
Frau Musch und Herrn
Sternberg anrufen wegen
des fehlenden

9. Dienstbesprechung

Aufgabe:	Wochenendseminar vorbereiten
Arbeitsform:	Arbeitsgruppen zu dritt
Rollen:	1. Leiter bzw. Leiterin, 2. Fachleiter bzw. Fachleiterin, 3. Assistent bzw. Assistentin
Ziel:	Erstellung einer Checkliste: Wer? Welche Arbeit? Bis wann?

Delegieren Sie einige Aufgaben mit Hilfe von Memos. Tragen Sie Ihre Arbeitsergebnisse vor.

- **Seminarraum im City-Hotel reservieren**
- **Seminarleitung über Programmänderungen informieren**
- **Papier für Flipchart bestellen – gelocht! kariert!**
-
-

Den Seminarraum reserviere i c h .

Der Seminarraum wird von m i r reserviert.

10. Seminareröffnung

a) Welche Fragen können Sie mit Hilfe des Seminarprogramms beantworten?

b) Bei welchen Fragen hilft Ihnen der Hörtext weiter?

c) Zu welchen Fragen brauchen Sie die Hilfe Ihres Lehrers / Ihrer Lehrerin?

1. Wie lange dauert das Seminar?
2. Was ist eine informelle Runde?
3. Wie viele Kaffeepausen gibt es?
4. Was ist eine Punkteabfrage?
5. Was ist eine Entspannungsübung?
6. Wie viele Teile hat das Seminar?
7. Was sind Arbeitsgruppen mit Arbeitsaufträgen?
8. Was ist Stillarbeit?
9. Was wird im Kaminstüberl gemacht?
10. Um wie viel Uhr beginnt das Seminar am Samstag? Und am Sonntag? Wann wird es jeweils beendet?
11. Wann bewerten die Seminarteilnehmer das Seminar?
12. Wer veranstaltet, wer leitet das Seminar?
13. Was wird im Rahmenprogramm angeboten und wann?
14. Was ist ein Evaluierungsbogen?
15. Wie oft wird gemeinsam gegessen?
16. Worum geht es in diesem Seminar?
17. Was sind die Seminarteilnehmer von Beruf?
18. Ändern die Seminarteilnehmer ihr Seminarprogramm?

EUROMETH

SEMINARE FUR AKTIVE MENSCHEN

Wir – **Doris Diederich-Pons** und **Michael Mitschke** – heißen Sie herzlich willkommen bei unserem Seminar

Optimale Zeitplanung

Und so wollen wir unsere Zeit miteinander verbringen:

Freitag	bis 18:00 Uhr	Anreise	Zimmer beziehen
	19:00 Uhr	Gemeinsames Abendessen	Begrüßung Vorstellung des Programms
Samstag	08:57 Uhr	Beginn	Entspannungsübung
	09:20 Uhr	Teil I **Wünsche und Visionen**	Vortrag Stillarbeit (einzeln) Plenum: Statements und Punkteabfrage
	12:30 Uhr	Mittagessen	„Kaminstüberl"
	15:00 Uhr	Teil II **Ziele und Prioritäten**	Metaplan-Collage (Pinnwand-Methode)
	18:30 Uhr	Abendessen	„Kaminstüberl"
	anschließend	Geselliges Beisammensein:	Informelle Runden Rahmenprogramm
Sonntag	08:56 Uhr	Teil III **Anti-Stress-Programm**	Polaritätsprofil Arbeitsgruppen, Plenum: Präsentation der Ergebnisse auf Folie / Wandzeitung
		Exkurs: Brainstorming	Arbeitsgruppen mit unterschiedlichen Arbeitsaufträgen
	12:30 Uhr	Mittagessen	„Kaminstüberl"
	14:30 Uhr	Teil IV **Tägliche Arbeit und Zeitplanbuch**	Vortrag, Partnerarbeit Stillarbeit, Arbeitsblätter Plenumsdiskussion
		Exkurs: **Zusammenarbeit im Team**	Arbeitsgruppen mit gleichem Arbeitsauftrag
	18:00 Uhr	Seminarevaluierung	Kartenabfrage, Evaluierungsbogen
	18:30 Uhr	Abendessen, falls gewünscht	
	ab 19:00 Uhr	Abreise	

Außerdem: Wir empfehlen bequeme Kleidung.
Kurze Kaffee- bzw. Teepausen nach Bedarf und Seminarablauf
Seminargetränke frei
Mittagessen: vegetarische Menüs möglich
Mittagspause nach dem Essen zur freien Verfügung
Bitte beachten: Abendessen am Sonntag auf eigene Rechnung

Wir wünschen Ihnen und uns viel Erfolg und viel Spaß!

Die Frage Nummer ... haben wir mit Hilfe ... beantwortet. Unsere Antwort lautet: ...

Die Frage Nummer ... konnten wir nicht beantworten.

Wir haben Frage Nr.	1	2	3	4	5	6	7	8	9	10	11	12	13	14	15	16	17	18
mit Hilfe																		
des Programms	☐	☐	☐	☐	☐	☐	☐	☐	☐	☐	☐	☐	☐	☐	☐	☐	☐	☐
des Hörtextes	☐	☐	☐	☐	☐	☐	☐	☐	☐	☐	☐	☐	☐	☐	☐	☐	☐	☐
des Lehrers/ der Lehrerin	☐	☐	☐	☐	☐	☐	☐	☐	☐	☐	☐	☐	☐	☐	☐	☐	☐	☐

beantwortet.

11. Arbeitsformen – Arbeitsverfahren

a) Ordnen Sie zu.

A	Punkteabfrage	1	Hierbei kommt man zwanglos zusammen.
B	Fragebogen	2	Hierbei werden Meinungen und Vorschläge auf Karten gesammelt.
C	Metaplan-Collage	3	Hierbei werden alle Ideen zu einem Thema gesammelt.
D	Gruppenarbeit	4	Hierbei bewertet man ein Thema mit Punkten.
E	Stillarbeit	5	Hierbei äußern sich die Teilnehmer zu schriftlichen Fragen.
F	Kurzreferat	6	Hierbei diskutieren alle miteinander.
G	Brainstorming	7	Hierbei werden Meinungen oder Arbeitsergebnisse vorgetragen.
H	Partnerarbeit	8	Hierbei erledigen mehrere Personen zusammen Arbeitsaufträge.
I	Kartenabfrage	9	Hierbei ruht man sich aus.
J	Entspannungsübung	10	Hierbei werden Arbeitsergebnisse auf Papierbögen an die Wand geheftet.
K	Wandzeitung	11	Hierbei visualisieren alle Teilnehmer ihre Arbeitsergebnisse.
L	Plenumsdiskussion	12	Hierbei arbeitet jeder für sich allein.
M	informelle Runde	13	Hierbei arbeiten zwei Personen zusammen.

b) Unterhalten Sie sich zu zweit über Ihre Zuordnungen.

Wann spricht man von Partnerarbeit?

Wenn zwei Personen zusammenarbeiten.

Was ist eine Punkteabfrage?

Hierbei bewertet man ein Thema mit Punkten.

12. Sprechübungen

a) ○ *Wir sind zwanglos zusammengekommen.*

● *Ihr habt also eine informelle Runde gemacht.*

b) ○ *Wann spricht man von einer Punkteabfrage?*

● *Wenn man ein Thema mit Punkten bewertet.*

Gr. S. 141

13. Punkteabfrage

Welche Lektion hat Ihnen bisher am besten gefallen?

Jeder Kursteilnehmer / Jede Kursteilnehmerin bekommt fünf Punkte („Klebepunkte“).

So vergeben Sie diese fünf Punkte:

Die Lektionen, die Ihnen am besten gefallen haben, bekommen einen oder zwei Punkte.

Die Lektion, die die meisten Punkte bekommen hat, ist die Lieblingslektion Ihres Kurses.

14. Da ist etwas schief gegangen.

a) Hören Sie sich die folgenden sieben Gespräche genau an. Tragen Sie die Nummern der Gespräche in die Tabelle ein und kreuzen Sie an, ob EUROMETH selbst angerufen hat oder angerufen wurde.

b) Überlegen Sie, wie die Fehler behoben bzw. vermieden werden können. Zu Ihrer Hilfe finden Sie rechts ein paar Vorschläge.

1 die Abmeldung ausnahmsweise akzeptieren
2 der Fachleitung ein Memo schreiben
3 gar nichts tun
4 den Hausmeister informieren
5 die Kursgebühr gutschreiben
6 die Kursgebühr rückerstatten
7 die Kursgebühr ermäßigen
8 das Kurs- oder Seminarprogramm sofort ändern
9 die Rechnung stornieren
10 die Rechnung wegwerfen
11 eine Reservelampe besorgen
12 einen anderen Seminarleiter / eine andere Seminarleiterin engagieren
13 sich entschuldigen
14 in Zukunft besser aufpassen
15 mit der zuständigen Person „ein ernstes Wörtchen reden“
16 der zuständigen Person Bescheid geben
17 die ganze Angelegenheit vergessen

Gespräch Nummer	Fehler:	EUROMETH hat angerufen	EUROMETH wurde angerufen	Maßnahme:
	Rechnung an falsche Firma geschickt			
	falschen Termin mitgeteilt			
	unerlaubt Abbuchung vorgenommen			
	schlecht vorbereiteter Kursleiter			
	Kurs ohne Vorankündigung in anderen Raum verlegt			
	falschen Kurs empfohlen, Grundlagen statt Aufbau			
	keine Reservelampen für OHP bereitgelegt			

c) Hören Sie nun die Fortsetzung der Gespräche. Vergleichen Sie „Ihre“ Maßnahmen mit den Maßnahmen in den Gesprächen.

15. Gespräche hören, nachsprechen, führen

a) Was hören Sie? Ordnen Sie zu.

Was ist passiert?

A sich über den Kursleiter beschwert
B den falschen Termin mitgeteilt
C Herrn Pereira den falschen Raum mitgeteilt

Was tun?

1 sich entschuldigen
2 einen anderen engagieren
3 ihn sofort informieren

Sonst ...?

I findet den Kursraum nicht
II bleiben weg
III die Kunden verlieren

b) Spielen Sie die Dialoge.

▷ *Du, da ist etwas schief gegangen.*
▶ *Was ist denn passiert?*
▷ ...
▶ *Dann sollten wir ...*
▷ *Meinst du, das ist notwendig?*
▶ *Ja, natürlich. Sonst ...*

16. Maßnahmen gegen Fehler

Sie hören sieben Telefongespräche. Frau Mayr erzählt von diesen Gesprächen. Was erzählt sie falsch?

(A) *Also gestern hat fast gar nichts geklappt. Das fing schon mit der Rechnung für Firma Heimeran an. Wir wollten sie ihr ganz schnell schicken, haben sie dann aber versehentlich an Firma Heinemann geschickt.*

(B) *Und dann die Sache mit dem Rhetorikkurs PP 17, der schon am 23. Juli beginnen sollte. Der Kursleiter war krank, hat es uns aber nicht gesagt und erst am 30. Juli angefangen. Sehr peinlich.*

(C) *Ärgerlich war auch die Sache mit der Abbuchung von Frau Doll. Sie hat uns ganz deutlich gesagt, dass wir diesmal den Betrag nicht abbuchen sollen. Die Buchhaltung hat ihn aber trotzdem abgebucht. Frau Doll hat sich natürlich sofort gemeldet. Jetzt müssen wir den Betrag wieder zurückzahlen. Sehr ärgerlich.*

(D) *Der Herr Fricken ist auch so ein Kursleiter, schlecht vorbereitet und dann auch noch zu spät kommen. Wir mussten einer Teilnehmerin, die sich beschwert hat, die Hälfte der Kursgebühr rückerstatten. Wirklich ärgerlich. Aber die Molnar ist auch nicht besser, die kommt auch immer zu spät.*

(E) *Und dann die Sache mit dem EDV-Kurs. Da wollte jemand in einen EDV-Aufbaukurs, und Frau Vogt hat ihn in einen Anfängerkurs geschickt. Der hat sich sehr geärgert. Er wollte sogar die ganze Kursgebühr zurückhaben. Wir haben sie ihm aber nicht rückerstattet.*

17. Sprechübung

- *Soll ich die Abmeldung akzeptieren?*
- *Ich würde sie akzeptieren.*

Gr. S. 135

18. Ein Umlauf

Umlauf

von: Puffer
an: alle

In letzter Zeit häufen sich Pannen und Beschwerden:

- Die Auftragsabwicklung ist zu kompliziert.
- Die Teilnehmer finden die Kursräume nicht.
- Die Geräte fallen aus.
- Die Termine werden verwechselt.
- Die Briefe gehen an die falsche Adresse.
- Buchungen werden reklamiert.
- Die Kursgebühr ist zu hoch.

a) Welche Maßnahmen sind notwendig?
1 die Briefe richtig und genau adressieren
2 die Räume nicht kurzfristig ändern
3 die Geräte jede Woche überprüfen
4 die Kursgebühr senken
5 die Buchungen korrekt bearbeiten
6 die Auftragsabwicklung vereinfachen
7 die Termine schriftlich bestätigen

b) Wozu sind die Maßnahmen notwendig?

19. Sprechübung

- *Wieso müssen die Termine schriftlich bestätigt werden?*
- *Weil sie sonst verwechselt werden.*

Gr. S. 134/141

20. Herr Puffer stellt kritische Fragen.

a) Welche Fehler sind bei Ihnen im Betrieb schon einmal passiert?
b) Wie reagierte der/die Vorgesetzte? Wie reagierten die Mitarbeiter?
c) Machen Sie Rollenspiele.

▷ *Haben Sie die Rechnung weggeworfen?*
▶ *Nein, Herr Puffer, i c h habe … nicht …*
▷ *Und wer hat die Rechnung weggeworfen?*
Darf ich mal fragen, wer die Rechnung weggeworfen hat?
▶ *Tut mir leid, Herr Puffer, der Fehler ist mir passiert.*
▷ *Und wer ist auf die Idee gekommen, die Kursgebühr unerlaubt abzubuchen?*
▶ …

21. Kundenkorrespondenz

a) Tragen Sie in den Briefen den sogenannten „Betreff" ein. Zu Ihrer Hilfe:

▬ Bestätigung ▬ Interessentenangebot ▬ Kursabsage ▬ Kursausfall ▬ Warteliste ▬ Kursverschiebung ▬

b) Wer hat wann an wen geschrieben?

c) Wer ist „Bi" und wofür ist „Bi" zuständig?

d) Wann ist die Firma EUROMETH erreichbar?

e) Auf welche Fachbereiche beziehen sich die Briefe?

▬ Politik und Zeitgeschichte ▬ Berufliche Weiterbildung ▬ Gesundheit und Körpererfahrung ▬ Psychologie und Persönlichkeit ▬ Kreative Freizeitgestaltung ▬

f) Welcher Brief enthält zwei stilistische Fehler?

g) Zu welcher Person passen die folgenden Äußerungen:

A Da ist ja gar keine Anlage dabei.

B Vielleicht kann man den Kurs auch auf den Nachmittag legen.

C Diese Formbriefe erleichtern die Arbeit sehr.

D Schade, ich hatte mich schon so auf diesen Kurs gefreut.

EUROMETH
SEMINARE FUR AKTIVE MENSCHEN
Am Waldrand 30
78315 Radolfzell

Mart / hei 6.4.2
18. Februar 1997

Frau
Dorothea Wasmer
Stifterstraße 18

78467 Konstanz

Betr.: ______________________

Sehr geehrte Frau Wasmer,

der von Ihnen gewählte Kurs Nummer PP 06 „Rhetorik für Beruf und Alltag" kann mangels Nachfrage leider nicht durchgeführt werden. Wir bedauern dies sehr und möchten uns dafür entschuldigen. Bedauerlicherweise können wir Ihnen im Augenblick auch kein Alternativangebot anbieten.

In der Hoffnung, dass Sie in unserem Sommerprogramm wieder einen Kurs finden,

grüßen wir Sie freundlich
EUROMETH 2000
- Kunden und Kurse -
Ingelotte Mayr
Ingelotte Mayr

Wir sind für Sie da: Montag bis Freitag, 8 bis 12 Uhr, Dienstag und Donnerstag, 15 bis 19 Uhr
(☎ 07732 / 11513, Fax 07732 / 11515, Datex-J 07732 / 11515-007

EUROMETI
SEMINARE FUR AKTIVE MENSCH
Am Waldrand 30
78315 Radolfzell

Bi / hei 6.4.2
18. Februar 199

Herrn
Sebastian Birzele
Galileistraße 37 c

70565 Stuttgart

Betr.: ______________________

Sehr geehrter Herr Birzele,

wir haben eine erfreuliche Mitteilung für Sie. In der Anlage lassen wir Ihnen die Anmeldungsbestätigung für den Kurs SS 77 „English on the Job" zukommen. Da ein anderer Teilnehmer storniert hat, konnten wir Sie entgegen unserer telefonischen Auskunft doch noch in diesen Kurs aufnehmen.

Wir wünschen Ihnen viel Spaß und Erfolg bei „English on the Job" und grüßen Sie freundlich

EUROMETH 2000
- Kunden und Kurse -
Irmgard Birnbaumer
Irmgard Birnbaumer

Anlage wie oben erwäl

PS: Herzlichen Gruß auch von Herrn Puffer.

Wir sind für Sie da: Montag bis Freitag, 8 bis 12 Uhr, Dienstag und Donnerstag, 15 bis
(☎ 07732 / 11513, Fax 07732 / 11515, Datex-J 07732 / 11515-007

EUROMETH
SEMINARE FUR AKTIVE MENSCHEN
Am Waldrand 30
78315 Radolfzell

Bi / hei 6.4.2
21. Februar 1997

Frau
Rosemarie Hüetlin
Döltschiweg 13

CH-8055 Zürich

Betr.: ______________________

Sehr geehrte Frau Hüetlin,

Sie hatten sich auf unserer Interessentenliste für „EDV-Specials" (Serienbriefe, Formularvordrucke, Grafik) eintragen lassen. Erfreulicherweise können wir Ihnen nach Rücksprache mit unserer Kursleiterin ab kommenden Montag folgenden Kurs anbieten:
BW 67: EDV-Special „Serienbriefe", Frau Musch
Montag bis Freitag, 09:00-12:00 Uhr, Raum 04 (EDV-Raum)
Wir haben Sie für diesen Kurs als Interessentin vorgemerkt. Teilen Sie uns bitte umgehend mit, ob wir aus dieser Vormerkung eine verbindliche Anmeldung machen dürfen.

EUROMETH 2000
- Kunden und Kurse -
Irmgard Birnbaumer
Irmgard Birnbaumer

Anlage wie oben erwähnt

PS: Herzlichen Gruß auch von Herrn Puffer.

Wir sind für Sie da: Montag bis Freitag, 8 bis 12 Uhr, Dienstag und Donnerstag, 15 bis 19 Uhr
(☎ 07732 / 11513, Fax 07732 / 11515, Datex-J 07732 / 11515-007

22. Du, da ist ein Brief für dich.

Machen Sie Dialoge.

Brief **Fax** **Memo** **Notiz** **Nachricht** **Info**

Kurs um eine Woche verschoben ■ Kursgebühr muss sofort bezahlt werden ■ Kurs wegen zu geringer Nachfrage abgesagt ■ Kursgebühr erhöht worden ■ Kurs auf Montag verlegt ■ Kurs um zwei Abende gekürzt ■ Seminar um 90 Minuten verlängert ■ Rückruf erbeten (!) ■

▷ *Du, da ist ein Brief / … für dich.*
▷ *Danke. Mal sehen, was drinsteht.*
▷ *Und was steht drin?*
▷ *Dass mein Kurs um eine Woche verschoben wird.*
▷ *Was wird dein Kurs?*
▷ *Um eine Woche verschoben.*
▷ *Oh, das ist aber ärgerlich.*

23. Sprechübung

○ *Der Kurs wird um eine Woche verschoben.*
○ *Ich weiß, dass der Kurs verschoben wird.*

Gr. S. 140

24. Geschäftskorrespondenz mit Textbausteinen

a) Sie bekommen einen Brief von EUROMETH aus den folgenden Textbausteinen: A – B1 – C2 – D2 – E2, E1 – F – G (I. Birnbaumer). Schreiben Sie den Brief.

A *(Nicht vergessen!)*	Absender, Empfänger, Datum
B *Anrede*	B1 Sehr geehrte Frau …, / B2 Sehr geehrter Herr …, / B3 Sehr geehrte Damen und Herren,
C *Eröffnung*	C1 erfreulicherweise können wir Ihnen mitteilen, dass … / C2 bedauerlicherweise müssen wir Ihnen mitteilen, dass …
D *Nachricht*	D1 Der Kurs wird um eine Woche verschoben. D2 Die Kursgebühr ist um DM 100,-- höher. D3 Es ist noch ein Kursplatz frei geworden. D4 Der Kurs wird um einen Abend verkürzt. D5 Wir haben den gewünschten Sonderkurs eingerichtet. D6 Der Kurs kann nicht stattfinden.
E *Schluss*	E1 Wir wünschen Ihnen viel Erfolg. / E2 Wir bitten um Ihr Verständnis.
F *Gruß*	Mit freundlichen Grüßen
G *Name*	…

b) Schreiben Sie einen weiteren Brief mit Hilfe der Textbausteine.

25. Antwortschreiben

Erarbeiten Sie in Gruppen ein Antwortschreiben. Textbausteine zu Ihrer Hilfe: A (nicht vergessen!), B = Betreff, C = Anrede, D = Dank/Situation: Vielen Dank für Ihr Schreiben vom … Sie haben mir mitgeteilt, dass …, E = Einverständnis/Gegenvorschlag:

Mit Ihrem /Ihrer	Mitteilung – Lösung – Maßnahme – Vorschlag – Preis – Termin – …	bin ich einverstanden. bin ich aber nicht einverstanden. Ich schlage deshalb vor, dass …

F = Gruß, G = Name

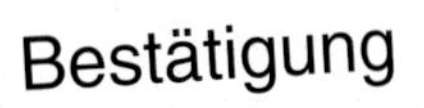

Bestätigung

über die Teilnahme an dem von der Provinz Bozen (Provincia Autonoma di Bolzano-Alto Adige. Ripartizione 15. Scuola e cultura italiana. Ufficio bilinguismo) in Zusammenarbeit mit der Volkshochschule (VHS) Ottobrunn und dem Max Hueber Verlag durchgeführten

Intensiv-Sprachkurs Deutsch

für junge Berufsanfänger/Berufsanfängerinnen

Wir bestätigen Frau *Krizia Dagostin*

geboren am 30.08.1979 in Bozen, dass sie den oben genannten Kurs besucht und daran

regelmäßig, zuverlässig und sehr engagiert
sowie mit sehr großem Erfolg

teilgenommen hat.

Der Deutschkurs für junge Berufsanfänger/Berufsanfängerinnen erstreckte sich über den Zeitraum
- vom 4. bis 16. September 1997 und umfasste innerhalb dieser zwei Wochen 12 Unterrichtstage mit insgesamt 70 Lerneinheiten (Unterrichtsstunden).

Der Kurs war in folgende drei etwa gleich wichtige Teile gegliedert:

- Repetitorium Deutsch:
  Wiederholung, Festigung und Erweiterung der Grundkenntnisse in Grammatik und Wortschatz
- Deutsch als internationales Kommunikationsmittel:
  Befähigung zur Präsentation von Themen und Personen, auch der eigenen in schriftlicher und mündlicher Form: Förderung kommunikativer Schlüsselqualifikationen
- Deutsch als internes Verständigungsmittel:
  Förderung des Hör- und Leseverständnisses im Umgang mit authentischen deutschsprachigen Medien: Fernsehen, Radio, Zeitschriften und Zeitungen

Bozen, den 18. September 1997

Volkshochschule Ottobrunn
Bayern/BR Deutschland
– Abteilung Sprachen –
Leitung

A. Dreßler

Dr. Albert Dreßler

Provincia Autonoma di Bolzano-Alto Adige
Ripartizione 15. Scuola e cultura italiana
Ufficio bilinguismo
DIE AMTSDIREKTORIN

Rosana Emanuela Rossi

Dr. Rosana Emanuela Rossi

So sehen wir uns:

	3	2	1	1	2	3	
fortschrittlich			X				rückständig
behäbig					X		flexibel
offen		X					verschlossen
zielstrebig							ohne klare Linie
unkreativ							einfallsreich
frauenfreundlich							frauenfeindlich
langsam							flott
selbstständig							unselbstständig

3 = sehr 2 = ziemlich 1 = tendenziell

LEKTION 10

Informationen über Unternehmen und Produkte

das Wirtschaftsmagazin

Canon
DIE FÜHRUNGSKRAFT

DAS KOMPAKTE SYSTEM FÜR IHRE IDEEN.
NP 1215

AWD.
Arzneimittelwerk Dresden

Das Herz-Kreis-lauf-Network aus Dresden.

der Prospekt

die Werkszeitschrift

Allianz Versicherungs-Aktiengesellschaft
Bericht über das Geschäftsjahr 1989

Allianz

der Geschäftsbericht

Bericht der Sächsischen Aufbaubank über das Geschäftsjahr

1993

SÄCHSISCHE AUFBAUBANK

Fremdsprachen Programm 1997

der Katalog

LIEBHERR

Presse-Information

LIEBHERR-INTERNATIONAL AG
CH-1630 Bulle/FR
Telefon (029) 33111
Telefax (029) 31240

Bulle, 30. Juni 1995
Ra-Bö/eb

Der Weg der Firmengruppe Liebherr von 1949 - 1994

1949 In Kirchdorf an der Iller, in dem Ort, in dem Hans Liebherr seine Kindheit und Jugend verbrachte, leitete der gelernte Baumeister in den ersten Nachkriegsjahren das Baugeschäft seiner Eltern. Die ersten Aufträge für das Baugeschäft bestätigten das, was ihm schon früher klar vor Augen stand: es ...

die Pressemitteilung

Unternehmensnachrichten

Lindner Hotels Aktiengesellschaft, Düsseldorf. Die Hotelgesellschaft konnte im ersten Halbjahr 1995 ihr Bruttobetriebsergebnis um drei Millionen DM gegenüber dem Vorjahr steigern. Für 1995 wird ein Umsatzwachstum von etwa zwölf Millionen auf annähernd 60 Millionen DM erwartet. Das Bruttobetriebsergebnis soll um sieben auf fast 15 Millionen wachsen. Das teilte das Unternehmen in Düsseldorf mit. noa.

Walter Becker GmbH, Friedrichsthal/Saar. Walter Becker hat mit dem polnischen Bergbauzulieferer Carboa...

Vertreter der Singapore Post und der AEG Electrocom GmbH, Konstanz, unterzeichnet. Mit dem Großauftrag baut die AEG Daimler-Benz Industrie ihre Position als Systemanbieter in Asien weiter aus. AEG Electrocom erreichte mit etwa 2600 Mitarbeitern einen Jahresumsatz von rund einer Milliarde DM. Die Daimler-Benz Industrie setzt jährlich mehr als 10 Milliarden DM um und beschäftigt mehr als 50 000 Mitarbeiter

Konkurse

der Wirtschaftsteil in der Tageszeitung

1. Informationen aus Wirtschaft und Unternehmen

GESCHÄFTSBERICHT

Kurze Meldungen

Katalog

Wirtschaft am MITTAG

BRANCHENDIENST „text intern"

Jahresbilanz

Werk und Wir. Zeitschrift für unsere Mitarbeiter

PROSPEKT

UNTERNEHMEN und Märkte ...

KONZERNPRESSEKONFERENZ

Unternehmensnachrichten

a) Was glauben Sie: Was für Texte passen zu den Überschriften?

schriftliche Texte	mündliche Texte	schriftliche und mündliche Texte

b) Hören Sie drei Texte. Für welche Texte finden Sie eine passende Überschrift in Übung 1?

c) Welche Texte würden Sie als Nachrichten/Meldungen bezeichnen? Warum?

2. Kurznachrichten

a) Welcher Hörtext aus Übung 1 hat mit welchem Text unten zu tun?

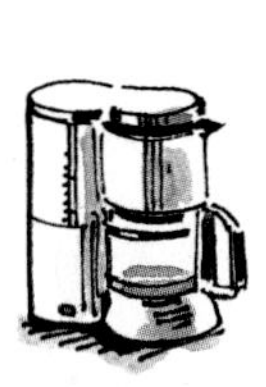

①

Hack & Zuck hat wieder eine Niederlassung gebaut. Die Firma stellt Hausgeräte her. Gestern hat der neue Betrieb angefangen, die sehr beliebten Kühlschränke, Mixer und Kaffeemaschinen zu produzieren. Keine andere Firma, die ähnliche Produkte herstellt, verkauft eine größere Zahl von schönen Modellen als Hack & Zuck. Viele Leute finden, dass die Geräte wenig Energie brauchen und gut aussehen.

②

Der Geschäftsbericht des Baumaschinen-Herstellers Siebert meldet weiterhin steigende Umsätze. Die andauernde Baukonjunktur bewirkte einen Anstieg der Erlöse um 19,8 Prozent auf 623,8 Millionen Mark im 1. Halbjahr. Positiv war auch die Gründung eines deutsch-tschechischen Gemeinschaftsunternehmens, das schon nach zwei Jahren zum Marktführer in Osteuropa wurde.

b) Wo kommen in den Texten 1 und 2 die Themen A–D vor?

Themen	Text/Zeilen	Themen	Text/Zeilen
A Geschäftserweiterung		C Produktpalette von höchster Qualität	
B Joint Venture gegründet		D Befriedigender Geschäftsverlauf	

c) Vergleich: Wie sind die folgenden Aussagen in den Texten 1 und 2 formuliert?

1. Gestern wurde eine Niederlassung von Hack & Zuck eröffnet.
2. Hack & Zuck ist Marktführer in der Haushaltsgeräte-Branche.
3. Hack & Zuck-Produkte zeichnen sich durch formschönes Design und Wirtschaftlichkeit aus.
4. Der neue Geschäftsbericht von Firma Siebert ist da.
5. Im Geschäftsbericht steht, dass Siebert mehr verkauft hat als im Vorjahr.
6. Der Verkauf brachte fast 20% mehr Geld, weil viele Häuser, Straßen usw. gebaut werden.
7. Außerdem war das Geschäft in Osteuropa gut.
8. Siebert nahm in den ersten 6 Monaten des Geschäftsjahres 623,8 Millionen Mark ein.
9. Siebert ist an einem Joint Venture beteiligt.
10. Das deutsch-tschechische Unternehmen konnte in kurzer Zeit mehr verkaufen als alle anderen Baumaschinen-Unternehmen.

d) Charakterisieren Sie die Texte 1 und 2.

	sehr	ziemlich	eher	weder noch	eher	ziemlich	sehr	
leicht								schwierig
viele Nomen								viele Verben
informativ								wenig informativ
allgemeinsprachlich								fachsprachlich
präzise								ungenau
…								…

3. Schreiben Sie eine Nachricht.

a) Wählen Sie eins der Themen A–D (Übung 2 b). Zu Ihrer Hilfe:

(1)
ein Joint Venture gründen
zusammenarbeiten
Partner
gemeinsam | entwickeln / herstellen / vertreiben
mit … % an … beteiligt sein

(3)
der Umsatz / das Inlandsgeschäft / der Gewinn / das Auslandsgeschäft / das Auftragsvolumen | nimmt | zu / ab | von … / um … / auf …
| ist | gestiegen / gesunken |
die | Abnahme / Zunahme | von … um … auf …

(2)
ein Einzelhandelsgeschäft / ein Großhandelsgeschäft / ein Fachgeschäft / einen Betrieb / eine Filiale | eröffnen
Waren / Produkte | herstellen / anbieten / verkaufen

(4)
ein vielseitiges Angebot haben
modernste Technik / schönes Design / höchste Qualität / hohen Komfort | bieten
ein breites Sortiment | anbieten
wirtschaftliche / leistungsfähige / moderne / … | Produkte / Erzeugnisse / Geräte / …

b) Schreiben Sie eine Nachricht (drei oder vier Sätze) zu Ihrem Thema. Überlegen Sie, welche Hilfen 1–4 nützlich sind. Arbeiten Sie zu zweit oder zu dritt.

4. „Veröffentlichen" Sie Ihre Nachricht.

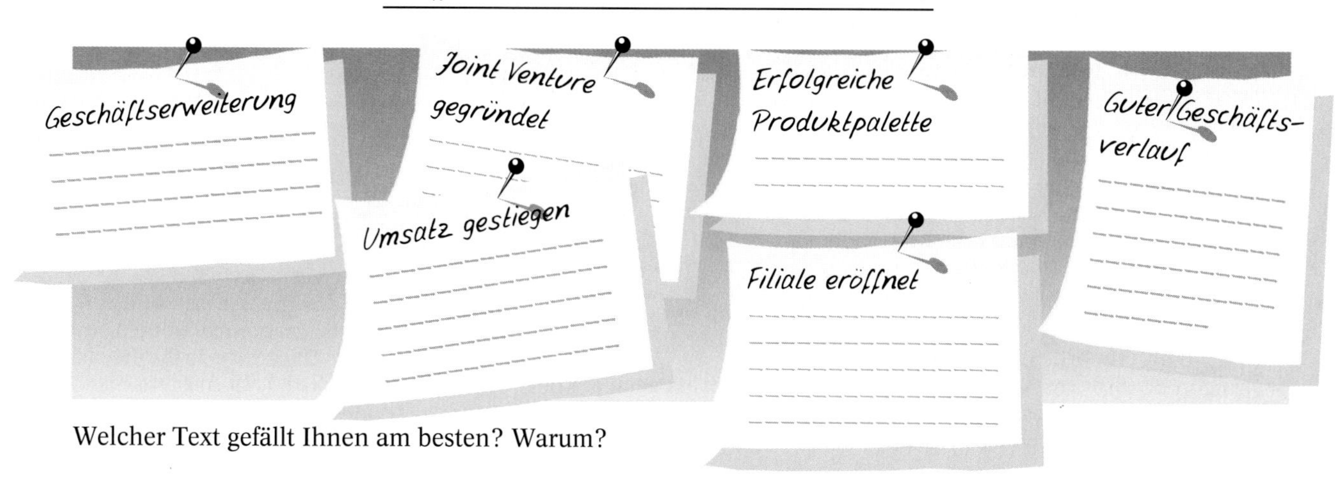

Welcher Text gefällt Ihnen am besten? Warum?

5. Informationsquellen

Überfliegen Sie die Texte auf den Seiten 118–125. Woher kommen die Texte Ihrer Meinung nach?

		Text(e) Seite
a)	aus dem Lokalteil einer Regionalzeitung	______
b)	aus dem Wirtschaftsteil einer überregionalen Zeitung	______
c)	aus einer Firmenbroschüre für die Öffentlichkeitsarbeit	______
d)	aus der Mitarbeiterzeitschrift eines Konzerns	______
e)	aus einem Geschäftsbericht	______

6. Unternehmensnachrichten

a) Welche Stichwörter A–G passen zu den Ereignissen 1–7? Ordnen Sie zu.

A	Geschäftsbericht	1	Die Partner bauen gemeinsam ein Werk.
B	Personalabbau	2	Der Umsatz ist im Finanzjahr gestiegen.
C	Auslandsniederlassung	3	Die Firma hat ein anderes Unternehmen gekauft.
D	Joint Venture	4	Mitarbeiter müssen entlassen werden.
E	Zusammenarbeit	5	Im benachbarten Ausland wurde eine Filiale eröffnet.
F	Übernahme	6	Die Firmen wollen gemeinsam ihre Produkte verkaufen.
G	Investition	7	Die Produktionsanlagen wurden modernisiert.

b) Überfliegen Sie die Kurznachrichten. Lesen Sie n i c h t Wort für Wort, sondern beantworten Sie nur die Fragen 1-7.

Unternehmensnachrichten

Kallweier Sanitäranlagen AG, Karlsruhe. Die RomKall nimmt im Oktober in Bukarest ihre Tätigkeit auf. Die Gründung des Gemeinschaftsunternehmens erfolgte im vorigen Jahr im Rahmen einer erweiterten Zusammenarbeit zwischen Kallweier und dem rumänischen Partner Romsan. In den kommenden 5 Jahren sollen in Bukarest etwa 25 Millionen DM in die Produktion von Heizungs- und Sanitäranlagen investiert werden. Das gemeinsame Projekt soll langfristig die weitere Expansion nach Osteuropa ermöglichen.

ACA Papierwerke GmbH, Wien. Der Hersteller von Offset- und Kunstdruckpapier hat mit der thailändischen Paper Mills Inc. einen Kooperationsvertrag abgeschlossen. Die beiden Unternehmen wollen beim Rohstoffeinkauf und beim Vertrieb in Drittländern zusammenarbeiten.

Schoko-Haus GmbH, Düsseldorf. Der renommierte Süßwarenhersteller übernimmt die Vereinigten Backwarenfabriken Dresden. Der traditionelle Anbieter von Dresdner Stollen und anderen regionalen Spezialitäten beschäftigt 250 Mitarbeiter, die alle übernommen werden sollen. Damit diversifiziert das Düsseldorfer Unternehmen in weitere Bereiche der Nahrungs- und Genussmittelbranche.

Permacor Elektronik AG, Köln. Wegen des „ruinösen Preiswettbewerbs“ in der Elektronikbranche (Geschäftsführender Vorstand Günter Hartmann) hat sich das Unternehmen entschlossen, Teile der Fertigung nach Argentinien zu verlegen. Die Forschung und Entwicklung wird in der Kölner Hauptniederlassung konzentriert, die Zweigniederlassung Oldenburg wird geschlossen. Dadurch würden etwa 60 Mitarbeiter eingespart, teilte die Geschäftsleitung mit. Weitere Freisetzungen seien möglich, wenn sich die Ertragslage im kommenden Geschäftsjahr nicht deutlich verbessere.

Handelshaus Brinkmann & Co KG, Bremen. Das Unternehmen hat eine Repräsentanz in Prag eröffnet. Es gehört damit zu den ersten deutschen Außenhandelsfirmen, die in Tschechien aktiv sind. Die Hauptaufgabe der Niederlassung ist die Partnersuche im Auftrag deutscher Exporteure und die Beratung tschechischer Anbieter, die Märkte in Westeuropa suchen.

Securitas Versicherungs-AG, Bremen. Über einen sehr erfreulichen Geschäftsverlauf sowohl in der Lebensversicherung als auch im Sachversicherungsgeschäft berichtet das Institut für das 1. Halbjahr 1997. In der Lebensversicherung hat sich der Umsatz gegenüber dem Vorjahr um 30% erhöht. Besonders positiv entwickelte sich das Neugeschäft in den neuen Bundesländern.

Mercedes-Benz AG, Stuttgart. Das Montagewerk für Personenkraftwagen in Bremen ist mit einem Aufwand von 1,5 Milliarden DM weiter ausgebaut worden. Damit wurden die Anlagen modernisiert und die Kapazitäten erhöht. Mit 16 000 Beschäftigten ist das Werk nach Angaben des Unternehmens der größte Arbeitgeber am Industriestandort Bremen.

Thema	Welches Unternehmen?	Wie steht das im Text?
1. Geschäftsbericht	Securitas Versicherungs-AG	
2. Personalabbau		
3. Auslandsniederlassung		... hat eine Repräsentanz in ... eröffnet
4. Joint Venture		
5. Zusammenarbeit		
6. Übernahme		
7. Investitionen		

7. Fragen formulieren

Was interessiert Sie noch? Stellen Sie weitere Fragen zu den Unternehmensnachrichten.

Warum? Wie hoch? Um wie viel? Wozu? Wann? Wie viele? ...

▬ waren die Investitionen? ▬ wurde ... ? ▬ Mitarbeiter werden entlassen? ▬ stieg der Umsatz? ▬ dient die Niederlassung? ▬ ...

8. Fragen stellen – Antworten geben

Suchen Sie gemeinsam Antworten in den Texten. Informieren Sie sich gegenseitig.

▷ *Was steht über Mercedes-Benz in der Zeitung?*
▶ *Dass die Firma 1,5 Milliarden Mark in das Werk Bremen investiert hat.*
▷ *Und was wird von Permacor gemeldet?*
▶ *Von Permacor wird Personalabbau gemeldet.*
▷ *Und ...?*
▶ ...

Was | steht / stand | über ... in der Zeitung?
Was | wird von ... gemeldet?

9. Kollegengespräche

a) Hören Sie die Dialoge. Über welche Unternehmen aus Übung 6 wird gesprochen? Was meinen, glauben, denken, befürchten, ... die Kollegen? Ordnen Sie zu.

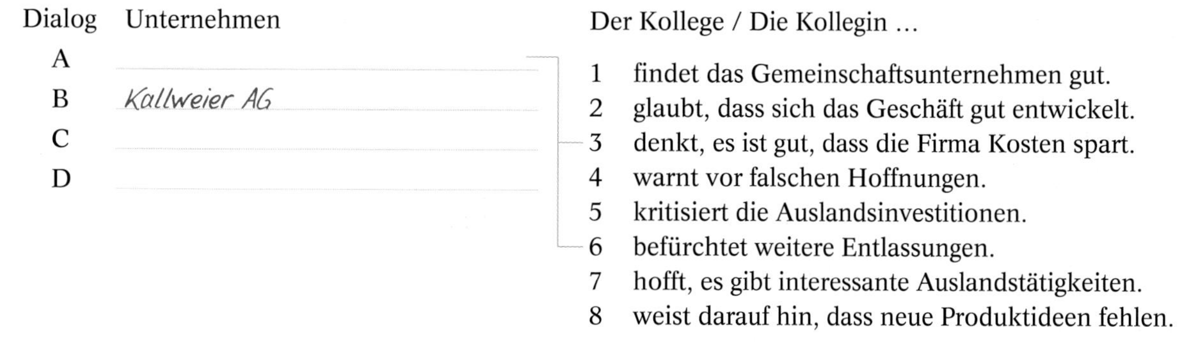

Dialog	Unternehmen
A	
B	Kallweier AG
C	
D	

Der Kollege / Die Kollegin ...

1 findet das Gemeinschaftsunternehmen gut.
2 glaubt, dass sich das Geschäft gut entwickelt.
3 denkt, es ist gut, dass die Firma Kosten spart.
4 warnt vor falschen Hoffnungen.
5 kritisiert die Auslandsinvestitionen.
6 befürchtet weitere Entlassungen.
7 hofft, es gibt interessante Auslandstätigkeiten.
8 weist darauf hin, dass neue Produktideen fehlen.

b) Welche Risiken/Chancen bringen die Ereignisse mit sich? Diskutieren Sie.

▷ *Ich* | *glaube, dass ...* / *meine, dass ...* / *warne davor, dass ...* / ...

▬ sichere Arbeitsplätze ▬ Zukunftschancen ▬ Entlassungen ▬ ein besserer Verdienst ▬ der Verlust von Arbeitsplätzen ▬ interessante Aufgaben ▬ Auslandstätigkeiten ▬ Versetzungen ▬ ...

▶ *Da bin ich anderer Meinung. Ich bin der Meinung, dass ...*

▶ *Dieser Meinung bin ich auch. Ich glaube auch, ... Da stimme ich zu. Ich glaube auch, dass ...*

10. Firmengründung

Erinnern Sie sich noch an die Pläne von Kurt Bleyer und Rolf Nehrlinger (Lektion 4)? Was wissen Sie noch über

- die Geschäftsidee?
- den Sitz der Firma?
- die Verkaufsfläche?
- den Eröffnungstermin?
- die Lage des Geschäfts?
- das Sortiment?

11. Geschäftseröffnung

a) Hören Sie die Gespräche A–C. Über welche der Punkte 1–6 wird gesprochen? Ergänzen Sie die Tabelle.

A Rolf Nehrlinger und Kurt Bleyer diskutieren.

B Rolf Nehrlinger telefoniert mit dem Architekten.

C Dr. Spindler (Industrie- und Handelskammer) spricht mit dem Reporter.

	Gespräch	Artikel: Absatz, Zeile(n)
1 Termin Geschäftseröffnung		
2 Marketingkonzept		
3 Sortiment		
4 Dresden als Wirtschaftsstandort	C	2, 14/15
5 Lage des Geschäfts		
6 Eröffnungsfeier		

b) Wo kommen die Punkte 1–6 vor? Überfliegen Sie den Zeitungsartikel und ergänzen Sie die Tabelle oben.

Neuer Büromarkt eröffnet

Dresden (E.B.) Bei Sekt und kaltem Büffet wurde gestern der Büromarkt Bleyer & Nehrlinger eröffnet. Auf 360 Quadratmetern heller, freundlicher, modern ausgestatteter Verkaufsfläche im neuen Wohn- und Gewerbegebiet Weißig werden ab sofort sowohl Privatabnehmer als auch Firmenkunden fachmännisch beraten. An der Eröffnung nahmen neben den beiden Geschäftsinhabern, Kurt Bleyer und Rolf Nehrlinger, Familienmitgliedern und Freunden der Firmengründer auch Dr. Volker Spindler als Vertreter der Industrie- und Handelskammer Dresden und der 2. Vorsitzende der neugegründeten Aktionsgemeinschaft des Dresdener Einzelhandels, Mattias Droste, teil.

Nehrlinger und Bleyer gehörten zu den ersten Mietern, die sich in dem großzügig gestalteten Komplex niedergelassen haben. Man sagt, das Gewerbegebiet am Rande Dresdens, in dem das Objekt liegt, biete enorme Zukunftschancen. Rolf Nehrlinger zeigte sich zufrieden mit der Zusammenarbeit zwischen dem Bauträger, den Architekten, den Handwerkern und den Mietern: „Unsere speziellen Gestaltungs- und Ausstattungswünsche wurden präzise verwirklicht, und das zu finanziellen Konditionen, von denen man in Frankfurt, Düsseldorf oder auch kleineren Städten in den alten Bundesländern nur träumen kann", lobte er. Allerdings kritisierte er Schwierigkeiten bei der Terminerfüllung. Die Eröffnung war für spätestens Anfang September geplant. Es vergingen aber nochmals fast zwei Monate, bevor vom Lichtschalter bis zur Beratungsecke wirklich alles installiert war. Jetzt, Ende November, sei es für das Weihnachtsgeschäft fast zu spät.

Als Kunden hat Bleyer & Nehrlinger sowohl die Familie im Auge, die ihren persönlichen Schreibwarenbedarf, vom Schulheft bis zum Luxusfüller mit Goldfeder, decken will, als auch die Firma, die ihre gesamte Büroausstattung beim Fachmann einkaufen möchte – vom einfachen Tischrechner bis zum Faxgerät. „Wir wollen preislich mit den großen Cash-und-Carry-Märkten mithalten, sehen uns aber klar als Fachgeschäft, das intensive Beratung und zuverlässigen Kundendienst garantiert", erklärt Kurt Bleyer das Konzept. Eigentlich, so hörte man, war auch an eine Büromöbel-Abteilung gedacht. Aber es gab nicht mehr genug Verkaufsfläche im Geschäftszentrum Weißig zu mieten. Auch müsse der Büromarkt erst einmal erfolgreich laufen. Dann könne man weitersehen, meinten die Firmengründer.

Dr. Spindler lobte die Investitionsfreude junger Unternehmer wie Bleyer und Nehrlinger. Besonders der Handel habe die großen Chancen der wachsenden Märkte in Ostdeutschland erkannt. Er bedauerte, dass sich die gewerbliche Wirtschaft manchmal noch nicht ganz so aktiv zeige wie der Groß- und Einzelhandel und andere Dienstleistungsbranchen. „Handel und produzierendes Gewerbe müssen stärker Hand in Hand gehen", betonte Dr. Spindler in einem Gespräch am Rande der Eröffnung.

c) Orientierung im Text: Wo steht das? Tragen Sie vor.

Der / Das / Die | … kommt in Absatz …, Zeile … (bis …) vor.

Das Sortiment kommt in Absatz 3, Zeile 28 bis 31 vor.

Das Marketingkonzept kommt …

12. Vergleichen Sie.

Gespräche und Zeitungsartikel in Übung 11 stimmen nicht in allen Punkten überein.

a) Vergleichen Sie die Gespräche und den Artikel. Hören Sie sich die Gespräche noch einmal genau an, lesen Sie den Artikel genau. Achten Sie auf folgende Einzelheiten:

- Termin Geschäftseröffnung (geplant, versprochen, tatsächlich)
- Gründe für die Verspätung
- Sortiment, Abteilungen (geplant, tatsächlich)
- Motive für die Änderung der Pläne
- Dr. Spindlers Meinung

b) Fassen Sie Ihren Vergleich zusammen.

In der Zeitung steht, | dass ...
Im Gespräch heißt es, |

Richtig ist aber, dass ...
In der Zeitung | wird das aber nicht erwähnt.
Im Gespräch |

c) Vergleichen Sie den Stil des Artikels mit den Unternehmensnachrichten auf Seite 118.

13. Meinungsverschiedenheiten

Es kommt zu Meinungsverschiedenheiten zwischen dem Architekten und den Geschäftsinhabern Bleyer und Nehrlinger. Sie sehen die Schwierigkeiten vor der Eröffnung unterschiedlich.

Der Architekt:

Weil die Geschäftsinhaber nicht genug Kapital hatten, haben sie ihre Pläne geändert. Weil sie ihre Pläne geändert haben, musste ich auch meine Pläne ändern.

Die Geschäftsinhaber:

Es ist schon richtig – obwohl wir alles genau diskutiert hatten, mussten wir dann doch unsere Pläne etwas ändern.

Machen Sie weiter:

Weil ich auch die Pläne ..., wurden die Geschäftsräume später fertig. Weil ..., musste die Eröffnung verschoben werden. ..., war es für das Weihnachtsgeschäft zu spät. ..., sank der Umsatz. ...

Obwohl wir ..., hat uns der Architekt die Fertigstellung der Arbeiten bis Ende September versprochen. ..., wurde der Termin nicht eingehalten. ..., haben wir uns noch aufs Weihnachtsgeschäft vorbereitet. ..., wird das Jahresergebnis schlechter als erwartet. ..., sind wir doch fürs nächste Jahr optimistisch.

Was meinen Sie zu diesen Aussagen? Was stimmt? Was stimmt so nicht?

Obwohl die Geschäftsinhaber optimistisch sind, machen sie sich doch Sorgen, dass sie so enden könnten:

Konkurse und Vergleiche

Berlin: H. Hempels GmbH u.Co.KG (K); Holiday-Wohnmobile, Vertrieb und Vermietung GmbH (GV). **Bochum:** Holtz Baustoffe GmbH (V); **Braunschweig:** DATAKO Gesellschaft für Datenverarbeitungs- u. Kommunikationstechnik mit beschränkter Haftung (K) **Bremervörde**

14. Kurznachricht

Schreiben Sie eine Kurznachricht über die Geschäftseröffnung der Firma Büromarkt Bleyer & Nehrlinger. Ergänzen Sie Ihr „Journal" Seite 117, Übung 4. Orientieren Sie sich an den Nachrichten auf Seite 118, Übung 6.

15. Interview: Joint Venture in der Elektroindustrie

Führen Sie das Interview mit einem Partner. Stellen Sie die Fragen 1–11 und geben Sie die passenden Antworten A–K.

1 Welche Bedeutung hat das Joint Venture für Ihre Firma?
2 Was produziert das Gemeinschaftsunternehmen?
3 Wer ist Ihr Partner?
4 Wie hoch ist der Anteil Ihrer Firma am Gemeinschaftsunternehmen?
5 Wann wird das Werk gebaut?
6 Wann kann die Produktion beginnen?
7 Wo sollen die Produkte verkauft werden?
8 Wer sind Ihre Kunden?
9 Wie sind die Verkaufschancen?
10 Ist Malaysia Ihr einziger ausländischer Produktionsstandort?
11 Sind Sie an weiteren Joint Ventures beteiligt?

A Nein, aber wir planen weitere Gemeinschaftsunternehmen.
B Wir werden damit auf den asiatischen Märkten stärker.
C Haushaltsgeräte und Kühltechnik.
D Gut, denn diese Märkte wachsen sehr schnell.
E 1998.
F Wir haben auch Werke in Irland und Brasilien.
G Wir beliefern alle ostasiatischen Märkte.
H Wir sind mit genau 50 Prozent beteiligt.
I Wenn alles gut geht, ein Jahr später.
J Abnehmer sind private Haushalte, aber auch Krankenhäuser, Hotels usw.
K Ein bekanntes Elektro-Unternehmen.

16. Joint Venture in der Chemieindustrie

a) Wo finden Sie im Text Angaben zur Marktposition, zum Produktionsprogramm, zum Partner für das Joint Venture usw.? Notieren Sie in der Tabelle auf Seite 123.

Nylonfasern aus China

BASF gründete neues Joint Venture im Reich der Mitte

»Das Gemeinschaftsunternehmen ist ein weiterer Schritt zur Stärkung unserer Position in China. Die BASF wird der erste große Hersteller von Nylonteppichfasern in China sein«, so Dr. Werner Burgert, Leiter des Unternehmensbereichs Faserprodukte, anlässlich der Unterzeichnung des sogenannten Letter of Intent für ein Nylon-Joint Venture in Shanghai. Wie bereits *BASF aktuell* berichtet, wird die BASF ein Joint Venture zur Herstellung von Nylon und Nylon-Teppichfasern mit chinesischen Partnern (China Worldbest Development Corporation, China Textile International Science and Technology Industrial Town of Quingpu County, Pudong Development Bank) gründen. An diesem wird BASF mit 75 Prozent, die Partner mit insgesamt 25 Prozent beteiligt sein. In dem neuen Unternehmen werden Anlagen zur Herstellung von jährlich 40 000 Tonnen Nylonfasern für Teppiche und 50000 Tonnen Nylon-Polymeren entstehen. Anfang 1996 soll mit dem Bau in Qingpu County bei Shanghai begonnen werden. Die Betriebsaufnahme ist für 1997 vorgesehen.

Das Vorab-Marketing für die Nylonfasern wird unmittelbar nach der Vertragsunterzeichnung beginnen. Das neue Joint Venture soll in erster Linie den stark wachsenden chinesischen Markt versorgen. Die Teppichfasern werden vor allem beim Bau von öffentlichen Gebäuden – Büros, Krankenhäusern, Schulen und Hotels – eingesetzt. »Nach unseren Erwartungen wird Süd- und Ostasien in Zukunft einen Zuwachs bei Kunststofffasern erreichen, der den in Nordamerika und Europa um das Zwei- bis Dreifache übersteigt«, erläuterte Burgert. Die BASF produziert Nylonfasern bereits an drei Standorten in den USA und Kanada und gehört mit einer Kapazität von rund 165 000 Tonnen jährlich zu den größten Faserproduzenten in Nordamerika.

In China ist die BASF mittlerweile an fünf Gemeinschaftsunternehmen beteiligt. Zudem ist die Gründung von zwei weiteren Joint Ventures zur Herstellung von Vitaminen und Vitaminmischungen sowie zur Produktion von Neopentylglykol (NPG) vereinbart. Das Unternehmen beschäftigt heute im China-Geschäft rund 400 Mitarbeiter und setzt eigene Produkte im Wert von rund 550 Millionen Mark ab. Bis zum Jahr 2000 soll der Umsatz verdoppelt werden. (hem)

Aus: BASF information – für die Mitarbeiter der BASF Aktiengesellschaft, Nr. 4/1995

	Spalte	Zeile(n)	Notizen
a) Marktposition	1,	2–4	*erster großer Hersteller in China*
b) Produktionsprogramm			
c) Partner			
d) Höhe der Beteiligung			
e) geplante Kapazitäten			
f) Baubeginn			
g) Produktionsbeginn			
h) Märkte			
i) Kunden			
j) Produktionsstandorte			
k) weitere Gemeinschaftsprojekte			

b) Orientierung im Text: Tragen Sie Ihre Ergebnisse vor.

Angaben über die Höhe der Beteiligung stehen in der ersten Spalte, in der dreizehnten bis vierzehnten Zeile.

(Die) Angaben über ... stehen in der	ersten zweiten	Spalte, in der ...(s)ten bis ...(s)ten Zeile.

17. Zwei Interviews

Hören Sie die Interviews mit zwei Firmenvertretern.

a) Sehen Sie sich Ihre Notizen in Übung 16 noch einmal an: Welches Interview behandelt das Joint Venture des Chemie-Konzerns BASF?

b) Was meinen Sie – für welche Firma spricht der Gesprächspartner im anderen Interview? Machen Sie auch hier Notizen wie in Übung 16.

18. Ein Interview führen

Führen Sie ein Interview über das Joint Venture der BASF in China. Orientieren Sie sich an Übung 16 a)–k). Arbeiten Sie zu zweit.

Welche Marktposition ... ?
...
Was ... ?
...
Wer sind ... ?
...
Wie hoch ist ... ?
...
Wann ... ?
...
Auf welchen Märkten ... ?
...
... ?
...

19. Kurznachricht

Schreiben Sie die Kurznachricht zum BASF-Projekt. Ergänzen Sie Ihr „Journal“ (Seite 117, Übung 4).

Ein Familienunternehmen stellt sich vor

20. Nachdenken über Unternehmen

a) Was interessiert Sie, wenn Sie ein Unternehmen kennen lernen wollen? Sammeln Sie Fragen, zum Beispiel aus den Lektionen 5, 6 und 10.

b) Wo in den Texten auf den Seiten 124/125 finden Sie Antworten auf Ihre Fragen?

21. Wie es begann

Nach dem Krieg erkannte der Firmengründer Hans Liebherr, dass für den Wiederaufbau der zerstörten Wohngebiete und Industrieanlagen ein leicht montierbarer und leicht transportierbarer Turmdrehkran fehlte. Er machte Skizzen, ließ Zeichnungen anfertigen, konstruierte und baute. Der erste Liebherr-Turmdrehkran wurde zusammengebaut. 1949 stellte er den TK 10 der Öffentlichkeit vor. Das Modell verfügte über eine Ausladung von 16 m, eine Traglast von 650 kg und eine Arbeitshöhe von 14 m. Aber zunächst hatte Liebherr nicht den erwarteten Erfolg. Auf der Frankfurter Messe zeigten die Bauunternehmer wenig Interesse.
Aber Hans Liebherr produzierte weiter. Und wirklich begann wenig später der Erfolg. So entstand der erste Fertigungsbetrieb für Baukrane.
Heute bietet Liebherr das weltweit größte Kranprogramm an, mit allen Kransystemen, in allen Größenklassen. Zum Beispiel die A-Krane, die eine maximale Tragfähigkeit von 110 000 kg bieten. Aber das Grundprinzip des TK 10 – einfach zu montieren, einfach zu transportieren – hat auch heute noch seine Gültigkeit.

Beantworten Sie die Fragen.

a) Wer gründete das Unternehmen?
b) Welche Marktlücke erkannte der Gründer?
c) Welchen Bedarf wollte er decken?
d) Was war die wichtigste Innovation?
e) Wie war der Erfolg der ersten Modellreihe?
f) Welche Bedeutung hat das Unternehmen heute?

22. Unternehmensporträt

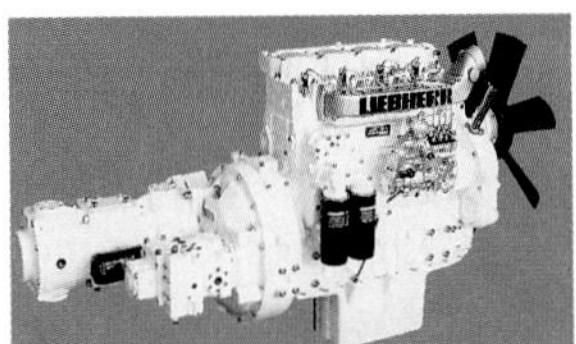

Sie hören einen Ausschnitt aus dem Liebherr-Unternehmensporträt. Es werden weitere Bereiche präsentiert, in denen der Konzern neben der Baumaschinenproduktion tätig ist.

a) Welche Charakterisierungen und Eigenschaften A–F passen Ihrer Meinung nach zu den Tätigkeitsbereichen 1–6? Vergleichen Sie mit dem Text.

A	komfortabel	1	Industrieanlagen
B	komplettes Programm	2	Kühl- und Gefriertechnik
C	bedienerfreundlich	3	Anlagen- und Maschinenbau
D	wirtschaftlich	4	Dieselmotorenbau
E	hohe Qualität	5	Luftfahrttechnik
F	fortschrittliche Technik	6	Gastronomie und Tourismus

b) In welcher Reihenfolge kommen die Bereiche 1–6 im Unternehmensporträt vor?

23. Der Konzern: Wer sind wir?

Liebherr ist ein Familienunternehmen und zugleich ein international tätiger Konzern. Die Führungsstruktur bietet den Familienmitgliedern und Familienfremden eine sinnvolle Partnerschaft im Unternehmen.
Zu unserer Firmengruppe gehören 48 Gesellschaften in 17 Ländern. Sie ist nach dem Prinzip der Dezentralisierung mit überschaubaren, in sich geschlossenen Unternehmenseinheiten aufgebaut. Sie haben immer noch einen mittelständischen Charakter. Diese dezentrale Struktur erlaubt es, besonders schnell auf Veränderungen zu reagieren und neue Ideen zu verwirklichen.
An der Spitze der Firmengruppe steht die Liebherr International AG. Diese Holding ist an allen Liebherr-Gesellschaften mit hundert Prozent, an den beiden Joint-Venture-Gesellschaften in Japan und Saudi-Arabien mit fünfzig Prozent beteiligt. Aktionäre der Liebherr International AG sind ausschließlich Mitglieder der Familie Liebherr.
Liebherr ist ein Baumaschinenkonzern. Aber Hans Liebherr wusste, dass es gefährlich ist, mit nur einem Produkt erfolgreich zu sein. Deshalb diversifizierte er schon bald in neue Branchen und Produktfelder. Heute werden neben dem breiten Baumaschinenprogramm u.a. Werkzeugmaschinen, Automationsanlagen, Flugzeugausrüstungen, Kühl- und Gefriergeräte hergestellt. Außerdem übernimmt die Firmengruppe schon seit vielen Jahren die Planung und Realisierung kompletter Industrieanlagen.

a) Konzern-Struktur: Tragen Sie die passenden Begriffe ins Organigramm ein.

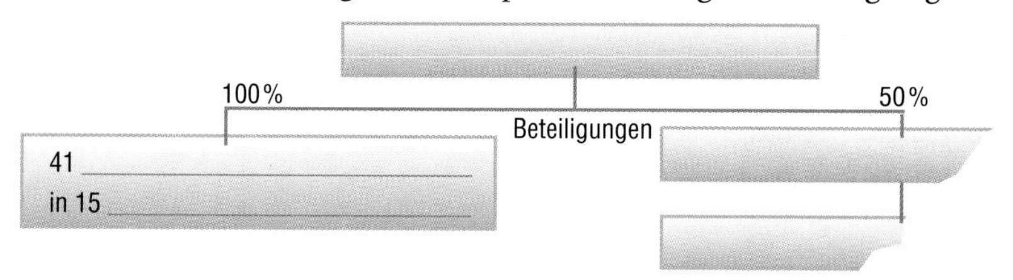

Liebherr ist | sowohl … als auch …
| sowohl …

In der Leitung arbeiten sowohl … als auch …

b) Das Selbstverständnis des Unternehmens: Was steht im Text?

▬ Großunternehmen ▬ mittelständisches Unternehmen ▬ Familienfremde ▬ Familienmitglieder ▬ internationaler Konzern ▬ Familienunternehmen ▬ Baumaschinenhersteller ▬ Mischkonzern ▬

24. Wie war das Geschäft?

Die Rezession und ungünstige internationale Bedingungen charakterisierten das Geschäftsjahr. Im Werk Biberach konnte der Umsatz trotzdem um 3% auf 605 Mio. DM gesteigert werden. Allerdings sank der Absatz von Turmdrehkranen von der Rekordzahl des Vorjahres (5.069 Einheiten) auf 4.432 Stück. Die Liebherr Hydraulikbagger GmbH setzte 560 Mio. DM gegenüber 869 Mio. DM im Vorjahr um. Der erhebliche Rückgang um 309 Mio. DM oder 35,6% ist aber auch durch einen neuen, dezentralen Vertrieb zu erklären. Der Umsatz der Liebherr Mischtechnik GmbH nahm im Inland um 10,8 Mio. DM oder 9,4% auf 104,6 Mio DM ab. Der Exportanteil am Gesamtumsatz betrug 27% (gegenüber 33% im Vorjahr). Die Liebherr Hausgeräte GmbH konnte sich trotz der schwierigen Konjunkturlage gut am Markt behaupten. Positive Impulse gingen von der erfolgreichen Umstellung der Produktion auf eine umweltfreundliche, FCKW-freie Technologie aus. So stieg der Inlandsumsatz um 4,0 Mio. DM auf 546,9 Mio. DM.

Die Lage in der gesamten deutschen Werkzeugmaschinen-Industrie war schlecht. Auch der Umsatz der Liebherr Verzahntechnik GmbH ging um 29 Mio. DM (20,6%) auf 112 Mio DM zurück. Dabei hat der Exportanteil von 76% auf 82% stark zugenommen. Im kommenden Jahr wird eine Zunahme auf 180 Mio. DM erwartet.

Umsatz Absatz Anteil	von (vorher)	um (Differenz)	auf (heute)	gestiegen gefallen
Werk Biberach				
Turmdrehkrane				*gefallen*
Hydraulik Bagger GmbH				
Mischtechnik GmbH				
Exportanteil daran				
Hausgeräte GmbH				
Verzahntechnik GmbH				
Exportanteil daran				
Prognose				*soll steigen*

Zur Wartung der Liebherr-Krane stehen in vielen Teilen der Welt Kundendienststellen mit geschultem Personal zur Verfügung. Wo immer sich ein Kran befindet, ist auch der nächste Liebherr-Stützpunkt nicht weit.

Spezialist für Baukrane innerhalb der Firmengruppe ist die Liebherr-Werk Biberach GmbH in der Bundesrepublik Deutschland. Ein Teil des Baukran-Programms wird auch im Liebherr-Werk Bischofshofen, Österreich, gefertigt. Die Liebherr-Africa (Pty.) Ltd. ist überwiegend auf dem lokalen Markt in Südafrika tätig.
Der Mobilbaukran MK 52 ist ein Beispiel aus der Modellvielfalt des Kranbauprogramms: Für den Schnell-Einsatz in den verschiedensten Bereichen, bei Bau- und Montagefirmen, Fertighausherstellern, Industriebetrieben, Tankbauern usw. bietet dieses Kransystem entscheidende Vorzüge. Hohe Mobilität und hohe Wirtschaftlichkeit zeichnet die MK-Krane aus. Mehrere Einsätze pro Tag sind möglich. Der MK 52 ist mit einem Steuerpult ausgestattet, das eine automatische Aufstellung gewährleistet.Der Lkw-Fahrer kann den MK-Kran in wenigen Minuten aufstellen. Er muss dazu nur das Steuerpult bedienen. Werkzeuge und Hilfspersonal sind nicht erforderlich.

25. Fragen des Einkäufers

Die folgenden Fragen stellt der Einkäufer eines Bauunternehmens. Suchen Sie die Antworten in den Texten auf Seite 124/125.

- Welche Erfahrungen und welches Know-how hat der Hersteller?
- Bietet Liebherr unterschiedliche Modelle an?
- Was ist, wenn einmal eine Reparatur notwendig wird?
- Ist das Unternehmen nur in Deutschland vertreten?
- Könnten wir unseren ganzen Maschinenpark bei Liebherr kaufen?
- Was ist die wichtigste Innovation der Liebherr-Krane?

Tausend Dank!

Ich möchte Wir möchten	Ihnen	sehr vielmals herzlich	für … danken.

Wer – Wem

Firma

Gäste

Kunden

Kursteilnehmer

Besucher

Lehrer

Geburtstagskind

Gastgeber

Sprachinstitut

Seminarleiter

Kollegen

…

Dank

Vielen

Tausend

Herzlichen

Schönen

Aufrichtigen

Besten

Unseren

Wofür

für Ihre Mitarbeit
für Ihre Einladung
für Ihre Antwort
für Ihren Rat
für Ihr Interesse
für Ihre Zusammenarbeit
für den interessanten Kurs
für Ihr Vertrauen
für Ihren Brief
für Ihre Glückwünsche
für Ihr Geschenk
für Ihre Teilnahme
für Ihre Bemühungen
für Ihren Besuch
für Ihr Kommen
für Ihre Geduld
für Ihre Aufmerksamkeit
für …

Vielen Dank für Ihr Interesse und Ihre Geduld!
Hueber
Verlag und Autoren von Dialog Beruf

Grammatikübersicht

Inhalt

Seite

Nomengruppe

1. Die Zahlwörter 128
2. Artikel und Formen der „starken" und „schwachen" Nomen 129
3. Die Endungen des Adjektivs 130
4. Der Vergleich („Komparation"): Komparativ und Superlativ 131

Verbgruppe

5. Die Modalverben 132
6. Das Präteritum 133
7. Das Passiv 134
8. Der Konjunktiv II 135
9. Verben mit Reflexivpronomen 136

Präpositionen

10. Präpositionen auf die Fragen *wo? wohin? wann?* 137

Satz und Satzteile

11. Angaben auf die Frage *wozu?* 138
12. Infinitivsätze 139
13. Nebensätze mit *dass* 140
14. Nebensätze mit *weil, obwohl, wenn, als, damit, indem, bevor* 141
15. Relativsätze 142
16. Indirekte Fragesätze 143
17. Das unpersönliche *es* 144

Abkürzungen

NOM	Nominativ
AKK	Akkusativ
DAT	Dativ
GEN	Genitiv
M	Maskulinum
N	Neutrum
F	Femininum

Stichwörter

Seite

A
ab wann? 137
ADJEKTIV, ENDUNGEN 130
alle_ 130
allein 128
als (KONJUNKTION) 141
am ...sten 131
an 137
ARTIKEL 130
ARTIKELWÖRTER 130
auf 137

B
besser 131
beste 131
BESTIMMTER ARTIKEL 130
bevor 141
bis (zu) 137
bis wann? 137
brauchen nicht zu 132
BRUCHZAHLEN 128

D
damit (KONJUNKTION) 138, 141
da(r)_ 140
dass 140, 141
dazu, ... zu ... 138
denen 142
deren 142
dessen 142
dich (REFLEXIV) 136
diese 130
dritte 128
Drittel, Viertel, ... 128
drittens, viertens, ... 128
dürfen 132

E
ein_ 130
erstens, zweitens, ... 128
es (UNPERSÖNLICH) 144
euch (REFLEXIV) 136

F
falls 141

G
GEMISCHTE VERBEN 133
GRUPPENZAHLEN 128

H
hätte_ 135
Hälfte, Drittel, ... 128
HILFSVERBEN 133, 134
hinter 137
höchste_ 131
HYPOTHESE 135

I
in 137
indem (KONJUNKTION) 141
INDIREKTE FRAGE 143
INFINITIVSÄTZE 138, 139

J
jede_ 130

K
kein_ 130
KOMPARATIV 131
KONJUNKTIONALSATZ 138
KONJUNKTIONEN 141
KONJUNKTIV II 135
können 132

L
lieber 131
liebste_ 131

M
mehr 131
meiste_ 131
mich (REFLEXIV) 136
MODALVERBEN 132
müssen 132

N
nach 137
neben 137
NEBENSATZ 140–143
NOMINALPHRASE 138

O
ob 143
obwohl 141
ORDNUNGSZAHLEN 128

P
PASSIV 134
PARTIZIP 134
PRÄSENS 132–134
PRÄTERITUM 133

R
REFLEXIVPRONOMEN 136
RELATIVPRONOMEN 142

S
SATZFRAGE 143
SCHWACHE NOMEN 129
SCHWACHE VERBEN 133
seit wann? 137
sich (REFLEXIV) 136
sollen 132
STARKE NOMEN 129
STARKE VERBEN 133
SUPERLATIV 131

U
über 137
um ... zu 138, 139
UNBESTIMMTER ARTIKEL 130
uns (REFLEXIV) 136
unter 137

V
VERGLEICH 131
Viertel, Fünftel, ... 128
von 137
vor 137

W
wann? 137, 143
wäre 135
warum? 141
was? 141, 143
weil 141
wenn 141
wer? 143
werden 134
wie? 143
wie viel? 143
wievielte_? 128
wissen 133
wo? 137, 143
wobei? 143
wofür? 143
wohin? 137, 143
wollen 132
womit? 143
wo(r) 140
WORTFRAGE 143
wozu? 138, 143
würde 135

Z
ZAHLADVERBIEN 128
ZAHLWÖRTER 128
zu 137
zu (zweit, dritt, ...) 128
zum 137, 138
zur 137, 138
zweitens, drittens, ... 128
zwischen 137

1. Die Zahlwörter

Die Zahlen

1–12	13–19 **... zehn**	20, 30, 40 ... 90 **... zig/ßig**	100, 200–900 **... hundert**	101, 112, 168, 1.350, 1.356, ...
eins, zwei, drei, vier, fünf, sechs, sieben, acht, neun, zehn, elf, zwölf	dreizehn, vierzehn, fünfzehn, sechzehn, siebzehn, achtzehn, neunzehn	zwanzig, dreißig, vierzig, fünfzig, sechzig, siebzig, achtzig, neunzig	(ein)hundert, zweihundert, ..., neunhundert	168 (ein)hundertachtundsechzig 1.356 (ein)tausenddreihundertsechsundfünfzig 4.116 viertausendeinhundertsechzehn 12.327 zwölftausenddreihundertsiebenundzwanzig

Die Endungen des Adjektivs

SINGULAR		
NOM	der/das/die	erste
AKK	den	ersten
	das/die	erste
DAT	dem/dem/der	ersten
GEN	des/des/der	ersten
PLURAL	d...	ersten

Ordnungszahlen: Ordnen	Zahladverbien: Reihenfolge	Bruchzahlen: Der wievielte Teil?	Gruppenzahlen: Zu wievielt?
erst..., zweit..., dritt...	erstens, zweitens, drittens	ganz..., die Hälfte (ein halb...), ein Drittel	allein, zu zweit, zu dritt
... t ... viert..., sechst..., siebt... (!), elft..., neunzehnt...	**... tens** fünf**tens**, sieb**tens**, ach**tens**, neun**tens**, zehn**tens**	**... tel** ein Vier**tel**, ein Fünf**tel**, fünf Ach**tel**, drei Zehn**tel**	**zu ... t** **zu** viert, **zu** siebt (!), **zu** zehnt, **zu** zwölft
... st ... zwanzig**st**..., fünfzig**st**..., dreiundsechzig**st**..., (ein)hundert**st**..., dreihundert**st**..., zweitausend**st**...	**... stens** zwanzig**stens**, sechsundzwanzig**stens**, einunddreißig**stens**	**... stel** ein Zwanzig**stel**, sieben Vierzig**stel**, ein Hundert**stel**, ein Tausend**stel**	**zu ... st** **zu** zwanzigst, **zu** vierzigst, **zu** hundertst, **zu** tausendst

Am dreizehnten Mai bin ich in Frankfurt angekommen. Das ist jetzt meine vierte Deutschlandreise.

▷ Der wievielte ist heute?

▶ Heute ist der siebte.
Nein, Entschuldigung, wir haben schon den achten.

Das Gerät nehmen wir nicht. Erstens ist es zu groß. Zweitens ist es zu teuer, und drittens gefällt es mir nicht.

Die Hälfte der Mitarbeiter ist nicht da. Ein Viertel ist krank, der Rest in Urlaub.

Das Montageteil ist einen hundertstel Millimeter zu lang.

Zu wievielt habt ihr die Arbeit erledigt? Zu siebt oder zu acht? Oder hat Frau Grüner wieder alles allein gemacht?

Die Uhrzeit: 7.20 Uhr

▷ Wie spät ist es?

▶ Es ist sieben Uhr zwanzig, zwanzig nach sieben.

Die Größe: 3,14 m x 1,20 m

▷ Wie groß ist das?

▶ Drei Meter vierzehn lang und einen Meter zwanzig breit.

Der Preis: DM 17,90; DM 12,30

▷ Was kostet das?

▶ Dieses hier kostet siebzehn Mark neunzig. Das da kostet nur zwölf Mark dreißig.

2. Artikel und Formen der „starken“ und „schwachen“ Nomen

„starke“ Nomen

	MASKULINUM	NEUTRUM	FEMININUM
SINGULAR			
NOM	der/ein Mitarbeiter	das/ein Buch	die/eine Frage
AKK	den/einen Mitarbeiter	das/ein Buch	die/eine Frage
DAT	dem/einem Mitarbeiter	dem/einem Buch	der/einer Frage
GEN	des/eines Mitarbeiter**s**	des/eines Buch**es**	der/einer Frage
PLURAL			
NOM	die/- Mitarbeiter	Bücher	Fragen
AKK	die/- Mitarbeiter	Bücher	Fragen
DAT	den/- Mitarbeiter**n**	Bücher**n**	Frage**n**
GEN	der/von Mitarbeiter/**n**	Bücher/**n**	Fragen

„schwache“ Nomen

	MASKULINUM
SINGULAR	
NOM	der/ein Kunde
AKK	den/einen Kunde**n**
DAT	dem/einem Kunde**n**
GEN	des/einem Kunde**n**
PLURAL	
NOM	die/- Kunde**n**
AKK	die/- Kunde**n**
DAT	den/- Kunde**n**
GEN	der/von Kunde**n**

der Lieferant, Assistent, Student, Dozent, Patient, Klient, **...ent**, **...ant**
der Polizist, Spezialist, Lagerist, Journalist, **...ist**
der Kollege, Junge, Chinese, Franzose
ADJEKTIVNOMEN:
der/die Deutsche, Angehörige, Auszubildende, Verwandte, Neue (s. Seite 130: Die Endungen des ADJEKTIVS)

Der Kunde fragt beim Lieferanten an. Das Angebot des Lieferanten geht an den Kunden.

Der Mitarbeiter fragt bei seinem Vorgesetzten an. Die Anfrage des Mitarbeiters erreicht den Vorgesetzten am 10.3. Am folgenden Tag gibt der Vorgesetzte dem Mitarbeiter eine schriftliche Antwort.

3. Die Endungen des Adjektivs

Die Formen der Artikelwörter

	BESTIMMTER ARTIKEL			UNBESTIMMTER ARTIKEL		
	M	N	F	M	N	F
SINGULAR						
NOM	der	das	die	ein	ein	eine
AKK	den	das	die	einen	ein	eine
DAT	dem	dem	der	einem	einem	einer
GEN	des	des	der	eines	eines	einer
PLURAL						
NOM	die			keine		
AKK	die			keine		
DAT	den			keinen		
GEN	der			keiner		

Übersicht über die Artikelwörter

BESTIMMT	
d...	der, das, die, den, dem, des
dies...	dieser, dieses, diese, diesen, diesem
jed...	jeder, jedes, jede, jeden, jedem
all...	alle, allen, aller

UNBESTIMMT	
ein...	ein, eine, einen, einem, einer, eines
mein...	mein, meine, meinen, meinem, meiner, meines
kein...	kein, keine, keinen, keinem, keiner, keines

Adjektivendungen ...

		nach bestimmten Artikelwörtern			nach unbestimmten Artikelwörtern			ohne Artikelwort		
SINGULAR NOM	M	Sánchez heißt der	**neue**	Mitarbeiter.	Da kommt ein	**neuer**	Mitarbeiter.		**Neuer**	Mitarbeiter sucht Wohnung.
	N	Jedes	**neue**	Büro ist schön.	Ihr	**neues**	Büro ist schön.	Wo ist denn	**neues**	Papier?
	F	Da kommt diese	**neue**	Mitarbeiterin.	Wie heißt Ihre	**neue**	Mitarbeiterin?	Mir macht	**neue**	Arbeit Spaß.
AKK	M	Kennen Sie den	**neuen**	Mitarbeiter?	Wir haben einen	**neuen**	Mitarbeiter.	Ich möchte nicht	**neuen**	Stress durch alte Geräte.
	N	Haben Sie dieses	**neue**	Büro gesehen?	Haben Sie unser	**neues**	Büro gesehen?	Wir brauchen	**neues**	Papier.
	F	Ich warte auf die	**neue**	Mitarbeiterin.	Wir brauchen eine	**neue**	Mitarbeiterin.	Er hat ganz	**neue**	Ware geliefert.
DAT	M	Ich helfe jedem	**neuen**	Mitarbeiter.	Bist du mit deinem	**neuen**	Mitarbeiter zufrieden?	Dieser PC mit	**neuem**	Bildschirm ist prima.
	N	Drei Leute sitzen im	**neuen**	Büro.	Bist du mit deinem	**neuen**	Büro zufrieden?	Das ist aus	**neuem**	Material.
	F	Geben Sie das dieser	**neuen**	Mitarbeiterin!	Sie sind zu keiner	**neuen**	Mitarbeiterin nett.	Sie ist in	**neuer**	Kleidung gekommen.
GEN	M	Hier ist das Büro des	**neuen**	Mitarbeiters.	Ist die Arbeit deines	**neuen**	Mitarbeiters schwer?	Die Planung	**neuen**	Lagerraums ist nötig.
	N	Das ist der Plan des	**neuen**	Büros.	Die Pläne deines	**neuen**	Büros liegen hier.	Die Lieferung	**neuen**	Materials ist nicht so eilig.
	F	Wo ist das Büro der	**neuen**	Mitarbeiterin?	Das Büro Ihrer	**neuen**	Mitarbeiterin ist schön.	Der Preis	**neuer**	Spezialkleidung ist hoch.
PLURAL NOM		Die	**neuen**	Büros sind schön.	Da kommen Ihre	**neuen**	Mitarbeiterinnen.	Das sind ganz	**neue**	Mitarbeiter.
AKK		Kennen Sie alle	**neuen**	Mitarbeiter?	Wir brauchen keine	**neuen**	Büros.	Gibt es hier	**neue**	Büros?
DAT		Geben Sie das den	**neuen**	Mitarbeiterinnen!	Er ist nett zu seinen	**neuen**	Mitarbeitern.	Wir arbeiten in	**neuen**	Büros.
GEN		Die Pläne der	**neuen**	Büros liegen dort.	Die Pläne unserer	**neuen**	Räume liegen dort.	Die Probleme	**neuer**	Mitarbeiter kenne ich.

Einige Seminarteilnehmer kenne ich aus der täglichen Arbeit. Aber die anderen sind zum ersten Mal bei so einem Seminar.

Für einen neuen Mitarbeiter suchen wir eine kleine Wohnung in ruhiger Lage mit einem kleinen Garten.

Sehen Sie den großen Herrn da hinten?
Neben der eleganten Dame mit dem hellen Kleid?
Das ist unser neuer Mitarbeiter im Vertrieb.

4. Der Vergleich („Komparation“): Komparativ und Superlativ

Die Endungen des Adjektivs ...

	nach bestimmten Artikelwörtern			nach unbestimmten Artikelwörtern			ohne Artikelwort		
	M	N	F	M	N	F	M	N	F
SINGULAR									
NOM	der **...e**	das **...e**	die **...e**	ein **...er**	ein **...es**	eine **...e**	- **...er**	- **...es**	- **...e**
AKK	den **...en**	das **...e**	die **...e**	einen **...en**	ein **...es**	eine **...e**	- **...en**	- **...es**	- **...e**
DAT	dem **...en**	dem **...en**	der **...en**	einem **...en**	einem **...en**	einer **...en**	- **...em**	- **...em**	- **...er**
GEN	des **...en**	des **...en**	der **...en**	eines **...en**	eines **...en**	einer **...en**	- **...en**	- **...en**	- **...en**
PLURAL									
NOM		die **...en**			keine **...en**			- **...e**	
AKK		die **...en**			keine **...en**			- **...e**	
DAT		den **...en**			keinen **...en**			- **...en**	
GEN		der **...en**			keiner **...en**			- **...er**	

	Komparativ Adverb	Komparativ Adjektiv	Superlativ Adjektiv		Superlativ Adverb
gut	**besser**	*+ Endung*	**best**	*+ Endung*	**am besten**
viel	**mehr**		**meist**		**am meisten**
gern	**lieber**		**liebst**		**am liebsten**
hoch	**höher**		**höchst**		**am höchsten**
groß	gr**ößer**	*+ Endung*	gr**ößt**	*+ Endung*	**am** gr**ößten**
lang	l**änger**		l**ängst**		**am** l**ängsten**
kurz	k**ürzer**		k**ürzest**		**am** k**ürzesten**
jung	j**ünger**		j**üngst**		**am** j**üngsten**
alt	**älter**		**ältest**		**am ältesten**
schwach	schw**ächer**		schw**ächst**		**am** schw**ächsten**
stark	st**ärker**		st**ärkst**		**am** st**ärksten**
schwer	schwer**er**	*+ Endung*	schwer**st**	*+ Endung*	**am** schwer**sten**
schön	schön**er**		schön**st**		**am** schön**sten**
klein	klein**er**		klein**st**		**am** klein**sten**
leicht	leicht**er**		leicht**est**		**am** leicht**esten**
...	**...er**		**...(e)st**		**am ...(e)sten**

Gleichheit:

A ist schwer, B ist auch schwer.
A ist (genau) so schwer wie B.
A und B sind gleich schwer.

Ungleichheit:

Du hast ein (viel) schöneres Büro als ich.
Mein Büro ist nicht so schön wie dein Büro.
Dein Büro ist schöner als mein Büro.
Frau Grüner hat das schönste Büro.
Das Büro von Frau Grüner ist am schönsten.

Ramona Kohlmann hat den originellsten Text auf ihrem Anrufbeantworter. Der netteste Text ist von Julia Nehrlinger, finde ich. Kurt Bleyer hat einen besseren Text als Rolf Nehrlinger. Den Text von Rolf Nehrlinger finde ich am klarsten. Der Text von Kurt Bleyer ist nicht so originell wie der Text von Julia Nehrlinger. Den Text von Ramona Kohlmann finde ich verrückter als alle anderen, aber er macht mir größten Spaß.

5. Die Modalverben

INFINITIV	PRÄSENS	PRÄTERITUM	KONJUNKTIV II
können	kann	konnte	könnte
müssen	muss	musste	müsste
dürfen	darf	durfte	dürfte
wollen	will	wollte	wollte
sollen	soll	sollte	sollte
–	möchte	–	–

Hauptsatz

1	VERB 1 MODALVERB	...	VERB 2 INFINITIV

Nebensatz

HAUPTSATZ	, KONJUNKTION	...	VERB 2 INFINITIV	VERB 1 MODALVERB

Aktiv

Wenn man einen Ausweis	hat,	**darf**	man den Parkplatz	benutzen.		
Wenn Sie einen Ausweis	haben **wollen,**	**müssen**	Sie mit dem Personalbüro	sprechen.		
	Ihr	**müsst**	immer euren Ausweis	vorzeigen.		
	Gestern	**konnte**	ich nicht pünktlich	kommen.		
	Anke	**soll**	ihre Prüfung	bestanden haben.		
	Man	**kann**	in der Kantine zu Mittag	essen,	wenn man	**will.**
	Das Gerät	**darf**	heute niemand	benutzen,	weil es kaputt sein	**soll.**

Passiv

Die Maschine	**muss**	heute noch	repariert werden.			
Die Post	**kann**	heute nicht mehr	abgeschickt werden.			
Anke	**soll**	ins Lager	versetzt werden.			
Sie	**soll**	zur Gruppenleiterin	befördert worden sein.			
Das Gerät	**kann**	von niemand	benutzt werden,	weil es heute	repariert werden	**soll.**
Die Aufträge	**müssen**	morgen	erledigt werden,	weil sie nicht länger	verschoben werden	**dürfen.**
Die Maschine	**muss**	in die Werkstatt	gebracht werden,	um dort	repariert werden	**zu können.**

⚠ **Achtung! *nicht brauchen ... zu ...***

▷ Muss ich täglich genau um acht Uhr da sein?
▶ Nein, Sie brauchen nicht genau um acht Uhr da zu sein.

▷ Sie können in der Kantine essen.
▶ Da möchte ich gern essen, aber vielleicht nicht jeden Tag.
▷ Sie brauchen da nicht jeden Tag zu essen.

Marian Kada musste Russisch lernen. Er konnte nicht wählen. Auf der Universität musste er eine zweite Fremdsprache lernen. Englisch wollte er nicht nehmen, weil das alle gewählt haben.

Einführungsgespräch
Sie müssen immer Ihren Ausweis vorzeigen. Wir haben gleitende Arbeitszeit. Sie brauchen also nicht genau um acht Uhr zu kommen. Aber um neun Uhr müssen Sie am Arbeitsplatz sein.
In der Kantine können Sie zu Mittag essen. Der Essenspreis kann vom Gehalt abgebucht werden. Aber Sie können auch bar zahlen. Das können Sie machen, wie Sie wollen.

„schwache“ Verben

brauchen		braucht		
holen	ich	holt	**e**	
erledigen	du	erledigt	**est**	
arbeiten	er/es/sie	arbeit**et**	**e**	
sagen	wir	sagt	**en**	
reden	ihr	red**et**	**et**	
vorstellen	sie/Sie	stellt	**en**	vor
entwickeln		entwickelt		

„starke“ Verben

nehmen		nahm		
anrufen	ich	rief	-	an
eingeben	du	gab	**st**	ein
fahren	er/es/sie	fuhr	-	
trinken	wir	trank	**en**	
bleiben	ihr	blieb	**t**	
kommen	sie/Sie	kam	**en**	
gefallen		gefiel		

„gemischte“ Verben und andere

haben		hatt		
werden	ich	wurd	**e**	
denken	du	dacht	**est**	
mitbringen	er/es/sie	bracht	**e**	mit
müssen	wir	musst	**en**	
können	ihr	konnt	**et**	
dürfen	sie/Sie	durft	**en**	
wissen		wusst		

INFINITIV	PRÄSENS	PRÄTERITUM	PARTIZIP
Hilfsverben			
sein	ist	**war**	gewesen
haben	hat	**hatte**	gehabt
werden	wird	**wurde**	(ge)worden
Modalverben + *wissen*			
wissen	weiß	**wusste**	gewusst
müssen	muss	**musste**	gemusst
können	kann	**konnte**	gekonnt
dürfen	darf	**durfte**	gedurft
wollen	will	**wollte**	gewollt
sollen	soll	**sollte**	gesollt
„gemischte“ Verben			
brennen	brennt	**brannte**	gebrannt
kennen	kennt	**kannte**	gekannt
rennen	rennt	**rannte**	gerannt
nennen	nennt	**nannte**	genannt
bringen	bringt	**brachte**	gebracht
denken	denkt	**dachte**	gedacht
…			

INFINITIV	PRÄSENS	PRÄTERITUM	PARTIZIP
„starke“ Verben			
gehen	geht	**ging**	gegangen
geben	gibt	**gab**	gegeben
lesen	liest	**las**	gelesen
nehmen	nimmt	**nahm**	genommen
vergessen	vergisst	**vergaß**	vergessen
sehen	sieht	**sah**	gesehen
tun	tut	**tat**	getan
beginnen	beginnt	**begann**	begonnen
liegen	liegt	**lag**	gelegen
finden	findet	**fand**	gefunden
stehen	steht	**stand**	gestanden
kommen	kommt	**kam**	gekommen
anbieten	bietet an	**bot an**	angeboten
anziehen	zieht an	**zog an**	angezogen
schließen	schließt	**schloss**	geschlossen
anfangen	fängt an	**fing an**	angefangen
fahren	fährt	**fuhr**	gefahren
schreiben	schreibt	**schrieb**	geschrieben
bleiben	bleibt	**blieb**	geblieben
…			

Ein Erlebnis

Gestern war bei uns ziemlich viel los. Um 10 Uhr kam ein Besucher aus Spanien. Wir wussten nicht, wie gut der Mann Deutsch spricht.

Aber unser neuer Mitarbeiter Sánchez empfing ihn und kümmerte sich um ihn.

Aber unsere Sorge war unnötig. Der Herr sprach ausgezeichnet Deutsch.

Erich Mühlbrandts Berufsweg

Am 1. April 1943 begann Erich Mühlbrandt eine Werkzeugmacherlehre. Er war damals erst 14 Jahre alt. Weil Krieg war, konnte er nicht länger zur Schule gehen. Nach der Lehre arbeitete er als Werkzeugmacher. Gleichzeitig besuchte er einen Abendkurs für Maschinenbautechnik. 1948 bestand er die Prüfung. Dann studierte er und bekam 1952 sein Diplom als Maschinenbauingenieur. Bald leitete er eine Arbeitsgruppe in der Entwicklungsabteilung. 1965 ging er für seine Firma in die USA. 1968 kam er zurück und wurde Betriebsleiter.

Lebenslauf von Marian Kada

Am 14. Juni 1968 wurde ich als Sohn des Bautechnikers István Kada in Pécs/Ungarn geboren. 1986 machte ich das Abitur und begann mit dem Studium der Elektrotechnik an der Technischen Universität Budapest. 1990 schloss ich das Studium mit der Note „gut“ ab. Von 08/1990 bis 10/1992 arbeitete ich als Leiter des Teilelagers bei MAGYARMACH in Györ. Im November 1992 ging ich als Einkäufer für elektronische Bauteile zu SELECTRONIC.

7. Das Passiv

Das Hilfsverb *werden*

	PRÄSENS	PRÄTERITUM
ich	werde	wurde
du	wirst	wurdest
er/es/sie	wird	wurde
wir	werden	wurden
ihr	werdet	wurdet
sie/Sie	werden	wurden

Das Partizip

Typ	Beispiele
ge...(e)t	gefragt, geführt, geöffnet, gesucht, ...
...t	informiert, notiert, telefoniert, ...
ge...en	geschrieben, genommen, gegeben, gefahren, ...
-...(e)t	verwendet, erledigt, beendet, beantwortet, ...
-...en	beschrieben, verschoben, befunden, ...
-ge...(e)t	abgeholt, aufgelegt, abgeschickt, ...
-ge...en	mitgenommen, eingeladen, ...

Hauptsatz

1	**VERB 1**	...	**(VERB 2)**

Nebensatz

... ,	weil	1	...	**(VERB 2)**	**VERB 1**

1/Es	VERB 1	...	VERB 2
Es	**wird**	hier auch samstags	**gearbeitet**.
Der Anrufer	**wird**	von der zuständigen Person	**begrüßt**.
Ich	**möchte**	mit Frau Rempling	**verbunden werden**.
Von wem	**wurdet**	ihr	**abgeholt**?
Von wem	**wurden**	Sie	**informiert**?
	Kann	ich bitte von Ihrem Fahrer	**abgeholt werden**?

		1	...	VERB 2	VERB 1
Ich weiß,	dass	ich	am Bahnhof	**abgeholt**	**werde**.
	warum	hier	so schlecht	**gearbeitet**	**wird**.
	worüber	du	gestern von Frau Rempling	**informiert**	**wurdest**.
	wann	die Waren		**geliefert werden**	**müssen**.

Der Anbieter wird angerufen. Der Anrufer wird mit der zuständigen Person verbunden. Der Anrufer wird von der zuständigen Person begrüßt und nach seinen Wünschen gefragt.

Hier wird ein Termin verschoben. Hier wird Ware geliefert. Hier wird telefoniert.

Es wird hier zu viel geredet. Und es werden zu viele Fehler gemacht.

Firma IVV wurde von Kurt Bleyer angerufen.
Kurt Bleyer wurde mit Frau Rempling verbunden.
Er wurde von Frau Rempling begrüßt und nach seinen Wünschen gefragt.

1953 wurde ich in die Werkzeugentwicklung versetzt. Von meiner Arbeitsgruppe wurde der spezialgehärtete Hochfrequenz-Fräser entwickelt.

Nach dem Ersten Weltkrieg wurden die Werksanlagen modernisiert, weil große Stückzahlen hergestellt werden mussten.

8. Der Konjunktiv II

Die Konjunktivformen

sein → wär haben → hätt		**e** **est** **e** **en** **et** **en**
können → könnt müssen → müsst dürfen → dürft sollen → sollt wollen → wollt wissen → wüsst		**e** **est** **e** **en** **et** **en**
sagen bringen nehmen kommen sich freuen ...	→	**würd...** + INFINITIV

Hauptsatz	1	**VERB 1**	...	**(VERB 2)** .					
Hauptsatz + Nebensatz	1	**VERB 1**	...	**(VERB 2)** , KONJUNKTION	...	**(VERB 2)**	**VERB 1** .		
Nebensatz + Hauptsatz	KONJUNKTION		...	**(VERB 2)**	**VERB 1** ,	**VERB 1**	...	**(VERB 2)** .	

		1	**VERB 1**	...	**(VERB 2)**
Höfliche Bitte/Frage			**Würde** **Könnte** **Würden**	es Ihnen morgen ich mal das Gerät Sie bitte um 3 Uhr	passen? haben? kommen?
Vorschlag		Sie Danach Ich	**könnten** **sollten** **würde**	vielleicht mal dort Sie Herrn Regula den PC in die Ecke	anrufen. fragen. stellen.
Möglichkeit/Vermutung		Frau Grüner So ein Hotel Bei uns	**würde** **wäre** **müssten**	das bestimmt gern für uns zu teuer. die Leute mehr	machen. arbeiten.
Hypothese		Ich Wenn er heute pünktlich **wäre**, Wenn Sie die Papiere geprüft **hätten**, Der Fehler Diese Fehler Wenn Sie die Papiere prüfen **würden**,	**würde** **würde** **wäre** **wäre** **würden** **würden**	mich sehr ich mich sehr der Fehler nicht nicht nicht die Fehler nicht	wundern, wenn er heute pünktlich **wäre**. wundern. passiert. passiert, wenn Sie die Papiere geprüft **hätten**. passieren, wenn Sie die Papiere prüfen **würden**. passieren.

▷ Würdest du bitte die Sache übernehmen?
▶ Ja, gern. Vorher müsste ich aber noch zur Bank gehen.
Vielleicht könntet ihr für mich zur Bank gehen.

Der PC dürfte nicht direkt am Fenster stehen. Da wüsste ich einen anderen Platz: Wir könnten ihn dort auf den Tisch stellen.

Wenn ich DM 5000,– in meiner Schreibtischschublade finden würde, würde ich sofort meinen Chef informieren. Wenn der aber nicht da wäre, wüsste ich auch nicht, was ich machen sollte.

9. Verben mit Reflexivpronomen

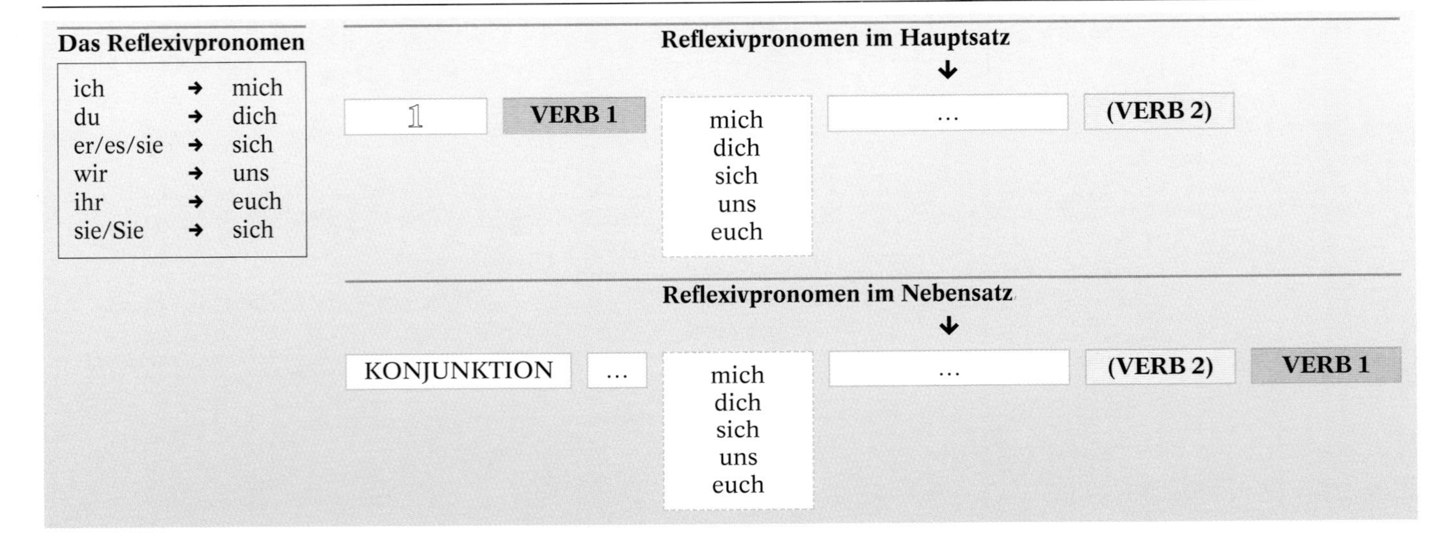

Herr Roland freut	**sich**	über die Einladung.
Über diese Einladung freue ich	**mich**	auch.
Wir haben	**uns**	alle über Einladungen von Frau Grüner gefreut.
Über so eine Einladung kann man	**sich**	wirklich freuen.
Hast du	**dich**	denn nicht gefreut?
Freut	**euch**	über diese nette Einladung!
Man konnte sehen, dass	**sich**	Herr Roland über die Einladung gefreut hat.
Geht nicht zur Geburtstagsfeier, wenn ihr	**euch**	über die Einladung nicht freut!
Wenige sind gekommen, obwohl	**sich**	alle über die Einladung gefreut haben.
Ich kann nicht verstehen, dass du	**dich**	über so eine Einladung freuen kannst.

Entschuldigung, ich glaube, ich habe mich verhört. Oder haben Sie sich versprochen?

Über den Brief von Herrn Wendlandt dürft ihr euch nicht ärgern. Über so einen Brief sollte man sich beim Chef beschweren.

Wir befinden uns hier im Versuchslabor. Vielleicht wundern Sie sich darüber, dass niemand da ist.

10. Präpositionen auf die Fragen *wo? wohin? wann?*

		MASKULINUM	NEUTRUM	FEMININUM
AKK	SINGULAR	den/einen	das/ein	die/eine
	PLURAL	die/-		
DAT	SINGULAR	dem/einem	dem/einem	der/einer
	PLURAL	den ...n		

in

in das	→	ins
in dem	→	im

an

an das	→	ans
an dem	→	am

über, unter, vor, hinter

... das	→	...s
... dem	→	...m

zu

zu dem	→	zum
zu der	→	zur

bei

bei dem	→	beim

auf

auf das	→	aufs

Präpositionen ...

auf die Frage ...

	wo? (DATIV)	wohin? (DATIV)
Haus	zu Hause	nach Hause
Personen	beim Chef	zur Chefin
Städte, Länder	in Rom	nach Rom
Einrichtungen	auf der Post	zur Post
	am Bahnhof	zum Bahnhof

auf die Frage ...

	wo? (DATIV)	wohin? (AKK)
an, in, auf, unter, über, hinter, vor, zwischen, neben	am Fenster	ans Fenster
	auf dem Tisch	auf den Tisch
	in der Tasche	in die Tasche
	vor der Tür	vor die Tür
	über mir	über mich

auf die Frage ...

	wann? (DATIV)
wann?	um drei Uhr, am Abend, in der Nacht
	in der nächsten Woche
	nach/vor dem Essen
ab wann?	ab dem dritten März
seit wann?	seit dem letzten Jahr
bis wann?	bis zum Ende, bis Mittwoch
wie lange?	von ... bis ...

Frau Rominger arbeitet an drei Tagen in der Woche zu Hause. Sie wohnt in Mainz. Ihr Arbeitsplatz ist in Rüsselsheim. Mittwochs und donnerstags fährt sie mit dem Zug nach Rüsselsheim. Sie fährt in Mainz mit der Straßenbahn zum Bahnhof. In Rüsselsheim geht sie zu Fuß zur Arbeit.

Früher war die Kaffeemaschine im Schrank. Aber das war unpraktisch. Wir stellen sie jetzt auf den kleinen Tisch. Der steht hier rechts an der Wand. Aber wir stellen ihn neben das Waschbecken. Die Pflanze auf dem Tisch kommt jetzt ans Fenster. Am Fenster hat sie mehr Licht. Und die Bücher auf dem Schrank gehören ins Regal, nicht unter den Tisch.

Mit 14 Jahren begann Erich Mühlbrandt eine Lehre. Die Lehre dauerte von 1943 bis 1946. Nach der Lehre arbeitete er als Werkzeugmacher. Schon im Jahre 1946 begann er eine Fortbildung zum Techniker. Nach zwei Jahren legte er die Prüfung ab. Zwischen dem 1. Januar und dem 10. Juni 1946 bereitete er sich auf sein Studium vor. Am 1. Oktober 1948 begann er zu studieren. Seit dem 25. September 1952 ist er Diplom-Ingenieur. Aber schon vor dem Examen arbeitete er in der Entwicklungsabteilung.

▷ In welchem Jahr?
▶ Im Jahr(e) 1996. / 1996. ⚠

11. Angaben auf die Frage *wozu?*

Frage	Nomen Nominalphrase	Nebensatz
Wozu?	zum/zur + NOMEN	..., um ... zu ... ... dazu, ... zu ... ..., damit ...

Infinitivsatz

an**zu**rufen
anrufen **zu** können
angerufen **zu** werden
angerufen werden **zu** können

HAUPTSATZ dazu (...) HAUPTSATZ	,	... ... um ...	**(VERB 2)**	zu	**VERB 1** INFINITIV .

Gestern	hatte	ich keine Zeit	**zur Beantwortung** Ihres Briefes.			
Ich	hatte	gestern nicht genug Zeit,	**um** Ihren Brief		**zu**	**beantworten**.
Leider	bin	ich nicht **dazu** gekommen,	Ihren Brief		**zu**	**beantworten**.
Die Mitarbeiter	wünschen	mehr Besprechungen	**zur** besseren **Information**.			
Wir	brauchen	mehr Besprechungen,	**um** besser	**informiert**	**zu**	**werden**.
Besprechungen	dienen	**dazu**,	besser	**informiert**	**zu**	**werden**.
Firma Nehrlinger	installiert	neue EDV-Programme	**zur Kontrolle** von Geldeingängen.			
Neue EDV-Programme	wurden	bei Nehrlinger installiert,	**um** Geldeingänge	**kontrollieren**	**zu**	**können**.
Neue EDV-Programme	wurden	bei Nehrlinger **dazu** installiert,	Geldeingänge		**zu**	**kontrollieren**.

HAUPTSATZ ,	**damit**	...	**(VERB 2)**	**VERB 1** .
Mein Chef gibt mir genug Zeit,	**damit**	ich Ihren Brief in Ruhe	beantworten	kann.
Die Mitarbeiter brauchen mehr Besprechungen,	**damit**	die Information besser		wird.
Bei Nehrlinger wurden neue EDV-Programme installiert,	**damit**	die Geldeingänge	kontrolliert werden	können.

▷ Wozu benutzt die Sekretärin den Computer?
▶ Zum Schreiben von Briefen.
▶ Um Briefe zu schreiben.
▶ Dazu, Briefe zu schreiben.
▶ Damit die Briefe schnell fertig werden.

▷ Wozu benutzt der Mechaniker den Computer?
▶ Zum Überprüfen des Motors.
▶ Um den Motor zu überprüfen.
▶ Dazu, den Motor zu überprüfen.
▶ Damit die Kunden zuverlässige Daten bekommen.

Frau Epp installiert neue Geräte,
um die Qualität zu verbessern.
damit die Qualität besser wird.
damit sie weniger Fehler macht.
um weniger Fehler zu machen.
damit weniger Fehler passieren.
um Fehler zu vermeiden.
damit Fehler vermieden werden.

Was?

1	VERB 1	...	(VERB 2) ,	...	(VERB 2)	zu	INFINITIV .				
				...	(VERB 2)	(zu)	INFINITIV (,)	(das)	VERB 1	...	(VERB 2) .
Sie	brauchen	nicht		im Betrieb			**anzurufen**.				
				Im Betrieb			**anzurufen**,	das	brauchen	Sie nicht.	
	Wünschen	Sie,		von mir	**abgeholt**	**zu**	**werden**?				
Leider	hat	er	vergessen,	in der Firma			**anzurufen**.				
				In der Firma			**anzurufen**,	(das)	hat	er leider	vergessen.
	Denken	Sie bitte daran,		zur Bank		**zu**	**gehen**!				
Er	hat	mich darum	gebeten,	das Gerät	**benutzen**	**zu**	**dürfen**.				
				Das Gerät	**benutzen**	**zu**	**dürfen**,	darum	hat	er mich	gebeten.
Ihr	habt	nicht daran	gedacht,	die Papiere		**zu**	**prüfen**!				
				Die Papiere		**zu**	**prüfen**,	daran	habt	ihr nicht	gedacht.
Es	ist		erlaubt, verboten, gefährlich,	im Lager		**zu**	**rauchen**.				
				Im Lager		**zu**	**rauchen**,	(das)	ist		erlaubt. verboten. gefährlich.

Wozu?

1	VERB 1	...	(VERB 2) ,	um	...	(VERB 2)	zu	INFINITIV .			
				Um	...	(VERB 2)	zu	INFINITIV ,	VERB 1	...	(VERB 2) .
Herr Sánchez	muss	eine Erlaubnis	haben,	**um**	**den Reinraum**	**betreten**	**zu**	**dürfen**.			
				Um	**den Reinraum**	**betreten**	**zu**	**dürfen**,	muss	Herr S. eine Erlaubnis	haben.
Herr Sánchez	hat	am Morgen	angerufen,	**um**	**einen Termin**			**abzusagen**.			
				Um	**einen Termin**			**abzusagen**,	hat	Herr S. am Morgen	angerufen.
Sonia Ball	kann	zu wenig Deutsch		**um**	**alles**		**zu**	**verstehen**.			
				Um	**alles**		**zu**	**verstehen**,	kann	Sonja zu wenig Deutsch.	
Sie	hat	nicht genug Zeit		**um**	**einen Kurs**		**zu**	**besuchen**.			
				Um	**einen Kurs**		**zu**	**besuchen**,	hat	sie aber zu wenig Zeit.	

Herr Stockmaier ist dafür zuständig, Herrn Sánchez in den nächsten Tagen zu betreuen. Von ihm bekommt Herr Sánchez auch die notwendige Schutzkleidung, um den Reinraum betreten zu können.

Wichtig ist es auch, folgende Hinweise zu beachten: Auf dem Firmenparkplatz zu parken ist nur mit einem gültigen Parkausweis erlaubt. Es ist verboten, den Parkplatz ohne Ausweis zu benutzen. Zu den

Pflichten des Mitarbeiters gehört es, den Arbeitsplatz sauber zu halten. Jeder Mitarbeiter kann in der Kantine zu Mittag essen. Um das Werk betreten zu dürfen, muss man den Firmenausweis dabei haben.

13. Nebensätze mit *dass*

Was?	AKKUSATIV	… , dass	vergessen	den Zahlungstermin		, dass wir zahlen müssen.
			wissen			, dass wir zahlen müssen.
			kennen	den Zahlungstermin		
Worüber?	über + AKKUSATIV	… darüber, dass …	sich aufregen	über den Zahlungstermin	darüber,	dass wir zahlen müssen.
Wovor?	vor + DATIV	… davor, dass …	Angst haben	vor dem Zahlungstermin	davor,	dass wir zahlen müssen.
Woran?	an + AKKUSATIV	… daran, dass …	denken	an den Zahlungstermin	daran,	dass wir zahlen müssen.
Woran?	an + DATIV	… daran, dass …	Interesse haben	an der Zahlung	daran,	dass wir zahlen.
Wovon?	von + DATIV	… davon, dass …	sprechen	von dem Zahlungstermin	davon,	dass wir zahlen müssen.
Worum?	um + AKKUSATIV	… darum, dass …	sich kümmern	um die Zahlung	darum,	dass wir zahlen.
Worauf?	auf + AKKUSATIV	… darauf, dass …	warten	auf die Zahlung	darauf,	dass wir zahlen.
Wofür?	für + AKKUSATIV	… dafür, dass …	sorgen	für die Zahlung	dafür,	dass wir zahlen.
Wo(r)…?	… + DATIV/AKKUSATIV	… da(r)…, dass …				

1	VERB 1	…	(VERB 2)
Alle	haben	den hohen Preis des Geräts	gekannt.
Niemand	hat	sich über den Preis	gewundert.
Herrn Weniger	würde	eine andere Farbe besser	gefallen.
Über den Kauf	hat	sich Herr Hartmann sehr	geärgert.

1	VERB 1	…	(VERB 2)	, dass	…	(VERB 2)	VERB 1
Alle	wussten,			dass	das Gerät teuer		war.
Niemand	hat	sich **darüber**	gewundert,	dass	der Preis so hoch	gewesen	ist.
Herrn Weniger	gefällt	**es** nicht so gut,		dass	das Gerät rot		ist.
Herr Hartmann	hat	sich **darüber**	geärgert,	dass	einfach etwas	gekauft	wurde.

▷ Was war allen bekannt?
▶ Der Kaufpreis des Geräts.

▷ Was wussten alle?
▶ Dass das Gerät sehr teuer war.

▷ Worüber hat sich niemand gewundert?
▶ Über den hohen Kaufpreis.
Darüber, dass das Gerät so teuer war.

▷ Was hat Herrn Weniger nicht gefallen?
▶ Die Farbe des Geräts.
Dass das Gerät rot war.

▷ Worüber hat sich Herr Hartmann geärgert?
▶ Über den Kauf des Geräts.
Darüber, dass einfach etwas gekauft wurde.

Worum machen Sie sich Sorgen? Um Ihren Arbeitsplatz? Darum, dass Sie vielleicht krank werden? Wird denn bei Ihnen von Entlassungen geredet, also davon, dass Leute entlassen werden?

Herr Wendlandt spricht den ganzen Tag davon, dass wir neue Ware brauchen. Jeder weiß, dass die Ware erst nächste Woche kommt. Der Liefertermin ist seit drei Wochen bekannt. Aber Herr Wendlandt regt sich darüber auf, dass die Ware noch nicht da ist. Frau Regenhardt lacht darüber, dass sich Herr Wendlandt dauernd ärgert. Dass Herr Wendlandt ein bisschen komisch ist, das ist bekannt. Aber Frau Regenhardt sollte nicht dauernd darüber lachen. Herr Regula war dagegen, dass wir diesmal wieder ins Hotel Astoria gehen. Ich war dafür. Ich habe gesagt, dass das Astoria ganz in Ordnung war. Dass Herr Regula immer etwas gegen meine Vorschläge hat, das gefällt mir gar nicht. Nach langer Diskussion war er damit einverstanden, dass wir diesmal doch wieder das Astoria nehmen.

14. Nebensätze mit *weil, obwohl, wenn, als, damit, indem, bevor*

Konjunktionen

Was?	→	dass
Warum?	→	weil/obwohl
Wann ist das?	→	wenn
Wann war das?	→	als
Unter welcher Bedingung?	→	wenn/falls
Wozu? Zu welchem Zweck?	→	damit
Wie geht das?	→	indem
In welcher Reihenfolge?	→	bevor

Hauptsatz — **Nebensatz**

1	VERB 1	...	(VERB 2) ,	KONJUNKTION	...	(VERB 2)	VERB 1 .
				dass weil obwohl wenn als wenn/falls damit indem bevor			

Nebensatz — **Hauptsatz**

KONJUNKTION	...	(VERB 2)	VERB 1 ,	VERB 1	...	(VERB 2) .
Dass Weil Obwohl Wenn Als Wenn/Falls Damit Indem Bevor						

Was? **dass**	Alle	haben	sofort	gesagt,	**dass** **Dass**	der Preis zu hoch der Preis zu hoch		war. war,	haben	alle sofort	gesagt.
Warum? **weil**	Kurt	möchte	die Stelle	haben,	**weil** **Weil**	er gut Arabisch Kurt gut Arabisch		spricht. spricht,	möchte	er die Stelle	haben.
Warum? **obwohl**	Wir	haben	das Zimmer	gemietet,	**obwohl** **Obwohl**	es gar nicht schön ich es gar nicht schön		war. finde,	nehme	ich es.	
Wann ist das? **wenn**	Ich	mache	noch einen Kurs,		**wenn** **Wenn**	dieser zu Ende der Kurs zu Ende		ist. ist,	mache	ich noch einen Kurs.	
Wann war das? **als**	Er	hat	sein Studium	begonnen,	**als** **Als**	er 20 Jahre alt er 20 Jahre alt		war. war,	hat	er sein Studium	begonnen.
Bedingung? **wenn/falls**		Rufen	Sie mich bitte	an,	**wenn** **Falls**	die Besucher da die Besucher nicht		sind! kommen,	rufen	Sie mich bitte auch	an!
Wozu? Zweck **damit**	Ich	habe	dir eine Notiz	geschrieben,	**damit** **Damit**	die Sache nicht die Sache nicht	vergessen vergessen	wird. wird,	habe	ich dir eine Notiz	geschrieben.
Wie geht das? **indem**	Die Eingabe	wird		bestätigt,	**indem** **Indem**	die Enter-Taste du „Enter“	gedrückt	wird. drückst,	bestätigst	du die Eingabe.	
Reihenfolge? **bevor**	Man	sollte	die Preise genau	prüfen,	**bevor** **Bevor**	man sich man sich		anmeldet. anmeldet,	sollte	man die Preise	prüfen.

15. Relativsätze

Relativpronomen

		MASKULINUM	NEUTRUM	FEMININUM
SINGULAR	NOM	der	das	die
	AKK	den	das	die
	DAT	dem	dem	der
	GEN	dessen	dessen	deren
PLURAL	NOM	die	die	die
	AKK	die	die	die
	DAT	denen	denen	denen
	GEN	deren	deren	deren

Relativsatz

HAUPTSATZ , RELATIV-PRONOMEN … (VERB 2) **VERB 1** .

			Hauptsatz	Relativsatz
MASKULINUM			Ihren ersten Erfolg hatten die Brüder Opel mit dem **Doktorwagen**.	Ihren ersten Erfolg hatten die Brüder Opel mit dem
SINGULAR	NOM		**Der Doktorwagen** wurde in kürzester Zeit berühmt.	**Doktorwagen**, **der** in kürzester Zeit berühmt wurde.
	AKK	Sie brachten	**den Doktorwagen** 1909 auf den Markt.	**den** sie 1909 auf den Markt brachten.
	DAT		**Dem Doktorwagen** folgte 1914 das Modell 5/14 PS.	**dem** 1914 das Modell 5/14 PS folgte.
	GEN	Die Jahresproduktion	**des Doktorwagens** stieg auf 1615 Stück.	**dessen** Jahresproduktion auf 1615 Stück stieg.
NEUTRUM			In Kaiserslautern wurde das dritte **Werk** gebaut.	In Kaiserslautern wurde das dritte
SINGULAR	NOM		**Dieses Werk** beschäftigt 6500 Mitarbeiter.	**Werk** gebaut, **das** 6500 Mitarbeiter beschäftigt.
	AKK	Die Westpfalz braucht	**dieses Werk** als wichtigen Arbeitgeber.	**das** die Westpfalz als wichtigen Arbeitgeber braucht.
	DAT	In	**diesem Werk** werden Komponenten hergestellt.	in **dem** Komponenten hergestellt werden.
	GEN	Die Produkte	**dieses Werks** werden in der ganzen Welt verkauft.	**dessen** Produkte in der ganzen Welt verkauft werden.
FEMININUM			Rüsselsheim ist eine mittelgroße **Stadt**.	Rüsselsheim ist eine mittelgroße
SINGULAR	NOM	Heute hat	**diese Stadt** 60 000 Einwohner.	**Stadt**, **die** heute 60 000 Einwohner hat.
	AKK	Man nennt	**diese Stadt** einfach die „Opel-Stadt“.	**die** man einfach die „Opel-Stadt“ nennt.
	DAT	In	**dieser Stadt** gibt es mehr Arbeitsplätze als Einwohner.	in **der** es mehr Arbeitsplätze als Einwohner gibt.
	GEN	Das Freizeitangebot	**dieser Stadt** ist sehr reichhaltig.	**deren** Freizeitangebot sehr reichhaltig ist.
M/N/F			Opel produziert heute an vier **Standorten**.	Opel produziert heute an vier
PLURAL	NOM		**Alle Standorte** liegen in mittelgroßen Städten.	**Standorten**, **die** alle in mittelgroßen Städten liegen.
	AKK	Opel hat	**seine Standorte** auf bestimmte Aufgaben spezialisiert.	**die** Opel auf bestimmte Aufgaben spezialisiert hat.
	DAT	Von	**diesen Standorten** ist Eisenach der jüngste.	von **denen** Eisenach der jüngste ist.
	GEN	Das Kulturangebot	**dieser Standorte** ist attraktiv.	**deren** Kulturangebot attraktiv ist.

16. Indirekte Fragesätze

Ja-Nein-Frage	W-Frage	
(Satzfrage)	(Wortfrage)	
ob	wer was wen wem wann welch... wie viel... wie ...	warum wozu wo woher wohin wofür womit wobei ...

Hauptsatz					Nebensatz			
1	VERB 1	...	(VERB 2)	, w.../ob	...	(VERB 2)	VERB 1	.

Nebensatz					Hauptsatz		
W.../Ob	...	(VERB 2)	VERB 1	,	VERB 1	...	(VERB 2) .

Ja oder Nein?		ob	
Ist der Kurs für Anfänger?	Ich möchte wissen,	ob der Kurs für Anfänger ist.	
		Ob der Kurs für Anfänger ist,	möchte ich wissen.
Gibt es eine Ermäßigung?	Könnten Sie mir bitte sagen,	ob es eine Ermäßigung gibt?	
Gibt es am Ende einen Test?	Ich möchte noch fragen,	ob es am Ende einen Test gibt.	
		Ob es am Ende einen Test gibt,	möchte ich noch fragen.

W...?		w...?	
Wie schreibt man Geschäftsbriefe?	Lernt man im Kurs,	wie man Geschäftsbriefe schreibt?	
Um wie viel Uhr beginnt der Kurs?	In dem Brief steht nicht,	um wie viel Uhr der Kurs beginnt.	
		Um wie viel Uhr der Kurs beginnt,	das steht nicht in dem Brief.
Worüber haben Sie sich so aufgeregt?	Mir ist unklar,	worüber Sie sich aufgeregt haben.	
		Worüber Sie sich aufgeregt haben,	ist mir unklar.
Wie hoch ist die Ermäßigung?	Bitte schreiben Sie mir auch,	wie hoch die Ermäßigung ist.	

Anfragen
Ich hätte einige Fragen zu Ihrem Seminarangebot. Lernt man in dem Kurs „Geschäftskorrespondenz“, wie man Formbriefe schreibt? Könnten Sie mir bitte sagen, um wie viel Uhr der Kurs beginnt? Mich interessiert auch, ob Sie diesen Kurs noch einmal zu einem anderen Termin anbieten. Hier steht außerdem, dass Sie mit Modellbriefen und Fallbeispielen arbeiten. Erklären Sie mir bitte, was das bedeutet. Außerdem habe ich noch eine Frage zum Preis. Im Prospekt steht, dass der Kurs DM 790,– kostet. Aber es gibt keine Information darüber, wann man zahlen muss. Ob man sofort zahlen muss oder ob man erst am Ende zahlt, ist mir nicht klar. Ich würde auch gern wissen, ob es eine Ermäßigung gibt und wie hoch diese ist. Und schließlich: Kann man die Anmeldung noch vor Kursbeginn stornieren?

Passiv im Hauptsatz (1)

		1	WIRD/WERDEN	…	PARTIZIP

Passiv im Nebensatz (2)

HAUPTSATZ	, dass / ob / weil / …	…	PARTIZIP	VERB 1

Aktiv im Hauptsatz (3)

		1	VERB 1	…	(VERB 2)

Aktiv im Nebensatz (4)

HAUPTSATZ	, dass	…	(VERB 2)	VERB 1

(1)

1	WIRD/WERDEN	…	(VERB 2)
Es	wurden	uns zwei Termine	angeboten.
Uns	wurden	zwei Termine	angeboten.
Es	darf	im Lager nicht	geraucht werden.
Im Lager	darf	nicht	geraucht werden.

(2)

		…	(VERB 2)	VERB 1
Ich finde es gut,	dass	uns zwei Termine	angeboten	wurden.
		im Lager nicht	geraucht werden	darf.

(3)

1	VERB 1	…	(VERB 2)
Es	ist	ein Anruf vom Lager	gekommen.
Vom Lager	ist	ein Anruf	gekommen.
Es	muss	immer möglich	sein, …
Immer	muss	**es** möglich	sein, …

(4)

		…	(VERB 2)	VERB 1
Jemand hat gesagt,	dass	vom Lager ein Anruf	gekommen	ist.
		es immer möglich	sein	muss, …

Montag, 10.3.: Herr Nehrlinger ist unzufrieden (1).
„Es ist meiner Meinung nach nicht in Ordnung, dass hier so viele Fehler passieren. Es kommen dauernd Beschwerden von den Kunden. Es wird von Mitarbeitern auf dem Kundenparkplatz geparkt. Jeder weiß, dass es nicht in Ordnung ist, wenn da geparkt wird.“

Montag, 17.3.: Herr Nehrlinger ist unzufrieden (2).
„Sehr viele Fehler passieren hier. Meiner Meinung nach ist es nicht in Ordnung, dass hier so viele Fehler passieren. Dauernd kommen Beschwerden von den Kunden. Auf dem Kundenparkplatz wird von Mitarbeitern geparkt. Dass es nicht in Ordnung ist, wenn da geparkt wird, weiß eigentlich jeder.“

Bei Firma Permacor (1).
Es ist Pflicht, die Arbeitszeit einzuhalten. Es muss darauf geachtet werden, dass das Material sparsam verwendet wird. Es ist verboten, im Lager zu rauchen. Es gibt eigene Firmenparkplätze für die Mitarbeiter. Aber es ist nicht erlaubt, auf den Besucherparkplätzen zu parken. Es wird darum gebeten, dass die Arbeitsordnung eingehalten wird.

Bei Firma Permacor (2).
Die Arbeitszeit einzuhalten ist Pflicht. Dass das Material sparsam verwendet wird, darauf muss geachtet werden. Im Lager zu rauchen ist verboten. Für die Mitarbeiter gibt es eigene Firmenparkplätze. Auf den Besucherparkplätzen zu parken ist aber nicht erlaubt. Dass die Arbeitsordnung beachtet wird, darum wird gebeten.

A

ab 48, 52, 56, 58
Abbau *(= Reduktion)* der 76
abbilden WAS 82
Abbildung die -en 72, 84
abbuchen WAS (WOVON) 83
Abbuchung die -en 110, 111
Abdeckplatte die -n 86, 87
Abend der -e 16, 17, 49, 99, 104 ...
Abendkurs der -e 21, 60
abfahren WANN fährt ab, fuhr ab, ist abgefahren 12
Abfall der -fälle 56
abfliegen WANN flog ab, ist abgeflogen 12
Abfrage die -n 104, 108, 109
abgeben WAS (WEM) gibt ab, gab ab, hat abgegeben 93, 101
abholen WEN/WAS 41, 45
Abitur das 24, 28
Abkürzung die -en 9, 17
abladen WAS lädt ab, lud ab, hat abgeladen 40, 41
Ablauf der -läufe 76, 105, 108
ablegen *(Prüfung)* 21, 23, 24
ablehnen WAS 49, 105
Ablehnung die -en 105
Abmeldung die -en 111
Abnahme die 117
abnehmen *(Telefonhörer)*, nimmt ab, nahm ab, hat abgenommen 43, 45, 47
abnehmen, nimmt ab, nahm ab, hat abgenommen 36, 117
Abnehmer/in der/die -/-nen 60, 120
Abreise die -n 69, 108
Absage die -n 26
absagen WAS 48, 49, 50, 51
Absatz *(Verkauf)* der 120
abschicken WAS 14, 23
Abschied der 57, 80
abschließen *(Ausbildung/Studium)* schloss ab, hat abgeschlossen 61
abschließen *(einen Vertrag)* schloss ab, hat abgeschlossen 89, 118
Abschluss der -schlüsse *(der Ausbildung)* 28, 55
Abschnitt *(= Zeitraum)* der -e 60, 62
abschreiben WAS schrieb ab, hat abgeschrieben 22
absenden WAS 14
Absender/in der/die -/-nen 39, 69, 92, 113
absetzen *(Produkte)* 122
absolvieren WAS 56
absprechen WAS (MIT WEM) spricht ab, sprach ab, hat abgesprochen 76, 106
Abstecher der - 52
Abteilung die -en 11, 17, 24, 39, 45 ...
Abteilungsdirektor/in der/die -en/-nen 56
Abteilungsleiter/in der/die -/-nen 50, 57
abwechslungsreich 62
abweichend WOVON 71
abwickeln WAS 80, 89
Abwicklung die 76, 111
Achse die -n 62
achten WORAUF/AUF WEN 69, 72, 74
Achtung die 40, 41, 50, 63
Adjektiv das -e 10
Adresse die -n 39, 50, 111
adressieren WAS (AN WEN) 39, 111
Adverb das -ien 21
AG (= Aktiengesellschaft) die -s 58, 59, 60
ähnlich 10, 11, 12, 13, 23 ...
Akademie die -n 62
akquirieren WEN/WAS 105
Akquisition die -en 104, 105
Akte die -n 13, 32, 40, 80, 94
Aktenordner der - 32, 93
Aktenschrank der -schränke 32, 94
Aktionär/in der/die -e/-nen 124
aktiv 112
Aktivität die -en 11
akzeptieren WEN/WAS 26, 45, 97, 110
Alarmsystem das -e 59
alle_ 22, 38, 41, 47, 51 ...
allein 27, 109
allerdings 24, 69, 73, 120
alles 16, 22, 25, 39, 40 ...
alles: Alles Gute! 60, 73
allgemein 72
Allgemeinmedizin die 9
allgemeinsprachlich 117
Alphabet das -e (ABC) 8, 17
als *(in der Eigenschaft)* 22, 25
als KONJUNKTION 58, 61, 62
als KOMPARATIV 44
als: sowohl ... als auch ... 8
also 8, 17, 23, 52, 77 ...
alt 47, 56, 62
alt: wie alt 36, 61
Altenheim das -e 13
Alter das 52, 61
ältere_ 14
alternativ 112
Altersversorgung die 73
altmodisch 10, 47
Altstadt die -städte 64, 65
am besten 10, 16, 17, 44, 107, 109
am liebsten 9, 81
analysieren WAS 71
anbei *(= als Anlage)* 100
anbieten (WEM) WAS bot an, hat angeboten 23, 26, 46, 58, 93 ...
Anbieter/in der/die -/-nen 45, 118
andauernd 116
andere_ 8, 13, 17, 22, 25 ...
anderer: anderer Meinung sein 15
anderes: etwas anderes 39
ändern WAS 50, 108, 110, 111
anders 51, 87
anderthalb *(= $1\,^1/_2$)* 17
Änderung die -en 50, 106, 107
Anfang der -fänge 23, 64, 87
anfangen WAS (WOMIT/MIT WEM) fängt an, fing an, hat angefangen 68
Anfänger/in der/die -/-nen 20, 111
anfertigen WAS 14, 17
anfordern WAS 23
Anfrage die -n 38, 74, 92, 104
Angabe die -n 9, 23, 70, 81, 100 ...
angeben WAS gibt an, gab an, hat angegeben 9, 23, 74
Angebot das -e 25, 26, 44, 45, 48 ...
Angehörige der/die -n 51
Angelegenheit die -en 52, 110
angenehm 12, 17, 64, 97
angenommen *(= gesetzt den Fall)* 94, 99
Angestellte der/die -n 74, 83
angewiesen WORAUF 84
Angler/in der/die -/-nen 62
Angst: Angst haben VOR WEM/WOVOR 36
anhand GENITIV 58
anhören (sich) WAS 72, 73, 76, 80, 82 ...
ankommen (WO/WANN) kam an, ist angekommen 12, 52, 69, 73, 99 ...
ankündigen (WEM) WAS 40
Anlage *(zu einem Schreiben)* die -n 112
Anlage die -n 24, 58, 59, 62, 63 ...
anlässlich GENITIV 122
anlegen *(Akte)* 68
Anleitung die -en 87
Anliegen das - 45, 98, 99
anliegend 44
anmelden (sich) 104, 105
Anmeldung die -en 22, 105, 110
anmerken WAS 98
annehmen *(= vermuten)* WAS nimmt an, nahm an, hat angenommen 94
annehmen *(Ware, Geschenk, Auftrag)* nimmt an, nahm an, hat angenommen 27, 105
Anordnung die -en 84
anpassen WEN/WAS (WORAN) 88
Anrede die -n 69, 113
Anreise die -n 69, 108
Anruf der -e 17, 26, 28, 35, 39 ...
Anrufbeantworter der - 46, 50, 51, 82
anrufen WEN rief an, hat angerufen 13, 14, 23, 38, 45 ...
Anrufer/in der/die -/-nen 45
anschaffen WAS 89
anschauen WEN/WAS 16
anschließen WAS (WORAN) schloss an, hat angeschlossen 84, 85, 88
anschließend 87
Anschluss der -schlüsse 85
Anschrift die -en 105
ansehen (sich) WEN/WAS sieht sich an, sah sich an, hat sich angesehen 50, 53, 84, 92
ansetzen *(Termin)* 49
Ansprache die -n 60
ansprechen WEN spricht an, sprach an, hat angesprochen 106
Anstieg der -e 116
anstrengend 12, 17, 60
Anteil der - e 122
Anti-/anti- 88
Antrag der -träge 22
Antwort die -en 64, 69, 72, 77, 108 ...
antworten WIE/WAS 38, 59, 77
anwählen WEN 65
Anweisung die -en 87
Anwesenheit die 74
anziehen *(Kleidung)* zog an, hat angezogen 72
Anzug der -züge 15
Apparat der -e 35, 45
Arbeit die -en 11, 15, 22, 23, 24 ...
arbeiten ALS WAS 9
arbeiten WO 9, 11, 13, 20, 33 ...
arbeiten WORAN *(Gerät)* 81

Arbeiter/in der/die -/-nen 83
Arbeitgeber/in der/die -/-nen 62, 75, 118
Arbeitnehmer/in der/die -/-nen 22
Arbeitserlaubnis die 22, 23, 68, 69, 73 ...
Arbeitsgruppe die -n 60, 108
Arbeitskraft die -kräfte 62
Arbeitsordnung die -en 68, 74, 75
Arbeitsplatz der -plätze 9, 22, 24, 25, 36 ...
arbeitsrechtlich 74
Arbeitsspeicher der - 85
Arbeitssprache die -n 21
Arbeitsstelle die -n 35
Architekt/in der/die -en/-nen 120
ärgerlich 111, 113
ärgern (sich) ÜBER WEN/WORÜBER 34, 35, 36, 41, 111
Argument das -e 25, 44, 97, 105
-arm *(= mit wenig ...)* 92
Art die -en 17, 71, 101
Artikel der - *(in der Zeitung)* 120
Artikel der - *(Ware)* 28, 93
Arzt der Ärzte 9, 48, 72, 73
Aschenbecher der - 32
Assistent/in der/die -en/-nen 11, 45, 83, 107
assoziiert 22
Atmosphäre die -n 26, 97
attraktiv 14, 36, 62, 64, 100
Aufbau der 110
Aufbaukurs der -e 111
Aufenthalt der -e 28, 69
Aufenthaltsgenehmigung die -en 22, 68, 69
Aufenthaltserlaubnis die 73
auffällig 14, 15
auffordern WEN WOZU 27
aufführen *(Theaterstücke)* 63
Aufgabe die -n 11, 50, 56, 60, 61 ...
Aufgabenstellung die -en 35
auflegen *(Telefonhörer)* 45
aufnehmen *(= akzeptieren)* WEN (WOHIN) nimmt auf, nahm auf, hat aufgenommen 112
aufnehmen *(die Arbeit, eine Bestellung)* nimmt auf, nahm auf, hat aufgenommen 68, 80, 118
aufpassen WORAUF/AUF WEN 51, 95, 110
aufrecht 72
aufregen (sich) ÜBER WEN/WORÜBER 34, 35, 41
aufsagen WAS 8
Aufschwung der -schwünge 62
aufstellen *(eine Tabelle)* 125
Auftrag der -träge 39, 49, 76, 80, 92 ...
Auftrag: im Auftrag von ... 49
Auftraggeber/in der/die -/-nen 92
Auftragnehmer/in der/die -/-nen 92
Auftragsabwicklung die 76
Auftragsbestätigung die -en 100
aufzählen WAS 21
Aufzug der -züge 96
Auge das -n 10, 14, 51, 89
Augenblick der -e 72, 112
augenblicklich 45
aus *(= ausgeschaltet)* 86, 87
ausbauen WAS 118
ausbilden WEN 62, 80
Ausbilder/in der/die -/-nen 80
Ausbildung die -en 9, 28, 55, 61, 80 ...
Ausdruck *(mit dem Drucker)* der -drucke 84, 87
Ausdruck *(Sprachmittel)* der -drücke 17
ausdrucken WAS 14, 84, 85, 87, 88 ...
ausdrücken WAS 105
Ausfahrer/in der/die -/-nen 13
Ausfall der -fälle 88
Ausflug der -flüge 62, 63, 76
ausführlich 45, 98
ausfüllen WAS 8, 23, 24, 28, 101
Ausgabe die -n *(= Output)* 84, 85
Ausgang der -gänge *(Post, Rechnungen)* 94
Ausgang der -gänge 37, 53
ausgeben *(Daten)* gibt aus, gab aus, hat ausgegeben 84, 85
ausgeben *(Geld)* gibt aus, gab aus, hat ausgegeben 27
ausgehen *(Freizeit)* ging aus, ist ausgegangen 9
ausgestattet WOMIT 100, 101
aushändigen WEM WAS 68
aushelfen (WO) hilft aus, half aus, hat ausgeholfen 80
Aushilfs- 11, 13
Aushilfskraft die -kräfte 11
Aushilfstätigkeit die -en 28
auskennen (sich) (WOMIT) kannte sich aus, hat sich ausgekannt 80, 83
Auskunft die -künfte 45, 112
Ausland das 28, 61, 97, 117
ausländisch 22
ausliefern WAS 93
Auslieferung die -en 39
ausnahmsweise 110
ausreichend 23
ausruhen (sich) 9, 109
Aussage die -n 83
ausschalten WAS 85, 87, 89
ausschließlich 62, 124
Ausschnitt *(aus einem Text)* der -e 65
Aussehen das 14
aussehen WIE sieht aus, sah aus, hat ausgesehen 116
Außenhandel der 118
außer DATIV 9
außerdem 24, 25, 50, 72, 84 ...
äußern WAS 23
äußern (sich) ÜBER WEN/WORÜBER 109
äußerst 56
Äußerung die -en 49, 60, 112
ausstatten WAS (WOMIT) 96, 99, 100
Ausstattung die -en 32, 36, 101
ausstellen *(ein Dokument)* 68, 80, 82, 83
aussuchen WEN/WAS 81
Austausch der 22
austauschen WAS (MIT WEM) 72, 93
ausüben WAS 80
auswählen WEN/WAS 20
Ausweis der -e 23, 68, 69, 72, 73 ...
auszeichnen (sich) WODURCH 116
Auszeichnung die -en 56, 60
Auszubildende der/die -n 50, 80
Auto das -s 58, 62, 63, 64, 82 ...
autogenes Training 9
automatisieren WAS 64
Automechaniker/in der/die -/-nen 25
Automatisierung die 65
Automobil das -e 58, 62

B

Bad das Bäder 101
Bahnhof der -höfe 45, 62, 96, 97, 99
bald 39, 47, 61
baldige_ 69
Band *(Montage-)* das Bänder 58
Bank *(= Geldinstitut)* die -en 23, 38
Bankverbindung die -en 23, 100
Bar die -s 16
Basis die 62
Basketball (der) 16
Bau *(= Bauindustrie)* der 22
Bau der Bauten 58, 59, 116, 122, 124
bauen WAS 58, 62, 63
Baugruppe die -n 80
Baukran der -krane/-kräne 28, 124
Bauplatz der -plätze 62
Baureihe die -n 58
Bautechniker/in der/die -/-nen 28
Bauteil das -e 22, 28
beachten WEN/WAS 72, 74, 108
beantworten WAS 27, 33, 40, 50, 74 ...
bearbeiten WAS 13, 56, 80, 94, 111
Bearbeitung die -en 85
beauftragen WEN (WOMIT) 56, 94
bedanken (sich) (BEI WEM) WOFÜR 34, 35
Bedarf der 108, 120
Bedarf: den Bedarf decken 120
bedauerlich 39
bedauerlicherweise 112, 113
bedauern WAS 120, 112
bedeckt WOMIT 62
bedeuten WAS 17
Bedeutung die -en 59, 62
bedienen *(Gerät)* 80
bedienerfreundlich 124
Bedienung die 25, 87
Bedingung die -en 92
bedruckt 86, 87
Bedürfnis das -se 104
bedürftig 44
beenden WAS 45, 61, 87, 89, 95 ...
Befehl *(am PC)* der -e 84, 85
befinden (sich) WO befand sich, hat sich befunden 32, 33, 35, 41, 84 ...
befördern WEN (WOZU) 56, 57, 60, 61
Beförderung die -en 55, 56, 60
befreundet 47
befriedigend 116
befürchten WAS 119
Befürchtung die -en 57
begehen *(ein Jubiläum)* WAS beging, hat begangen 56, 57
Beginn der 23, 28, 58, 65, 69 ...
beginnen WAS begann, hat begonnen 22, 23, 56, 59, 60 ...
Begriff der -e 73
begründen WAS 105
begrüßen WEN 45
Begrüßung die 12, 76, 77, 108
Behandlung die -en 74
beheben *(Störung, Fehler)* 83, 89, 110
beherrschen WAS 20
Behörde die -n 69

beide_ 47, 52, 80, 82, 89 ...
Beisammensein das 108
Beispiel das -e 16, 45, 51, 64, 96 ...
Beispiel: zum Beispiel 13, 16, 17
bekannt 39, 62, 63, 97
bekannt geben WAS gibt bekannt, gab bekannt, hat bekannt gegeben 39
bekannt machen WEN/WAS 10
Bekannte der/die -n 13, 23
bekommen WAS bekam, hat bekommen 38, 39, 56, 57, 61 ...
Belegung die -en 100
Beleuchtung die -en 28
Belichtung die -en 86, 87
beliebt 116
beliefern WEN (WOMIT) 122
Bemerkung die -en 60
Bemühung die -en 69
benachrichtigen WEN (WORÜBER) 41
Benachrichtigung die -en 68, 69
benutzen WAS WOFÜR/WOZU 17, 74, 75, 76, 83 ...
Benzin das 64
bequem 12, 15, 97, 108
beraten WEN berät, beriet, hat beraten 13, 44, 74, 80
beraten (sich) MIT WEM berät sich, beriet sich, hat sich beraten 13
Berater/in der/die -/-nen 44, 45, 80
berechnen WAS 94
Bereich der -e 9, 70, 73, 76, 80 ...
Bereichsleiter/in der/die -/-nen 70, 76
bereit legen WAS 110
bereit stellen WAS 93, 106
Berg der -e 62
Bergbau der 62
Bergmann der -leute 62
Bergsteigen das 28
Bericht der -e 36, 69, 87, 116
berichten (WEM) WAS/WORÜBER 36, 40, 41, 69, 72, 73 ...
Beruf der -e 8, 9, 17, 20, 22, 28, 80
Beruf: von Beruf ... sein 9, 21, 36, 52, 81
beruflich 9, 22, 55, 56, 60 ...
Berufsschule die -n 55
Berufsweg der -e 61
beruhigen (sich) 34, 35
berühmt 58
beschäftigen WEN WOMIT 50, 61, 62, 64, 73
beschäftigen (sich) MIT WEM/WOMIT 9, 36, 80
beschäftigt WOMIT/WO 9, 80, 81
Beschäftigte der/die -n 62, 63
Bescheid: Bescheid wissen/sagen/geben 40, 57, 70, 110
bescheiden 9, 14
beschließen WAS beschloss, hat beschlossen 56
beschreiben WAS/WEN beschrieb, hat beschrieben 59, 61, 85
Beschwerde die -n 11, 72, 111
beschweren (sich) ÜBER WEN/WORÜBER 34, 35, 41, 110, 111
besetzt *(Telefon)* 34
besichtigen WAS 47
Besichtigung die -en 45, 50, 76
besondere_ 59
besonders 25, 33, 51, 80
besonders: nicht besonders 12
besorgen WAS 110
Besprechung die -en 14, 17, 22, 23, 32 ...
besser 95, 105
Bestandteil der -e 84
bestätigen (WEM) WAS 46, 49, 83, 111
Bestätigung die -en 83, 98, 100, 101, 106 ...
bestehen *(eine Prüfung)* bestand, hat bestanden 56, 57, 61
bestehen WORAUS bestand, hat bestanden 53, 84, 85
bestellen WAS 22, 39, 41, 81, 92 ...
Besteller/in der/die -/-nen 58
Bestellung die -en 22, 80, 83, 92, 93 ...
besten: am besten 10, 16, 17, 44, 107, 109
bestens 9, 12
bestimmt 11, 22, 27, 82
Bestseller der - 58
Besuch *(einer Messe)* der 25, 94
Besuch der -e 24, 39, 44, 48, 50 ...
besuchen *(Kurs, Seminar)* 16, 21, 22, 24, 61 ...
Besucher/in der/die -/-nen 21, 32, 39, 63, 80 ...
beteiligen WEN WORAN 106
beteiligt WORAN 117, 122, 124
Beteiligung die 74
betonen WAS 120
betr. (= betrifft) 40, 76, 92, 94, 99
Betrag der Beträge 92, 93, 111
betragen WIE VIEL beträgt, betrug, hat betragen 101
Betreff der 69, 112
betreten WAS betritt, betrat, hat betreten 72, 74
betreuen WEN/WAS 13, 80, 81
Betreuer/in der/die -/-nen 80, 81
Betreuung die 80
Betrieb der -e 9, 13, 22, 25, 36 ...
Betrieb: in Betrieb nehmen, nimmt, nahm, hat genommen 64
betrieblich 73
Betriebsangehörige der/die -n 51
Betriebsklima das 25, 36, 64
Betriebsprüfer/in der/die -/-nen 76
Betriebsrat der -räte 73
Betriebssystem das -e 84
Betriebswirt/in der/die -e/-nen 28
Betriebswirtschaft die 28
bevor KONJUNKTION 104
bewaldet 62
Bewerber/in der/die -/-nen 23, 50
Bewerbung die -en 21, 22, 23, 24, 25 ...
bewerten WAS (WIE) 108, 109
bewirken WAS 116
bezahlen WAS 27, 93
Bezahlung die -en 25
bezeichnen WEN/WAS ALS WAS 84, 116
Bezeichnung die -en 85, 92
beziehen (sich) AUF WEN/WORAUF bezog sich, hat sich bezogen 112
bezüglich GENITIV 95, 101
bezugsfertig 44
bieten (WEM) WAS bot, hat geboten 62
Bibliothek die -en 73
Bilanz die -en 116
Bild das -er 32, 58, 64, 82, 83
Bildschirm der -e 84, 85, 87, 88
Bildung die 72, 73
billig 47, 58, 65
bis 8, 17, 23, 28, 52 ...
bisher 56
bisherige_ 61
bisschen: ein bisschen 20, 22
Bitte die -n 69
bitte 27, 35, 38, 49, 50 ...
bitten WORUM bat, hat gebeten 69, 104
blanko 106
Blatt das Blätter 39, 92
Blatt: 100... Papier 37, 39, 41, 92
blau 10, 15
bleiben WIE blieb, ist geblieben 47, 58
bleiben (WO) WIE LANGE blieb, ist geblieben 16, 21, 52, 59
Bleistift der -e 32
Block *(= Tastenblock)* der Blöcke 84
blond 10, 14
Blume die -n 32, 50
Blutprobe die -n 83
Boden der Böden 82, 83
Bogen der - /Bögen 108, 109
Brainstorming das 108, 109
Branche die -n 22, 116, 124
brauchen WEN/WAS (WOZU/WOFÜR) 22, 23, 24, 25, 27 ...
brauchen: Sie brauchen nicht zu kommen 20, 75, 84, 87
braun 10, 15
breit 10, 47, 117
Brett: das schwarze Brett 72
Brief der -e 14, 24, 46, 47, 50
Brieffreund/in der/die -e/-nen 24
Briefwaage die -n 82
Brille die -en 10, 14
bringen WEN/WAS (WEM) (WOHIN) brachte, hat gebracht 40, 41, 45, 58, 81 ...
bringen, brachte, hat gebracht: in Ordnung bringen 35
Brite/Britin der/die -n/-nen 9
britisch 22
Broschüre die -en 73, 74, 118
Bruder der Brüder 28, 52, 58
brutto-/Brutto- 125
Buch das Bücher 53
buchen WAS 81, 101
Buchhalter/in der/die -/-nen 13
Buchhaltung die -en 48, 49, 80, 93, 111
Buchstabe der -n 8
buchstabieren WAS 27
Buchung die -en 99, 102, 111
Büfett: das kalte Büfett 120
Bühnenstück das -e 62
bunt 10, 14, 15
Burg die -en 62
Bürger/in der/die -/-nen 22
Büro das -s 13, 28, 32, 33, 35 ...
Büromarkt der -märkte 21, 39, 45, 47, 52
Bus der -se 62, 72
bzw. (= beziehungsweise) 25, 86, 94, 110

C

ca. (= circa) 44, 62, 63, 97, 98
CD-ROM die -s 84, 85, 87
Chance die -n 24, 26, 28, 62, 64 ...

Charakter der -e 36
charakterisieren WEN/WAS 49, 98
Checkliste die -n 106
Chef/in der/die -s/-nen 22, 56, 57, 65
Chemie die 122
Chemielaborant/in der/die -en/-nen 9, 56
Chip der -s 11, 72
chronologisch 28
clever 56
Co (= Compagnie) 60
Collage die -n 108, 109
Computer der - 13, 25, 32, 35, 80 ...
computergesteuert 55
Computervirus der -viren 19
Controlling das 56
Cursor der - 84, 87

D

da *(= hier)* 8, 14, 23, 34
da *(= zu einem Zeitpunkt)* 61
da bleiben, blieb da, ist da geblieben 47
da sein, ist da, war da, ist da gewesen 22, 27, 40, 41, 87
dafür 36
dagegen *(= aber)* 101
dagegen: Haben Sie etwas dagegen? 27
d.h.: (= das heißt) 84
dahin 46, 95
damals 22, 62
Dame die -n 8, 38
damit KONJUNKTION 89
danach 22, 87
Dank: Besten/Vielen Dank! 44, 45, 60, 69, 92 ...
dankbar 50
danke schön 11
danken WEM (WOFÜR) 45, 69
dann 22, 23, 27, 35, 37 ...
darauf 36
darin 100
darstellen WAS 84, 87
Darstellung die -en 84, 85
darüber 36
darum 36
Datei die -en 85, 88
Daten PLURAL 9, 28, 68, 80, 84 ...
Datenbank die -bänke 81
Datensatz der -sätze 88
Datum das Daten 28, 37, 52, 60, 69, 93 ...
Dauer die 104, 105
dauern WIE LANGE 22, 23, 25, 34, 35 ...
dauernd 35
davor 36
dazu 36
decken: den Bedarf decken 120
delegieren WAS 48, 49, 50, 51, 107
Demo *(= Vorführung)* die -s 76
denken an AN WEN/WORAN dachte, hat gedacht 26, 40, 48, 50, 58 ...
denken WAS dachte, hat gedacht 22, 39, 47
Dépendance die -n 101
derselbe 120
deshalb 17, 21, 74, 84, 104 ...
Design das 28, 116
Designer/in der/die -/-nen 9
deutlich 59, 111, 118
deutsch/Deutsch 9, 20, 21, 23, 24 ...
Deutsch: auf Deutsch 8, 17, 35
Deutsche der/die -n 9
Deutschkurs der -e 35
Deutschland (das) 9, 21, 24, 62, 69
dezentral 124
Dialog der -e 9, 11, 12, 13, 23 ...
dick 10, 47
dienen WOZU 84, 85, 119
Dienst der -e 56, 57, 60, 62, 71 ...
dienstags 22
Dienstbesprechung die -en 49
Dienstjubiläum das -jubiläen 60
Dienstleistung die -en 62, 120
dienstlich 9
Dienstreise die -n 39, 80
Dienstsitz der -e 70
diesmal 111
diktieren (WEM) WAS 48
Diktiergerät das -e 83
Ding das -e 52
Diplom das -e 21, 28, 56, 61
Diplomarbeit die -en 21, 23, 52
direkt 26, 28, 65, 69, 74 ...
Direktor/in der/die -en/-nen 56
Diskette die -n 84, 85, 87, 88
diskutieren (MIT WEM) (WAS/WORÜBER) 15, 28, 38, 47, 52 ...
Display das -s 106
diversifizieren 118
Doktor der -en 58
Dokument das -e 24, 69
Doppelbett das -en 100, 101
doppelseitig 86
doppelt 104
Dorf das Dörfer 62
dort 21, 22, 46, 52, 56 ...
Dozent/in der/die -en/-nen 13, 81, 83
dran sein: Jetzt bin ich dran 9
Dreifachstecker der - 32
dreimal 24
drinstehen, stand drin, hat dringestanden 113
dringend 38, 39
dritt: zu dritt 16, 33, 41, 74, 85 ...
dritte_ 28, 58
Drittel das - 73
drittens 21, 44
drucken WAS 84, 85, 89
drücken WAS 86, 87
Drucker der - 32, 81, 82, 84, 85 ...
DRUPA die (= Fachmesse Druck und Papier) 97
dunkel 15
dünn 10, 47
durchführen WAS 80, 81, 112
Durchgang der - gänge 53
Durchwahl die -en 9, 65, 95
dürfen WAS darf, durfte, hat gedurft/dürfen 9, 22, 26, 57, 60 ...
Dusche die -n 96

E

ebenfalls 84
Ecke die -n 32, 33, 94
eckig 10, 14
EDV die (= Elektronische Datenverarbeitung) 36, 47, 76, 80, 81 ...
effektiv 72
egal: Das ist mir egal 22, 41
Ehefrau die -en 28
Ehemann der -männer 50
eher 82
ehrlich 9, 36
eigene_ 29, 108
eigenen: mit eigenen Worten 85
eigentlich 23, 51, 72, 84, 85 ...
Eigentümer/in der/die -/-nen 50
eilig 41
eilt: Es eilt 50, 107
ein *(= eingeschaltet)* 86, 87
einarbeiten WEN 56, 68
einarbeiten (sich) (WORIN) 56
Einarbeitung die 25, 68
einbauen WAS 64, 88, 89
eindrucksvoll 62
einfach 10, 56, 58, 65, 98 ...
einführen *(etwas Neues)* 58, 89
Einführung die -en 68, 72, 73, 75
Eingabe die -n 84, 85
Eingang der -gänge *(= Tür, Pforte)* 13, 53
Eingang der -gänge *(= Post-/Zahlungseingang)* 50
eingeben WAS gibt ein, gab ein, hat eingegeben 14, 17, 80, 84, 85 ...
einhalten *(Regeln)* hält ein, hielt ein, hat eingehalten 74, 75
Einheits- 58
einige 21, 59, 73, 99
Einkauf der -käufe 38, 39, 40, 58, 93
einkaufen WAS 22
Einkaufszentrum das -zentren 44
Einkommen das - 72, 73, 74
einladen WEN (WOZU) lädt ein, lud ein, hat eingeladen 38, 46
Einladung die -en 34, 35, 38, 76
einlassen WEN lässt ein, ließ ein, hat eingelassen 40
einlegen WAS 86, 89
einmal 23, 26, 35
einmal: auf einmal 37
einmonatige_ 22
Einnahme die -n 125
einnehmen *(Geld)* nimmt ein, nahm ein, hat eingenommen 117
einplanen WEN/WAS 23
einrichten WAS 33, 51, 113
Einrichtung die -en 50, 44, 74
Einsatzsieb das -e 56
einschalten WAS 87, 89
einschleusen WEN/WAS 88
einsetzen WEN/WAS (WO/WOHIN) 11, 22, 34, 53, 122
einsparen WAS/WIE VIEL 118
einstellen *(Belichtung)* 86, 87
einstellen WEN 13, 56
eintragen WAS (WOHIN) trägt ein, trug ein, hat eingetragen 14, 56, 70, 75, 110 ...
Eintragung die -en 53
einverstanden MIT WEM/WOMIT 23, 39, 49, 97, 100 ...
einweisen WEN wies ein, hat eingewiesen 68, 69, 81, 86, 87
Einweisung die -en 68, 69, 71, 73, 86 ...

einwerfen WAS wirft ein, warf ein, hat eingeworfen 50
Einwohner/in der/die -/-nen 44, 62, 63, 64, 65
Einzelfertigung die 58
Einzelhandel der 117
Einzelheit die -en 69, 101
einzeln 95
Einzelstück das -e 58
Einzelteil das -e 85
Einzelzimmer das - 98, 101
Eisen das 17
elegant 15, 105
Eleganz die 15
Elektriker/in der/die -/-nen 13
elektrisch 13, 22
Elektroindustrie die 122
Elektrokabel das - 82
Elektromotor der -en 28
elektronisch 59, 76
Elektrotechnik die 28
Element das -e 28
Eltern PLURAL 52
Empfang der Empfänge 13, 70
empfangen WEN empfängt, empfing, hat empfangen 21, 71, 80
Empfänger/in der/die -/-nen 39, 69, 92, 93
empfehlen WEM/WAS WEN empfiehlt, empfahl, hat empfohlen 108
Ende das 23, 28, 87, 61
Ende: zu Ende sein 61
enden 95
endlich 47
endlos 62
Energie die -n 56
engagieren WEN 110
englisch/Englisch 20, 22, 25, 38, 61
enorm 120
Entertaste die -n 87
entfernt 100
entgegen 112
enthalten WAS enthält, enthielt, hat enthalten 112
entlassen WEN entlässt, entließ, hat entlassen 56, 57
entscheiden (sich) (FÜR WEN/WOFÜR) entschied sich, hat sich entschieden 44, 96, 97, 104
Entscheidung die -en 26, 27, 39, 44
entschließen (sich) WOZU entschloss sich, hat sich entschlossen 118
entschuldigen WEN/WAS 10, 39, 111
entschuldigen (sich) (BEI WEM) (WOFÜR) 34, 40, 104, 110
Entschuldigung die -en 99
entsprechen WEM entspricht, entsprach, hat entsprochen 125
entstehen, entstand, ist entstanden 60, 62, 122
entweder ... oder 8, 9, 39
entwerfen WAS entwirft, entwarf, entworfen 80
entwickeln WAS 56, 61, 68, 74, 80 ...
Entwicklung die -en 9, 11, 17, 24, 56 ...
erarbeiten WAS 113
erbringen *(eine Leistung)* erbrachte, hat erbracht 93
ereignen (sich) 59
Ereignis das -se 56, 57, 59
erfahren WAS (ÜBER WEN/WORÜBER) erfährt, erfuhr, hat erfahren 16
Erfahrung die -en 21, 23, 60, 61
erfinden WAS erfand, hat erfunden 58, 59
Erfolg der -e 11, 24, 25, 56, 58 ...
erfolgen 38, 39, 84, 118
erfolgreich 24, 69, 124
erforderlich 22, 84, 86, 125
erfragen WAS (BEI/VON WEM) 104
erfreulich 112, 118
erfreulicherweise 113
erfüllen *(Aufgabe, Vertrag)* 45
ergänzen WAS 9, 20, 52, 56, 59 ...
ergeben WAS ergibt, ergab, hat ergeben 84
Ergebnis das -se 8, 13, 20, 23, 26 ...
erhalten *(= bekommen)* WAS erhält, erhielt, hat erhalten 37, 56, 92, 94, 100
erhöhen WAS 118
Erhöhung die -en 57
erinnern (sich) AN WEN/WORAN 61
Erinnerung die -en 76
erkältet 16
erkennen WEN/WAS erkannte, hat erkannt 44, 45
erklären WEM WAS 23, 35, 36, 41, 65 ...
Erklärung die -en 93
erkrankt 76
erkundigen (sich) NACH WEM/WONACH (BEI WEM) 105
Erlaubnis die -se 22, 23, 68, 69, 74 ...
erlaubt 74, 75
Erläuterung die -en 104
erleben WAS 16
Erlebnis das -se 37
erledigen WAS 13, 68, 69, 72, 80 ...
Erledigung die 83
erleichtern WAS 112
Erlös der -e 116
ermäßigen *(Preis/Gebühr)* 110
Ermäßigung die -en 104
ermöglichen (WEM) WAS 118
ernst 110
Ernst der 49
eröffnen WAS 45, 58
Eröffnung *(= Anfang eines Briefes)* die -en 113
Eröffnung die -en 58, 59, 98, 99, 106 ...
erreichbar *(telefonisch)* WORUNTER 9, 112
erreichen *(telefonisch)* WEN 9, 47, 74
erreichen WAS 58, 59, 125
ersetzen WAS (WODURCH) 87
Ersparnis die -se 56
erst 20, 22, 23, 24, 28 ...
erste_ 21, 16, 20, 28, 44 ...
erste Hilfe die 25
erstellen WAS 9
Erstellung die 107
ersten: zum ersten Mal 16
erstens 21, 25, 44
Erstes: als Erstes 87
Ertrag der -träge 118
erwähnen WEN/WAS 60, 121
erwarten WEN/WAS 46, 50, 62, 69, 124
erweitern WAS 22
Erweiterung die -en 55
erzählen WAS (WEM) 26, 38, 111
Esperanto das 9, 10
essen WAS isst, aß, gegessen 16, 46
Etage die -n 74, 100
Etagenservice der 101
etc. (= et cetera) 104
etwa 38, 41
etwas *(= ein wenig)* 9, 14
Europäische Union (EU) die 22
Evaluierung die -en 108
eventuell 86, 87, 93, 105
evtl. (= eventuell) 106
Exkurs der -e 108
Expedition die -en 25
Export der -e 83
Exposee das -s 44

F

Fa. (= Firma) 40, 41
Fabrik die -en 60
Fach das Fächer 86, 87
Facharbeiter/in der/die -/-nen 62, 63
Fachbereich der -e 112
Fachgeschäft das -e 53, 117
Fachhochschule (FH) die -n 9
Fachkraft die -kräfte 13
Fachleiter/in der/die -/-nen 107
Fachleitung die -en 110
Fachliteratur die 24
Fachmann der -leute 64, 120
fachmännisch 120
Fachsprache die -n 28
fachsprachlich 117
fahren WOHIN fährt, fuhr, ist gefahren 17, 39, 46, 47
Fahrer/in der/die -/-nen 13, 35, 40, 41, 93 ...
Fahrrad das -räder 58, 97
Fahrt die -en 12, 97
Fahrzeug das -e 58, 62
Fallbeispiel das -e 104
Fälle: für alle Fälle 82
fallen WOHIN fällt, fiel, ist gefallen 29
falls KONJUNKTION 87, 108
falsch 34, 35, 36, 39, 64 ...
familiär 97
Familie die -n 28, 32, 46, 51, 58 ...
Familienname der -n 9
Familienstand der 52
Fan der -s 62
Farbe die -n 58
Fax das -e 14, 25, 32, 37, 39 ...
fehlen (WO) (WEM) 23, 25, 32, 85, 98 ...
fehlende_ 9, 11
Fehler der - 35, 36, 71, 80, 83 ...
Feier die -n 22, 38, 46
Feierabend der -e 72
feiern WAS/WEN 27
Feiertag der -e 104
Feld *(Computer)* das -er 84
Fenster das - 14, 17, 33
fern 83
Ferngespräch das -e 83
Fernstraße die -n 62
fertig 23, 41, 63, 86, 87 ...
fertigen WAS 58, 62, 63
Fertiglager das - 70
Fertigung die 55, 58, 60, 64, 65 ...
fest 22

Fest das -e 35, 60
Festplatte die -n 84, 85, 93
feucht 41
Feuer das - 39
Feuerwehr die -en 73
Figur die -en 52
Filiale die -n 57, 117
Film der -e 16
Finanzen PLURAL 13, 56
finanziell 120
Finanzierung die -en 23, 53, 56
Finanzprüfer/in der/die -/-nen 48
Finanzwesen das 70
finden WEN/WAS fand, hat gefunden 13, 22, 23, 24, 27 ...
finden WEN/WAS WIE fand, hat gefunden 16, 36, 38, 41, 51 ...
Firma die Firmen 9, 22, 25, 34, 39 ...
Firmen- 22, 27, 55
Firmenkosten PLURAL 22
Firmensitz der -e 55
Fitness die 100
Fläche die -n 44, 86
fleißig 14, 36, 52
flexibel 25
fließend 8, 9, 17, 20
Flipchart das -s 106, 107
Floppy-Disk die -s 84, 85, 87
Flug der Flüge 12
Flughafen der -häfen 62
Flur der -e 38, 40, 41, 96
folgen WEM (WOHIN) folgte, ist gefolgt 62
folgende_ 20, 28, 44, 48, 59 ...
folgt: wie folgt 109
Form die -en 28, 29, 69
Formalität die -en 69
formatieren WAS 89
Formbrief der -e 112
Formel die -n 69
formen WAS (WIE) 25
formschön 116
Formular das -e 24
formulieren WAS (WIE) 27, 84, 105
Formulierung die -en 45
Forschung die -en 9, 17, 69, 74
fortbilden (sich) 60
Fortbildung die 9, 23, 55, 56, 57 ...
fortschrittlich 124
fortsetzen WAS 62
Fortsetzung die -en 110
Foto das -s 24, 32
Fotokopierer der - 32, 35, 38, 47, 48 ...
Foyer das -s 77
Frage die -n 23, 26, 27, 33, 36 ...
Frage: eine Frage stellen 21, 23, 25, 27, 47 ...
Frage: in Frage kommen 25
Fragebogen der -/bögen 8, 17, 109
fragen WEN (NACH WEM/WONACH) 8, 9, 17, 26, 27 ...
Fragestellung die -en 20
Fragewort das -wörter 17
Frankreich (das) 9
Franzose/Französin der/die -n/-nen 9
französisch/Französisch 21, 25
Frau die -en 82
Fräulein das 50
-frei 44, 63, 92
frei (≠ besetzt) 13, 98, 108, 113
frei *(= kostenlos)* 108
frei: frei haben 25
frei: frei Haus 92
frei: im Freien 13
Freibad das -bäder 62
Freisetzung die -en 118
freitags 22
Freizeit die 9, 15, 62, 64, 65 ...
Freizeitangebot das -e 62
Fremdenverkehrsamt das -ämter 22
Fremdsprache die -n 9, 20, 21, 24, 28 ...
freuen: Das freut mich 11, 16, 57
freuen (sich) AUF WEN/WORAUF 11, 25, 38, 44, 60 ...
freuen (sich) ÜBER WEN/WORÜBER 34, 35, 36, 38, 41 ...
Freund/in der/die -e/-nen 22, 25, 27, 51, 62
freundlich 12, 92, 95, 100, 111 ...
freundlichen: mit freundlichen Grüßen 39, 44, 51, 69, 92 ...
frieren, fror, hat gefroren 61
frisch gebacken 56
Frisör/in der/die -e/-nen 48
froh 40, 60
früh 27, 41
früher 21, 22, 64, 65, 80
Frühstück das -e 101
Frühstücksbüfett das -s 96
fühlen (sich) WIE 72
fühlen WAS 34
führen *(Besuchergruppe)* 23, 80
führen *(Gespräch, Leben)* 22, 27, 73, 83, 95 ...
führend 25
Führung die -en *(durch den Betrieb)* 80, 105
Führung *(= Leitung)* die 74
Fünftel das - 73
fünfziger: in den fünfziger Jahren 61
Funktelefon das -e 9
Funktion die -en 70, 71, 84, 86, 87 ...
funktionieren (WIE) 81, 88
Fuß: zu Fuß 48, 96, 99
Fußball der 62
Fußgängerzone die -n 440

G

Gabelstapler der - 13, 83
ganz 10, 13, 17, 23, 34 ...
Ganze das 73, 84, 87
gar nicht 35
Garderobe die -n 68
Gärtner/in der/die -/-nen 13
Gas das -e 74
Gasse die -n 62
Gast der Gäste 13, 16, 46, 80, 81 ...
Gastronomie die 22
geb. (= geboren) 28
Gebäude das - 62, 72, 74, 100, 101 ...
Gebiet das -e 47, 62, 63
Gebirge das - 25
geboren 8, 9, 28
Gebühr die -en 44, 83, 110, 111, 112
gebührenfrei 44
Geburt die -en 8, 9, 28
Geburtstag der -e 28, 34, 38
gedeckt 15
geehrte_: Sehr geehrte Frau .../ Sehr geehrter Herr ... 39, 69, 92, 95, 112
geeignet 92
Gefahr die -en 36
gefährlich 25
gefallen WEM gefällt, gefiel, hat gefallen 10, 16, 41, 64, 109
Gefühl das -e 34
gegebenenfalls 86
gegen AKKUSATIV 25, 27, 41
Gegenargument das -e 97
Gegend die -en 64
Gegengrund der -gründe 25, 97
Gegensatz der -sätze 84
Gegensprechanlage die -n 59
Gegenstand der -stände 32, 33, 82
Gegenvorschlag der -schläge 105, 113
Gegenwart die 28
Gehalt das Gehälter 57, 72, 74
Gehäuse das - 84
gehen WOHIN ging, ist gegangen 21, 34, 35, 36, 46 ...
gehen: Es geht um ... 60, 74, 88, 96, 104 ...
gehen: Wie geht es? (WEM) 47, 49, 61
gehören WEM 39
gehören WOHIN 95
gehören WOZU 62, 65, 74, 81
Gelände das 96
gelb 14
Geld das -er 27, 39, 57, 74
Geldeingang der -gänge 92, 93
Gelegenheit die -en 60
gelten, gilt, galt, hat gegolten 22
geltende_ 74
gemäß DATIV 92
gemeinsam 51, 108, 117
Gemeinschaftsunternehmen das - 116
gemütlich 96
genau 16, 23, 39, 69, 85 ...
genau so wie 44, 47
genug 25, 38, 47, 50
genügend 87
Genussmittel das - 118
Gepäck das 98
gerade *(= vor kurzer Zeit)* 24, 35, 98
Gerät das -e 13, 28, 32, 34, 70 ...
gern 13, 38, 39, 44, 51 ...
Gerücht das -e 57
Gesamt-/gesamt- 44, 74, 92, 106
Geschäft das -e 12, 15, 16, 17, 44 ...
Geschäfte: Wie gehen die Geschäfte? 12, 16
geschäftlich 98
Geschäftsbrief der -e 105
Geschäftsführung die -en 60, 76
Geschäftskorrespondenz die 104, 105, 113
Geschäftsstraße die -n 44
Geschäftswelt die 47
Geschenk das -e 38, 48, 50, 76, 107
Geschichte *(des Unternehmens)* die 58, 59
geschult 125
Geschwindigkeit die -en 58
Geschwister PLURAL 28, 52
gesellig 108
Gesellschaft die -en 44
gesichert 28

Gesicht das -er 10
Gesichtspunkt der -e 10, 24, 44, 69
Gespräch das -e 10, 11, 12, 16, 26 ...
gestalten WAS 81
gestern 17, 47, 111
Gesundheit die 60, 74
gesundheitlich 72
Gesundheitszeugnis das -se 22, 68
Getränk das -e 106, 107, 108
gewährleisten WAS 125
Gewerbe das - 104
Gewerbegebiet das -e 120
gewerblich 44, 74, 120
Gewinn der -e 74, 117
gewinnen WAS/WEN gewann, hat gewonnen 61, 104
gezielt 72
ggf. (= gegebenenfalls) 105
gibt: es gibt 8, 16, 22, 25, 26 ...
Glas das Gläser 86, 87, 93
glauben (WEM) WAS 11, 14, 34, 49, 52 ...
gleich 52, 100
gleich bleiben, blieb gleich, ist gleich geblieben 125
gleitend: gleitende Arbeitszeit die 72
Glück das 47, 60
glücklich 56, 60
Glückwunsch der -wünsche 56, 60
GmbH (= Gesellschaft mit beschränkter Haftung) die -s 41
Gong der 49
Gott: Grüß Gott! 94
Grafik die -en 83, 84
Grafiker/in der/die -/-nen 9
graphologisch 26, 27
Gras das Gräser 58
grau 15
Grenze die -n 62
Griff der -e 82
groß 10, 44, 52, 58, 64 ...
Großbetrieb der -e 25
Großbritannien (das) 9
Größe die -n 36, 52, 84, 88, 94 ...
Großhandel der 117
Großstadt die -städte 62, 63, 64
großzügig 120
grün 41, 58, 87, 96
grün: im Grünen 96
grün: ins Grüne 64
Grund der Gründe 17, 20, 23, 25, 97
gründen WAS 56, 58, 59, 62, 63 ...
Gründer/in der/die -/-nen 55, 58
Grundkenntnisse PLURAL 20, 28
Grundlage die -n 104, 105, 110
Grundschule die -n 28
Gründung die -en 59
Gruppe die -n 8, 9, 17, 21, 22 ...
Gruß der Grüße 51, 52, 69, 113
Grüß: Grüß Gott! 98
Grüße: mit freundlichen Grüßen 39, 44, 51, 69, 92 ...
grüßen WEN 45, 46, 112
gültig 74, 92
Gültigkeit die 124
Gummi der/das -s 15
günstig 12, 44, 62, 97, 100
gut 13, 14, 16, 20, 24 ...
gut: gut eine Stunde 12
Gutachten das - 27
Gutschein der -e 38
gutschreiben *(Betrag)* WEM schrieb gut, hat gutgeschrieben 110
Gymnasium das Gymnasien 28

H

Haar das -e 10, 14
Haftpflicht die 23
halb 20, 52, 58
halb: um halb fünf 22, 51
Halbjahr das -e 118
Hälfte die -n 62, 73, 111
Halle die -n 62
Hallenschwimmbad das -bäder 63, 96
Hals der Hälse 10
halten *(Leistungsstand, Niveau)* hält, hielt, hat gehalten 125
halten WAS hält, hielt, hat gehalten *(Rede, Vortrag)* 13, 61, 80, 81
halten WEN/WAS WOFÜR hält, hielt, hat gehalten 72, 82
halten: die Augen offen halten 51
Hammer der Hämmer 82
Hand die Hände 56
Hand: Hand in Hand 120
Handel der 104
Handelskammer die -n: die Industrie- und Handelskammer (IHK) 120
Händler/in der/die -/-nen 88
Handwerker/in der/die -/-nen 120
handwerklich 58
Hang der Hänge 62
Hardware die 84, 88
Harddisk die -s 84
hässlich 10
Haube die -n 15
häufen (sich) 111
häufig 84
haupt-/Haupt- 22, 41, 53, 56, 69 ...
Haupteinheit die -en 84
Hauptgebäude das - 100, 101
Hauptgeschäftsstraße die -n 44
Haus *(= Firma)* das Häuser 39, 48
Haus das Häuser 27, 62, 63
Haus: frei Haus 92
Haus: zu/nach Hause 17, 35, 46, 47, 82 ...
Hausarbeit die -en 22
Hausgerät das -e 116, 125
Haushalt der -e 28
Hausmann der -männer 17
Hausmeister/in der/die -/-nen 40, 41, 110
Hd.: zu Hd. (= zu Händen) 100
heften WAS WOHIN 109
Hefter der - 32
Heimat die 62
heiraten (WEN) 61
heißen WIE hieß, hat geheißen 8, 16, 40, 82, 84 ....
heißt: das heißt 81
Heizung die -en 106, 107
hektisch 64
helfen WEM (WOBEI) hilft, half, hat geholfen 22, 40, 41, 74, 83 ...
Hemd das -en 15
Herbst der 104
Herr der -en 8, 35, 38
herstellen WAS 58, 62, 63
Hersteller/in der/die -/-nen 58, 62
Herstellung die 58, 73
herzlich 12, 56
Herzstück das -e 84
heute 16, 22, 34, 39, 40 ...
hier 11, 16, 21, 35, 48 ...
hierbei 109
High-Tech die 74
Hilfe die -n 27, 35, 49, 61, 72 ...
Hilfe: mit Hilfe GENITIV 29, 49, 77, 93, 95 ...
hinaus: über ... hinaus 62
hinausschauen: zum Fenster hinausschauen 14, 17
hingehen, ging hin, ist hingegangen 49
hinten 33
Hinterachse die -n 62
hinterher 26
Hinweis der -e 22, 74
hinweisen WORAUF/AUF WEN wies hin, hat hingewiesen 72, 100, 119
historisch 62, 63
Hobby das -s 9, 27, 28, 52, 65 ...
hoch 14, 25, 44, 47, 57 ...
hochheben WAS hob hoch, hat hochgehoben 86, 87
Höchst-/höchst- 74
höchste_ 47
Hochzeit die -en 28, 50
Hof der Höfe 44
hoffen WAS/WORAUF/AUF WEN 39, 100, 119
hoffentlich 57, 95
Hoffnung die -en 57, 112
höflich 98
hohe_ 14, 104
Höhepunkt der -e 58
höher 44, 113
Holding die -s 124
holen WEN/WAS (WOHER) 35
Homöopathie die 9
hören WAS 9, 10, 11, 12, 16 ...
Hörer/in der/die -/-nen 45
Hörtext der -e 34, 108
Hörverständnis das 22, 24
Hose die -n 15
Hotel das -s 12, 13, 45, 46, 48 ...
hübsch 14
hungern 61
Hydraulik die 76
hygienisch 15

I

i.A. (= im Auftrag) 92, 95
ideal 65
Idee die -n 27, 33, 53, 56 ...
Identifikation die 98, 99
identifizieren WAS (ALS WAS) 45, 82
immer 22, 81
immer: immer noch 25
immerhin 56
Immobilie die -n 44
Inbusschlüssel der - 82
indem KONJUNKTION 87, 89
Individualist/in der/die -en/-nen 25
individuell 62, 104
Industrie die -n 62, 63, 64, 122

Industrie- und Handelskammer (IHK) die -n 120
Industriedesign das 28
industriell 58
Info die -s 25, 68, 76, 113
Informatik die 17
Information die -en 46, 58, 69, 72, 73 ...
informativ 117
informell 108, 109
informieren WEN (WORÜBER) 45, 56, 72, 77, 80 ...
informieren (sich) WORÜBER/ÜBER WEN 63
Infrastruktur die 62
Ingenieur/in der/die -e/-nen 9, 60, 61, 80
Inhaber/in der/die -/-nen 121
Inhalt der -e 104, 105
Inhaltsverzeichnis das -se 73, 74
Initiative die -n 25
innerhalb GENITIV 92
insgesamt 23, 28, 62
installieren WAS 88, 106, 120
instand halten WAS hält instand, hielt instand, hat instand gehalten 71
intelligent 36
intensiv 21
Intensivkurs der -e 21, 24, 28
interessant 11, 13, 25, 44, 47 ...
Interesse das -n 25, 74, 76, 124
Interessent/in der/die -en/-nen 112
interessieren WEN 41
interessieren (sich) für FÜR WEN/WOFÜR 35, 36, 38, 45, 72 ...
intern 40, 77
international 23
interviewen WEN 80
investieren WAS/WIE VIEL 118
Investition die -en 56, 118
inzwischen 65
irren (sich) 35, 40, 49
Irrtum der -tümer 22, 34, 35, 38, 39
Isolierband das -bänder 82
IVV die (= Immobilien Vermietung und Verwaltung) 44, 45, 46

J

Jahr das -e 20, 22, 24, 25, 29 ...
jahrelang 20
Jahreszahl die -en 59
Jahrgang der -gänge 56, 60
jährlich 56
japanisch/Japanisch 97
Jeans PLURAL - 14, 15
jede_ 34, 35, 38, 41, 52 ...
jemand 8, 14, 17, 49, 71 ...
jetzt 17, 22, 47, 58, 68 ...
jeweils 108
Job der -s 61
Joint Venture das -s 116
Jubilar/in der/die -e/-nen 56
Jubiläum das Jubiläen 56, 57, 60, 62
jung 14, 20, 22, 51, 62 ...
Jurist/in der/die -en/-nen 9

K

Kabel das - 32, 82, 88
Kaffee der -s 17, 26, 27, 32, 33 ...
Kalender der - 28, 32, 39
Kalenderwoche die -n 39
Kalkulation die -en 81
kalkulieren WAS 48
kalt_: das kalte Büfett 120
Kamera die -s 25, 82
Kantine die -n 15, 25, 38, 72, 73 ...
Kapazität die -en 84, 85, 87, 118
Kapital das 118
kaputt 34
kariert 107
Karosserie die -n 62
Karriere die -n 60, 64
Karte *(= elektronisches Bauteil)* die -n 85
Kartei die -en 37
Karteikarte die -n 71
Kartenabfrage die -n 104, 109
Kasse die -n 50, 53
Kassette die -n 86, 87
Kästchen das - 53
Kasten der Kästen 11, 82, 88
Katalog der -e 116
Kauf: in Kauf nehmen WAS 96
kaufen WAS 27, 33, 38, 58, 65 ...
Kauffrau die -en 9, 83
Kaufmann der -leute 9, 21, 22, 83
kaufmännisch 9, 70, 73
kaum 57
Kegelabend der -e 34, 35
kegeln 48
Keller der - 44, 65
Kellner/in der/die -/-nen 53
kennen WEN/WAS 25, 52, 84
kennen lernen WEN/WAS 8, 70, 80
Kenntnis die -se 9, 20, 21, 23, 24 ...
Kenntnis: zur Kenntnis nehmen 93
Kfz-Mechaniker/in der/die -/-nen 83
Kind das -er 13, 46, 56
Kindergarten der -gärten 13
Kindergärtner/in der/die -/-nen 13
Kirche die -n 44
Kiste die -n 41, 82, 83
Klammer die -n 53
klappen: Das klappt (nicht) 36, 40, 41
klar 22, 23, 24, 51
klären WAS 94
Klasse die -n 20
Klavier das -e 28
kleben WAS (WOHIN) 109
Kleid das -er 14
Kleidung die 15, 72, 73, 74, 108
klein 10, 14, 17, 25, 33 ...
Kleinbetrieb der -e 25
Kleingruppe die -n 26
Kleinigkeit die -en 35
Kleinwagen der - 58
Klient/in der/die -en/-nen 13
klingen WIE klang, hat geklungen 13, 50, 51
klingen: Das klingt interessant. 13
klug 36
knapp 12, 61, 63, 98
kochen (WAS) 17, 25, 46
Kohle die 62
Kollege/Kollegin der/die -n/-nen 10, 17, 24, 35, 45 ...
Komfort der 100, 117
komfortabel 12, 124
kommen *(auf eine Idee)* kam, ist gekommen 111
kommen WOHER kam, ist gekommen 9, 10, 24, 62
kommen WOHIN kam, ist gekommen 12, 33, 34, 35, 39 ...
kommende_ 112
kommentieren WAS 49
Kommunikation die -en 36, 41, 89
Kompaktkurs der -e 104
Kompaktwagen der - 62
kompatibel 89
kompetent 80
komplett 76, 124
kompliziert 84, 98, 111
Komponente die -n 58, 62, 63, 76, 85 ...
Konditionen PLURAL 100, 101, 120
Konferenz die -en 15, 17, 22, 65, 96 ...
Konflikt der -e 74
Konkurs der -e 121
können WAS kann, konnte, hat gekonnt/können 8, 11, 13, 16, 17 ...
konstruieren WAS 62
konstruiert 98
Konstruktion die -en 70, 73
Konto das Konten 72
Kontrolle die -n 74, 92
kontrollieren WEN/WAS 50, 80, 83, 93
konzentrieren (sich) WORAUF 14, 72, 118
Konzept das - e 81, 104
Konzern der -e 58, 124
Konzert das -e 62, 63, 65
konzipieren WAS 62
Kopie die -n 14, 17, 40, 86, 87 ...
kopieren WAS 65, 85, 86, 87, 88 ...
Kopierer der - 38, 80
Kopiergerät das -e 65, 86
Kopierpapier das 39, 41
Körner der - 82
korrekt 36, 111
Korrespondenz die -en 13, 80, 83, 112
Korrespondenztest der -s 23
korrigieren WAS 94, 100, 106
Kosten PLURAL 22, 56, 97, 111
kosten WIE VIEL 38, 58, 59, 98, 104 ...
kostenlos 101
Kostüm das -e 15
Kraftfahrer/in der/die -/-nen 28
krank 22, 23, 36, 48, 49 ...
Krankenhaus das -häuser 13, 106
Krankenkasse die -n 73
Krankenversicherung die -en 22
Krankheit die -en 23
Krawatte die -n 15
Kreativität die 105
Kreis *(= Personengruppe)* der -e 23
Kreuz das -e 82
Krieg der -e 61
kriegen WAS 47
Krise die -n 62
kritisch 26, 28, 74, 111
kritisieren WEN/WAS 57, 119
Küche die -n 53, 97
Kühlschrank der -schränke 32, 96
Kühltechnik die -en 122
Kultur die -en 64
kulturell 62

kümmern (sich) UM WEN/WORUM 36, 70, 80, 81
Kunde/Kundin der/die -n/-nen 11, 12, 13, 37, 44 ...
Kundendienst der 11, 70
kundenfreundlich 12
Kundenkartei die -en 37
kundenorientiert 12
Kunsteisbahn die -en 62, 63
Kunststoff der -e 62
Kurs der -e *(Sprachkurs)* 9, 21, 22, 35, 55 ...
Kursplatz der -plätze 113
kurz 10, 45, 52, 69
kurz-/Kurz- 10, 38, 49, 104, 108, 109 ...
kurzfristig 111
KW die -s (= Kalenderwoche die) 39, 76

L

Labor das -s 11, 13, 55, 56, 70 ...
Lächeln das 14
Lack der -e 62
lackieren WAS 62, 63
laden *(eine Datei)* lädt, lud, hat geladen 88, 89
Laden der Läden 44
Ladengeschäft das -e 44
Laderampe die -n 53
Lage die -n 44, 62, 96, 97, 101 ...
Lager das - 22, 28, 40, 41, 44 ...
Lampe die -n 32, 106, 110
Land das Länder 8, 9, 21, 22, 97 ...
landesweit 62
Landwirtschaft die 22
lang 10, 24, 25, 51, 56 ...
lange 23, 25, 39, 52
lange: wie lange? 12, 16
langfristig 118
langjährig 56
langsam 59
langweilig 27, 51
lassen: Du lässt nichts von dir hören 47
lassen, lässt, ließ, hat gelassen/lassen: Lassen Sie ...! 57, 89
Lastwagen der - 101
Latein das 9
Laubfrosch der -frösche 58
laufen, läuft, lief, ist gelaufen: Da ist etwas falsch gelaufen 39, 45
laufen, läuft, lief, ist gelaufen 58, 59, 73
Laufwerk das -e 84, 85, 88
Laune die -n 34
laut *(≠ leise)* 12, 22, 28, 96
laut DATIV 75, 86
lauten WIE 8, 85, 108
läuten *(das Telefon)* 8, 34
leben 62, 63
Leben das - 27, 28, 60, 65
Lebenshaltungskosten PLURAL 65
Lebenslauf der -läufe 22, 23, 24, 28, 29 ...
Lebensmittel PLURAL 68
ledig 46
leer 44
legen WAS WOHIN 86, 95
legen: Wert legen WORAUF 62, 96
Lehrbuch das -bücher 13, 104
Lehre die -n 56, 60, 61
Lehrling der -e 50, 80, 81
Lehrmaterial das -materialien 104
Lehrunterlage die -n 81
Lehrwerkstatt die -stätten 55, 67
Leid: Leid tun WEM tat Leid, hat Leid getan 39, 49, 57, 111
leider 39, 49, 112
Leistung die -en 60, 74, 93, 101
leistungsfähig 117
leiten WAS 11, 60, 61, 71, 108
Leiter/in der/die -/-nen 9, 11, 28, 45, 50 ...
Leitung die -en 21, 60, 70, 74, 107
lernen WAS 9, 17, 20, 21, 22 ...
Lernmotivation die -en 20
lesen WAS liest, las, hat gelesen 14, 20, 24, 28, 34 ...
letzte_ 17, 22, 23, 28, 80 ...
Leute PLURAL 13, 14, 20, 22, 34 ...
Licht das -er 89
lieb 52
liebe_: Liebe Julia, ... 47
lieber 8, 13, 15, 26, 38 ...
Lieblings- 109
liebsten: am liebsten 9, 81
Liefer- 39
Lieferant der -en 102
liefern (WEM) WAS 13, 34, 39, 40, 41 ...
Lieferschein der -e 37, 40, 41, 92, 93 ...
Lieferung die -en 22, 34, 35, 36, 40 ...
liegen AN WEM/WORAN lag, hat gelegen 88
liegen WO lag, hat gelegen 10, 44, 62
Linie: in erster Linie 120
linke_ 47, 95
links 33, 72, 94
Lippe die -n 10
Liste die -n 88, 112
Literatur die -en 38
loben WEN/WAS 120
lochen WAS 106, 107
Locher der - 32, 93
locker 72
Logistik die 71
Logo das -s 106
Lohn der Löhne 74, 80
Lohnsteuerkarte die -n 22, 23, 68, 75
Lokalteil der -e 118
los: Was ist (mit Ihnen) los? 34
los: Es geht los. 63
löschen *(Daten)* 85, 88
lösen *(Problem, Aufgabe)* 50
losgehen, ging los, ist losgegangen 52
Lösung die -en 36, 41, 38, 76, 88 ...
Luftfahrt die 124
lustig 36
Luxus der 58

M

machen (sich) *(an die Arbeit)* 52
mahnen WEN 83
Mahnung die -en 83
Mailing das -s 104
mal *(= einmal)* 17, 22
Mal: ein paar Mal 94
Mal: zum ersten Mal 16
manchmal 24
Mangel der Mängel 22, 120
mangels GENITIV 112
Mann der Männer 14, 17, 35, 82
männlich 74
Mantel der Mäntel 15
Mappe die -n 94
Marketing das 9, 11,70, 71, 77 ...
Markt der Märkte 44, 51, 58, 62, 68 ...
Marktführer/in der/die -/-nen 116
Marktlücke die -n 124
Marktposition die -en 56, 123
Maschine die -n 13, 25, 32, 33, 59 ...
Maschinenbau der 60, 124
Massage die -n 50
Maßband das -bänder 82
maßgebend 74
maßgeschneidert 104
Maßnahme die -n 89, 104, 105, 110, 111 ...
Material das Materialien 13, 21, 22, 32, 40 ...
Maus die Mäuse *(Teil des Computers)* 84, 85
maximal 124
mediengestützt 104
Medium das Medien 84, 104
medizinisch 83
mehr als 13, 44, 46, 64
mehr: nicht mehr 34
Mehrarbeit die -en 73, 75
mehrere_ 32, 109
mehrmals 104
meinen WEN/WAS 14, 25, 49, 52, 82 ...
meinetwegen 49
Meinung die -en 15, 27, 32, 36, 96 ...
Meinung: anderer Meinung sein 15, 119
Meinung: meiner/Ihrer Meinung nach 32, 36, 51
meiste_ 24, 63, 81
melden (WEM) WAS 34, 119
melden (sich) (BEI WEM) 34, 35, 45, 69, 73 ...
Meldung die -en 85, 116
Memo das -s 41, 107, 110, 113
Menge die -n 37, 92, 93
Mensch der -en 25, 61, 62, 64
Merkblatt das -blätter 23, 72
Messe die -n 11, 25, 94
Messebeteiligung die 76
Messegelände das 96, 99 100
Messer das - 82
Messestand der -stände 76, 95
Messgerät das -e 81, 83
Messung die -en 80, 81
Metaplan das 104, 109
Methode die -n 104, 105
Miete die -n 44, 50
Mietpreis der -e 44
Mikrofon das -e 81
Mikroprozessor der -en 84, 85
Million die -en 58
mindestens 23, 60, 80
Minute die -n 12, 16, 17, 41
Mitarbeit die 24
mitarbeiten (WOBEI) 22
Mitarbeiter/in der/die -/-nen 9, 11, 21, 27, 38 ...
mitbringen WAS brachte mit, hat mitgebracht 23, 68, 69, 74, 75
miteinander 108, 109

mitfahren (WOHIN) fährt mit, fuhr mit, ist mitgefahren 52
Mitglied das -er 22, 60
mithalten (MIT WEM) hält mit, hielt mit, hat mitgehalten 120
mitkommen (WOHIN) kam mit, ist mitgekommen 10
mitnehmen WAS nimmt mit, nahm mit, hat mitgenommen 101
Mittag der -e 40, 46, 72, 94
Mittagessen das - 48, 50, 72, 76, 108
Mitte die 23, 33
mitteilen (WEM) WAS 23, 26, 46, 50, 95, 110, 112, 113
Mitteilung die -en 112, 113
Mittel das - 84
mittelalterlich 62
Mittelpunkt der -e 62
mittelständisch 124
mitten in 10
Mixer der - 116
Möbel PLURAL 24, 32, 44, 53, 97
Mobilität die 125
Mobiltelefon das -e 8
Modell das -e 58, 104, 110, 116, 125
Modem das -s 82
modern 10, 47, 62, 63, 64 ...
modernisieren WAS 58, 59, 74, 118
möglich 38, 49, 65, 81, 99 ...
Möglichkeit die -en 16, 22, 25, 62, 96
Moment der -e 24, 99
Moment: im Moment 22
Monat der -e 21, 22, 23, 24, 28 ...
monatlich 24
Monitor der -e(n) 84, 85
Montage die -n 15, 58, 62, 68, 70 ...
Montageband das -bänder 58
Monteur/in der/die -e/-nen 56
montierbar 124
montieren WAS 58, 80
morgen 17, 27, 34, 35, 38 ...
Motivation die 20
motivieren WEN 105
Motor der -en 58, 62, 82
MTA (= Medizinisch-Technische/r Assistent/in) die/der -s 83
mündlich 20, 26
Mundschutz der 15
Museum das Museen 62, 63, 64
Musical das -s 16, 62
Musik die 16, 35, 51
müssen WAS muss, musste, hat gemusst/ müssen 20, 21, 22, 27, 38 ...
müssen WOHIN muss, musste, hat gemusst/ müssen 22, 23
Mutter die Mütter 28
Muttersprache die -n 9, 21
Muttertag der 29
MwSt. (= Mehrwertsteuer) die 92, 93

N

Nachbar/in der/die -n/-nen 28, 61, 82
Nachfolger/in der/die -/-nen 56
Nachfrage die -n 101, 112
nachfüllen WAS 86, 87
Nachhauseweg der -e 50
Nachkriegsmodell das -e 55
Nachmittag der -e 48, 49
Nachricht die -en 26, 28, 46, 51, 56 ...
nachrüsten WAS (WOMIT) 88, 89
nachsehen WAS sieht nach, sah nach, hat nachgesehen 87
nachsprechen WAS spricht nach, sprach nach, hat nachgesprochen 110
nächste_ 17, 22, 23, 39, 49 ...
nachstellen *(= genauer einstellen)* WAS 86, 87
nächstes: als nächstes 87
Nacht die Nächte 17, 38, 51
Nachteil der -e 25
Nagel der Nägel 82
nah 62, 99
Nähe die 12, 44, 63, 65, 96 ...
nahe gelegen 62
Nähmaschine die -n 58
Nahrungsmittel das - 118
Name der -n 8, 9, 16, 26, 27 ...
nämlich 105
Nase die -n 10
Nationalfeiertag der -e 28, 29
Nationalhymne die -n 8
Nationalität die -en 9
Nationaltheater das - 16
Natur die 62
natürlich 9, 13, 15, 24, 52 ...
neben DATIV/AKKUSATIV 33
neben DATIV *(= außer)* 62, 74
Nebengebäude das - 100, 101
nebenstehend 76
negativ 24, 96
nehmen WAS (WOHER) nimmt, nahm, hat genommen 22, 24, 25, 86, 87 ...
nennen *(Daten, Zahlen, Wörter)* nannte, hat genannt 23, 25, 28, 88, 97
nennen WEN/WAS WAS nannte, hat genannt 82, 84, 88
nett 14, 25, 35, 51, 64 ...
Netz das -e 88, 89
neu 8, 10, 11, 13, 17, 21 ...
Neubau der -bauten 44, 47, 62
Neuheit die -en 27
Nichtraucher/in der/die -/-nen 74, 96, 99
nichts 81
nie 17, 46, 81
niederlassen (sich) WO lässt sich nieder, ließ sich nieder, hat sich niedergelassen 120
Niederlassung die -en 24, 59, 69, 70, 73 ...
niedrig 47, 65
niemand 34, 47
Niveau das -s 125
niveauvoll 100
noch 23, 25, 69, 72
noch: immer noch 25
noch: noch nicht/nie 17, 46, 52, 81
noch einmal 34, 45, 52, 53, 88 ...
nochmals 120
Norden: im Norden von ... 10, 17
normalerweise 22, 32, 45, 52, 84 ...
Not die Nöte 82
Note die -n 28
Notebook das -s 82
Notfall der -fälle 74
notieren WAS 16, 25, 29, 40, 65 ...
nötig 68, 87
nötigenfalls 86, 87
Notiz die -en 16, 26, 27, 36, 40 ...
Notizblock der -blöcke 32
notwendig 23, 69, 74, 110, 111 ...
Nr. (= Nummer) 39, 92, 94
Nummer die -n 37, 39, 45, 58, 65 ...
numerisch 84
nun 88, 101, 110
nur 10, 20, 24, 25, 40 ...
nutzen WAS 80, 104
nützlich 117

O

o.a. (= oben angeführt) 39
ob 100, 105
oben 71, 94
Objekt das -e 44, 45, 47, 50
Obst das 41
obwohl KONJUNKTION 24, 25, 26, 97
offen 51
offen halten WAS hält offen, hielt offen, hat offen gehalten 51
öffentlich 122
Öffentlichkeit die 118, 124
Öffentlichkeitsarbeit die 118
öffnen WAS 40
oft 17, 25, 29, 46, 47 ...
öfter 46
OG (= Obergeschoss) das -s 44
ohne AKKUSATIV 22, 76, 81, 104, 109
OHP (= Overheadprojektor) der -s 106, 110
Ohrhörer der - 81
Ohrring der -e 14
ökonomisch 105
Oper die -n 16, 62
Operette die -n 62
optimieren WAS 89
optimistisch 61
ordnen WAS 21
Ordner der - 14, 32, 94
Ordnung die -en 35, 49, 68, 73, 74 ...
Ordnung: Das geht in Ordnung 49
Ordnung: in Ordnung bringen 35
ordnungsgemäß 37, 92
Ordnungszahl die -en 21
Organigramm das -e 70, 71, 74, 76
Organisation die 25, 36, 41, 64, 105
Organisator/in der/die -en/-nen 80
organisieren WAS 39
orientieren (sich) WORAN/AN WEM 76
Original das -e 86, 87, 93
originell 51
Ort der -e 8, 9, 15, 23, 62 ...
Osten: im Osten von ... 10
Ostern (das) auch: PLURAL 29, 94
Österreich (das) 9, 28
oval 10
Overall der -s 15
Overheadprojektor der -en 81, 82, 83

P

paar: ein paar ... 11, 22, 26, 27, 51, 94, 110
Paket das -e 92
Palette die -n 37, 39, 40, 41, 92 ...
Panne die -n 111
Papier das 32, 39, 40, 41, 47 ...

Papierkorb der -körbe 32, 94
Paradies das -e 62
Pärchen das - *(Paar)* 17
Park der -s 62, 96, 97
parken (WO) 22, 72, 73, 96
Parkplatz der -plätze 44, 72, 75
Partner/in der/die -/-nen 26, 28, 65, 104, 105 ...
Party die -s 27, 80
Partyservice der 100
passen WEM 45, 52
passen WOHIN 88
passen ZU WEM/WOZU 15, 45, 58, 60, 64 ...
passende_ 10, 15, 17, 34, 45 ...
Passfoto das -s 68, 69
passieren 34, 35, 37, 39, 41 ...
Passwort das -wörter 89
Patent das -e 58
Patient/in der/die -en/-nen 13
Pause die -n 34, 40, 72, 94, 100 ...
PC (= Personalcomputer) der -s 80, 81, 83, 88, 89 ...
Pech das 47
peinlich 111
pendeln WO 9
pensionieren WEN 56
Pensionierung die -en 57
per: per Telefon 41
Peripherie die -n 84, 85
Person die -en 8, 38, 45, 57, 59 ...
Personal das 13, 44, 45, 50, 53 ...
Personalabbau der 76, 118, 119
Personalakte die -n 68, 70
Personalausweis der -e 68
Personalführung die 105
personell 74
persönlich 9, 17, 23, 28, 57 ...
Perspektive die -n 33, 87
Pfarrkirche die -n 16
Pflanze die -n 13, 32
Pflege die 22
Pflicht die -en 74, 75
Pförtner/in der/die -/-nen 13, 40, 69, 70, 75 ...
phantastisch 65
Phase die -n 56
Pinnwand die -wände 106
Pizzeria die Pizzerien 46
Plan *(Planungspapier)* der Pläne 100
Plan der Pläne 22, 45, 48, 50, 53 ...
planen WAS 47, 48, 50, 52, 77 ...
Planetarium das Planetarien 62
Planung die -en 41, 50, 53, 60, 65 ...
Platte die -n 86, 87
Platz *(= Ort)* der Plätze 33
Platz: Nehmen Sie Platz! 12, 26, 27
Platz *(= Raum)* der 62
Plenum das 108, 109
Plotter der - 84
plötzlich 39, 88
PLZ (= Postleitzahl) die 37, 105
polizeilich 22
Position *(im Unternehmen)* die -en 9, 11, 27, 76
positiv 24, 51, 96
Postfach das -fächer 69
Praktikum das Praktika 21, 23, 69
praktisch 15, 21, 23, 61, 104 ...
Prämie die -n 56, 57
prämieren WAS 56
Präsentation die -en 83
präsentieren WAS 41, 83
Praxis die 24, 48
präzise 117
Preis der -e 44, 85, 93, 97
Preis *(= Auszeichnung)* der -e 60, 61, 104, 105, 113
preisgünstig 62, 96
preislich 120
Preisliste die -n 92
Priorität die -en 104, 108
privat 9, 28, 105, 120
pro: pro Tag 20, 23, 58, 101
probieren WAS 97
Problem das -e 36, 41, 69, 72
Produkt das -e 55, 58, 59, 61, 74 ...
Produktfeld das -er 124
Produktion die -en 58, 62, 63, 64
Produktpalette die -n 74, 116
produzieren WAS 58, 59, 63, 120
profitieren VON WEM/WOVON 125
Programm das -e 16, 22, 23, 58, 64 ...
programmieren WAS 64
Projekt das -e 56, 73, 106
Prokura die Prokuren 9
Prokurist/in der/die -en/-nen 9, 56
Prospekt der -e 100, 116
Prozess *(technisch)* der -e 80
prüfen WAS 35, 44, 47, 81, 104
Prüfer/in der/die -/-nen 49
Prüfung die -en 11, 21, 23, 24, 26 ...
PS (= Pferdestärke) 58
psychologisch 27
Pullover der - 15
Punkt der -e 26, 45, 72
Punkteabfrage die -n 104
pünktlich 22, 40, 41, 69
Pünktlichkeit die 46, 74
Putzfrau die -en 83
Putzkolonne die -n 57

Q

Qi Gong das 17
qm (= Quadratmeter) 44
Qualifikation die -en 23
qualifiziert 62
Qualifizierung die -en 65
Qualität die -en 36, 38
Qualitätssicherung (QS) die 11, 70, 71, 73, 76 ...
Quelle *(für Informationen)* die -n 118

R

Radiergummi der -s 32
Rahmen der - 108
rasch 95
Rationalisierung die -en 36, 60
rauchen 26, 27, 72, 74, 75
Raucher/in der/die -/-nen 52, 73, 74, 99
Raucherecke die -n 14
Raum der Räume 35, 44, 53, 65, 76 ...
rausschicken WAS/WEN 106
reagieren AUF WEN/WORAUF 26, 38, 49, 57, 111
Rechenmaschine die -n 59, 82
Rechner der - 85, 88
Rechnung die -en 34, 80, 92, 93, 94 ...
Rechnungswesen das 70
recht 51
recht: recht gut 20
Recht: Recht haben 83
rechte_ 47, 56
rechts 33, 37, 49, 92, 108 ...
rechtzeitig 22, 69
Redakteur/in der/die -e/-nen 80
Rede die -n 13
Redemittel das - 16
reden (MIT WEM) ÜBER WEN/WORÜBER 36, 47
reduzieren WAS 56
Referat das -e 61, 109
Referent/in der/die -en/-nen 69, 81
Referenz die -en 14
Regal das -e 32, 33, 44, 50, 94 ...
Regel die -n 27, 45, 50, 72, 75 ...
regelmäßig 46, 65, 89
regeln WAS 69
Regelung die -en 22, 73, 74
Region die -en 62, 64
regnen 34
reichhaltig 44
Reihe die -n 58
Reihenfolge die -n 34, 35, 53, 69, 81 ...
reinigen WAS 83, 93
Reinigung die -en 83, 93
Reinraum der -räume 15, 72
Reise die -n 12, 15, 17, 28, 46 ...
Reisekosten PLURAL 25
Reiseleiter/in der/die -/-nen 25
reisen (WOHIN) 80
Reisepass der -pässe 22
Reiseverkehr der 22
Reklamation die -en 11, 17, 92, 94, 95 ...
reklamieren 93, 111
Relation die -en 125
relativ 64
relaxen 9
renommiert 118
renovieren WAS 51
Renovierung die -en 44
renovierungsbedürftig 44
Reparatur die -en 11, 35, 41, 49, 93 ...
reparieren WAS 13, 35, 93
Reportage die -n 65
Repräsentanz die -en 118
Reserve die -n 63, 110
reservieren WAS 44, 45, 99, 100, 107
Reservierung die -en 100, 101
Rezeption die -en 101
Rhetorik die 105, 111, 112
richtig 15, 17, 26, 33, 38 ...
richtig *(= echt, geradezu)* 65, 113
riesig 62
Roboter der - 64
robust 64
Rock der Röcke 14, 15
Rohr das -e 82
Rohstoff der -e 62
Rolle die -n 100
Rollenspiel das -e 11, 23, 45, 104
romanisch 9
rückerstatten *(eine Zahlung)* (WEM) 110, 111

Rückfahrt die -en 22
Rückfahrticket das -s 22
Rückflug der -flüge 22
Rückfrage die -n 101
Rückgang der -gänge 125
Rücksprache die -n 112
rückwärts 8, 28
Rufanlage die -n 59, 65
rufen WEN rief, hat gerufen 65
Rufnummer die -n 8
Ruhe die 49, 72
Ruhestand der 55, 56, 57, 60
Ruhestand: in den Ruhestand gehen/ versetzen 56, 60
ruhig 12, 96, 101
ruinös 118
rund 10, 14, 51, 58, 62, 63 ...
rund: rund um das Werk 62
Runde *(Gruppe)* die -n 108, 109
Rundgang der -gänge 14, 17
russisch/Russisch 20, 21, 22, 23

S

Sachbearbeiter/in der/die -/-nen 9, 11, 13, 17, 80 ...
Sachbearbeitung die 80
Sache die -n 35, 39, 41, 49, 69 ...
Sachen: in Sachen ... 46
Safe der -s 32
Säge die -n 82
sagen WAS 13, 16, 20, 21, 22 ...
Saison die 22
Sammelfach das -fächer 86, 87
sammeln WAS 21, 23, 60, 86, 87 ...
Satz der Sätze 34, 49, 56, 59, 63 ...
sauber 12, 74
sauber machen WAS 74, 75
Sauna die -s 96, 101
Scanner der - 84
schade 112
schaffen WAS 60, 89
Schalter der - 86, 87
Schaltung die -en 70
Schaubild das -er 83
Schauspiel das -e 62
Schema das Schemata 89, 92
Schere die -n 32, 82
schick 14
schicken WEM/WOHIN WAS 22, 23, 24, 46, 57 ...
schief gehen 110
Schild das -er 74, 106, 107
schlafen, schläft, schlief, hat geschlafen 38, 51
schlank 52
schlecht 12, 36, 46, 47, 97 ...
schließen WOVON WORAUF schloss, hat geschlossen 84
schließlich 87, 96
schlimm 95
Schlitz *(Kreuzschlitz)* der -e 82
Schluss der Schlüsse 69, 113
Schluss: am/zum Schluss 87
Schlüssel der - 68, 74, 101
Schlussformel die -n 69
schmal 10, 47
schmecken WIE 97
schmutzig 12
Schneider/in der/die -/-nen 28
schnell 47, 64, 111
Schnittstelle die -n 84
schon 12, 22, 24, 26, 29 ...
schön 10, 64, 51
schön: Danke schön! 11
schonen WEN/WAS 89
Schrank der Schränke 32, 33
Schraube die -n 82
Schraubendreher der - 82
Schraubenschlüssel der - 83
Schraubenzieher der - 81, 82, 83
schreiben WEM WAS schrieb, hat geschrieben 10, 20, 21, 22, 23 ...
Schreiben das - 68, 69, 113
Schreibmaschine die -n 82, 84
Schreibpapier das 32
Schreibtisch der -e 32, 39, 94
Schreibwaren PLURAL 44, 53, 65
Schrift: in Wort und Schrift 28
schriftlich 20, 22, 26, 28, 74 ...
Schritt der -e 45, 86, 89
Schublade die -n 32, 33, 39, 94
Schuh der -e 14, 15
Schule die -n 13, 20, 21, 22, 24 ...
Schulung die 104
Schutz der 15, 21, 23, 72, 73 ...
schützen WEN/WAS 89
Schutzhelm der -e 15
Schutzzone die -n 74
schwach 59
schwarz 15, 72, 88
schwarze Brett das 72
schwer *(Gewicht)* 99
schwer *(= gravierend)* 57
schwer *(= schwierig)* 61
Schwerpunkt der -e 23
Schwester die -n 28, 47
schwierig 25, 26, 28, 56
Schwierigkeit die -en 24, 46, 88, 89
schwimmen, schwamm, ist geschwommen 22, 46
See der -n 62
Segelboot das -e 65
segeln 65
Segelpartie die -n 65
Segler/in der/die -/-nen 62
sehen WEN/WAS sieht, sah, hat gesehen 16, 39, 51, 65
Sehenswürdigkeit die -en 62
Seidenmalen das 9
seit DATIV 17, 21, 22, 24, 29 ...
Seite *(im Buch)* die -n 73, 76, 86, 87
Sekretariat das -e 38
Sekretärin die -nen 13, 26, 39, 57, 61 ...
selbst 22, 24, 35, 49, 70 ...
selbstständig 52, 58
selbstverständlich 100
Selbstverständnis das 124
selten 46, 65
Seminar das -e 9, 55, 68, 69, 72 ...
Sen. (= Senior) 52
senden WEM WAS 69
senken WAS 111
Serie die -n 58
Serienbrief der -e 112
Serienfertigung die 58
Serienmodell das -e 58
seriös 52
Service der 11, 12, 70, 89, 96 ...
Sessel der - 26
sicher 21, 26, 64, 119
Sicherheit die 73, 74
Sicherungssystem das -e 59
Signalton der -töne 34, 49
singen (WAS) sang, hat gesungen 8, 46
sinken, sank, ist gesunken 121
Sinn *(= im weiteren Sinn)* der 84
sinnvoll 124
Situation die -en 23, 26, 27, 69
Sitz *(einer Firma)* der -e 59, 62, 63, 71, 72 ...
sitzen WO saß, hat gesessen 65, 72
Sitzgelegenheit die -en 26
Sitzkissen das - 32
Skizze die -n 33
so 9, 23, 37, 40, 41 ...
so: nicht so viel 39
so: so etwas 32
sofort 36, 68, 110, 111
sofortige_ 56
Software die 62, 84, 85, 89, 106
sog. (= sogenannt) 84
sogar 25
sogenannt 122
Sohn der Söhne 28, 45, 58
Solar(taschen)rechner der - 82
solche_ 23
sollen WAS soll, sollte, hat gesollt/ hat sollen 13, 22, 26, 34, 35 ...
sollen WOHIN soll, sollte, hat gesollt, sollen 40
Sommer der 65, 76, 112
Sommersprosse die -n 10, 17
Sonder-/sonder- 22, 86, 87, 106, 113
sondern 23, 52
sonntäglich 65
sonst 104, 111
sonstige_ 26, 28, 32, 44, 76 ...
sorgen FÜR WEN/WOFÜR 23, 70, 81
Sorte die -n 93
sortieren WAS 86
Sortiment das -e 117
sowie 22, 69, 104
sowohl ... als auch 8, 62, 84, 120
sozial 74
Sozialversicherung die -en 74
Spachtel die -n 82
Spalte die -n 56
spanisch/Spanisch 22
sparsam 74
Spaß der Späße 64
Spaß: Viel Spaß! 11, 108, 112, 113
spät 23, 27, 35, 51, 58 ...
später 22, 68
spätestens 23, 120
Spedition die -en 62
Speicher der - 84, 85
Speicherkapazität die -en 87
speichern WAS (WO) 84, 85, 87, 89
Speicherung die -en 85
Speiseplan der -pläne 72
Spezialist/in der/die -en/-nen 25, 80
Spezialpapier das -e 92

speziell 15, 39, 120
Spiel das -e 16, 21
spielen (WAS) 10, 12, 14, 16, 27 ...
Spitze: an der Spitze stehen 124
Spitzensport der 62
Spitzname der -n 58
Sport der 62, 63, 64, 65, 73 ...
Sporthalle die -n 16, 62, 63, 65
sportlich 14, 15, 25, 36, 52 ...
Sportstudio das -s 16
Sprache die -n 9, 20, 22, 23, 24 ...
sprechen MIT WEM (WORÜBER/ÜBER WEN) spricht, sprach, hat gesprochen 25, 38
sprechen VON WEM/WOVON spricht, sprach, hat gesprochen 45
sprechen WIE WAS spricht, sprach, hat gesprochen 8, 9, 13, 20, 25 ...
Sprung der Sprünge 60
Squash das 16, 17
Staatsbürger/in der/die -/-nen 22
Stadion das Stadien 62, 63
Stadt die Städte 16, 44, 62, 64, 65 ...
Stadtplan der -pläne 48
Staffel die -n 63
Stammtisch der -e 50, 51
Standard der -s 84, 85
Standort der -e 38, 62, 63
stapeln WAS (WIE) 83
stark *(= kräftig)* 58, 59, 64
stark *(Belegung)* 100
Start der -s 68, 89
starten *(PC-Programm)* 86, 88
Statement das -s 108
Statistik die -en 20
statt GENITIV 110
stattfinden WO fand statt, hat stattgefunden 16, 77, 96, 104, 106, 113
Stausee der -n 62
Steckdose die -n 82, 88
stecken WO 88
Stecker der - 32, 88
stehen *(in einem Text/Buch)* stand, hat gestanden 39, 58, 75, 113
stehen WO stand, hat gestanden 14, 32, 39, 47, 74 ...
stehen: Wie stehen die Chancen? 26
Stehlampe die -n 32, 82
steigen, stieg, ist gestiegen 59, 119
steigern (sich) 125
Stelle die -n 9, 13, 22, 25, 45 ...
stellen WAS WOHIN 33, 38, 40, 41
stellen *(Antrag)* 22
stellen *(Frage)* 16, 38, 100, 111
Stellenanzeige die -n 25
Stempel der - 105
Sterne: Zwei-/Vier-Sterne-Hotel 96
Steuer die -n 74
Steuerung die -en 59, 76, 87
Stichpunkt der -e 58
Stichwort das -wörter/-worte 25, 29, 58, 65, 72, 74 ...
stilistisch 112
still 108
Stillarbeit die -en 108, 109
stimmt: Das stimmt (nicht) 57, 63
Stimmung die -en 34
Stipendium das Stipendien 24
Stock der Stockwerke 44
stören (WEN/WAS) 27, 38
stornieren WAS 110, 112
Störung die -en 26, 84, 88
strahlungsarm 85
Strom der Ströme 74, 88, 89
Strophe die -n 8
Struktur die -en 62, 73
Stück: 1000 Stück 17, 58
Stück: am Stück 25
Stückzahl die -en 58
Student/in der/die -en/-nen 23, 61, 104
studieren (WAS) 61
Studium das 9, 24, 28, 35, 61 ...
Stuhl der Stühle 26, 27, 32, 65
Stunde die -n 12, 17, 20, 24, 25 ...
suchen WEN/WAS 8, 13, 17, 24, 41 ...
Süddeutschland (das) 98
Süden: im Süden von ... 10
Surfbrett das -er 65
surfen 65
Surfer/in der/die -/-nen 65
sympathisch 14, 51, 52, 65
System das -e 58, 59, 76, 81, 84 ...

T

T'ai Chi das 9, 17
tabellarisch 28, 44
Tabelle die -n 9, 24, 28, 52, 59 ...
Tafel die -n 73
Tag der -e 13, 16, 17, 22, 23 ...
Tag: Tag für Tag 62
Tagesordnung die -en 76
täglich 24, 65, 104, 108
tagsüber 21
Tagung die -en 100
Taktfrequenz die 84, 85
Tal das Täler 62
Talent das -e 25
tanzen 46
Tasse die -n 32
Tastatur die -en 84, 85
Taste die -n 84, 86, 87
Tastenblock der -blöcke 84
tätig 70, 73
Tätigkeit die -en 28, 56, 60, 69, 70 ...
Tatkraft die 56
Team das -s 25, 61
Technik: die 55, 64, 65, 106, 122 ...
Techniken PLURAL 105
Techniker/in der/die -/-nen 56, 60, 61, 80, 87 ...
technisch 24, 28, 56, 62, 82 ...
Technische Akademie die 56
Tee der -s 26, 53
Teeküche die -n 53
Teil der -e 51, 53, 69, 108, 111 ...
Teil der/das -e 28, 62, 63, 70, 71 ...
Teil: zum Teil 22, 25, 41
Teilnahme die 22, 76
teilnehmen WORAN nimmt teil, nahm teil, hat teilgenommen 21, 22, 26, 38, 68 ...
Teilnehmer/in der/die -/-nen 77, 84, 108, 109, 112 ...
teilweise 74
Telefax das -e 14, 37, 39, 83
Telefon das -e 9, 22, 33, 34, 35 ...
Telefonat das -e 95
Telefonbuch das -bücher 32
telefonieren MIT WEM 13, 14, 17
telefonisch 9, 38, 39, 92, 98 ...
Telefonist/in der/die -en/-nen 13
Telefonnotiz die -en 94
Tennis das 17
Teppich der -e 32, 82, 83
Termin der -e 14, 17, 26, 32, 34 ...
Terminerfüllung die 120
Terminkalender der - 32, 39, 50
Test der -s 11, 26, 28, 76, 80 ...
testen WEN/WAS 23, 70, 71
teuer 27, 47, 85, 99
Teufelskreis der -e 27
Text der -e 9, 10, 14, 17, 22 ...
Textbaustein der -e 80, 113
Textverarbeitung die 81
Theater das - 62, 63, 64, 65
Thema das Themen 53, 104, 109
Ticket das -s 22, 81
Tiefgarage die -n 44
Tier das -e 13, 25
Tipp der -s 16, 73, 74
Tisch der -e 32, 33, 45
Tochter die Töchter 45
Tochtergesellschaft die -en 58
todmüde 16
Toilette die -n 5, 53
toll 60
Top-/top- 44
Tor das -e 62, 69, 70
Tour die -en 25
Touristik die 25
Trackball der -s 84
Tradition die -en 62
traditionell 118
traditionsreich 62, 63
tragen *(Kleidung)* trägt, trug, hat getragen 15, 73
Tragfähigkeit die 124
Trainee der/die -s 28
Training das -s 104
transportierbar 124
Traumberuf der -e 8
treffen (sich) (WO) trifft sich, traf sich, hat sich getroffen 62, 65
treiben *(Sport)* trieb, hat getrieben 64, 65
trennen (sich) VON WEM/WOVON 65
trinken WAS trank, hat getrunken 26
trotz GENITIV 97
trotzdem 17, 111
tschechisch/Tschechisch 116
tun WAS tat, hat getan 22, 23, 39, 41, 45 ...
tun: zu tun haben MIT WEM/WOMIT 13, 74, 116
Tür die -en 33
Typ der -en 25, 84, 85

U

u.a. (= unter anderem) 62
U-Bahn die -en 62
üben WAS 16
über WIE VIEL 62, 63
Überblick der -e 22, 44
übereinstimmen (MIT WEM/WOMIT) 121

überfliegen WAS überflog, hat überflogen 56, 74
überlegen (WAS) 97, 110
übermorgen 41, 45, 49
Übernahme die -n 118
übernehmen WAS übernimmt, übernahm, hat übernommen 25, 44, 49, 56, 58 ...
überprüfen WAS 48, 80, 87, 106
Überprüfung die -en 70
überregional 117
überreichen WEM WAS 76
Überreichung die 70
überschaubar 124
Überschrift die -en 116
übersetzen WAS 24
Übersetzung die -en 23
Übersicht die -en 20
übersteigen WAS überstieg, hat überstiegen 122
Überstunde die -n 75, 76
übertragen WEM WAS übertrug, hat übertragen 56
überwachen WEN/WAS 13
überwiegend 125
üblich 25, 58
übrigens 16, 50
Übung die -en 29, 45, 59, 104, 105 ...
Uhr die -en 32, 74, 77
Uhrzeigersinn der 27
Uhrzeit die -en 77
um ... zu ... 83, 85, 87
um: um WIE VIEL zunehmen 116
Umbau der -bauten 56
umfangreich 125
umgeben WAS umgibt, umgab, hat umgeben 62
Umgebung die -en 62, 65
Umgebungsplan der -pläne 100
umgehend 112
Umkreis der -e 62
Umlauf der -läufe 111
Umlaut der -e 8
Umsatz der -sätze 116, 125
umsetzen WIE VIEL 125
umstellen WAS 51
umweltfreundlich 62
Umweltschutz der 73
unangenehm 12, 37, 41
unauffällig 15
unbedingt 21, 23, 46, 107
unbequem 12, 97
unerlaubt 74, 110, 111
Unfall der -fälle 23
unfreundlich 12, 96
ungenau 117
ungewöhnlich 14
unglaublich 57
ungünstig 12, 25, 97, 125
Universität die -en 22, 61, 62
unklar 46, 51
unmittelbar 122
Unordnung die 35
unpraktisch 33
unregelmäßig 59
Unsinn der 49
unten 11, 70, 77, 83, 84 ...
unter WIE VIEL 62, 63

unterbrechen WEN/WAS unterbricht, unterbrach, hat unterbrochen 36, 53
Unterbrechung die -en 26
unterbrechungsfrei 88
unterbreiten: ein Angebot unterbreiten 92
unterbringen WEN (WIE/WO) brachte unter, hat untergebracht 12, 84, 100
Unterbringung die -en 104
unterhalten (sich) (ÜBER WEN/WORÜBER) unterhält sich, unterhielt sich, hat sich unterhalten 36, 83, 109
Unterkunft die -künfte 12, 69
Unterlage die -n 23, 25, 35, 76, 81 ...
Unternehmen das - 21, 56, 57, 58, 59 ...
Unternehmensform die -en 53
Unterricht der 104
unterscheiden (sich) (VON WEM/WOVON) unterschied sich, hat sich unterschieden 84
Unterschied der -e 84
unterschiedlich 84, 108
unterschreiben (WAS) unterschrieb, hat unterschrieben 40, 41, 92
Unterschrift die -en 69, 105
unterstreichen WAS unterstrich, hat unterstrichen 59
Unterwäsche die 15
unterwegs 12, 25
unterweisen WEN unterwies, hat unterwiesen 80, 81
Unterzeichner/in der/die -/-nen 93
Unterzeichnung die -en 122
Urlaub der -e 28, 48, 65, 74
Ursache die -n 88
USV (= Unterbrechungsfreie Stromversorgung) die 88, 89
usw. (= und so weiter) 62, 84

V

vage 117
Vase die -n 32
Vater der Väter 22, 28, 47, 56
vegetarisch 108
verabschieden (sich) (VON WEM) 45
Verabschiedung die 48, 76
veranstalten WAS 108
Veranstaltung die -en 45, 105
verantwortlich 56
Verantwortung die 25, 74, 106
verarbeiten WAS 62, 84, 85
Verarbeitung die 81, 84, 85
Verb das -en 22, 59
verbessern WAS 21, 22, 89, 111
Verbesserung die -en 56, 73
verbinden *(telefonisch)* WEN (MIT WEM), verband, hat verbunden 34, 45
verbindlich 112
Verbindung *(Verkehr)* die -en 72, 96
verboten 74, 75
verbringen *(Zeit)* verbrachte, hat verbracht 81, 108
verbunden WOMIT 39
verdienen *(Geld)* 27
verdienen: etwas verdient haben 57
Verdienst der 65
verdoppeln WAS 58, 122
Verein der -e 62

vereinbaren WAS 45, 49 50 51, 83 ...
vereinfachen WAS 105, 111
Vereinigung die -en 62
Verfahren das - 109
verfügen WORÜBER/ÜBER WEN 124
Verfügung: zur Verfügung stehen 62, 108, 125
Vergangenheit die 58
vergeben *(= verteilen)* WAS vergibt, vergab, hat vergeben 109
vergehen *(Zeit)* verging, ist vergangen 120
vergessen WEN/WAS vergisst, vergaß, hat vergessen 23, 26, 35, 50, 69 ...
Vergleich der -e 101, 121
vergleichen WEN/WAS MIT WEM/WOMIT verglich, hat verglichen 22, 37, 39, 44, 47 ...
vergrößern WAS 51, 86, 87
Verhältnisse *(Lichtverhältnisse)* PLURAL 89
verhandeln WORÜBER 104
verheiratet 29, 46, 52, 56
verhören (sich) 37, 94
Verkauf der -käufe 36, 39, 44, 58, 73 ...
verkaufen (WEM) WAS 50, 51
Verkäufer/in der/die -/-nen 13, 37, 50, 68
Verkehr der 16, 62, 72, 73
verkehrsgünstig 96, 97
Verkehrsverbindung die -en 16, 62, 72
verkleinern WAS 86, 87
verkürzen WAS 113
verlangen WAS 56, 74, 75
Verlängerungskabel das - 32
verlassen WEN/WAS verlässt, verließ, hat verlassen 22, 72, 74
verlassen (sich) WORAUF/AUF WEN verlässt sich, verließ sich, hat sich verlassen 95
Verlauf der -läufe 87, 116
verlaufen *(Gespräch)* verläuft, verlief, ist verlaufen 82
verlaufen (sich) verläuft sich, verlief sich, hat sich verlaufen 37
verlegen *(= an einen falschen Platz legen)* WAS 95, 118
verlegen *(auf einen anderen Termin/ in einen anderen Raum)* WAS 110
verliebt (IN WEN/WORIN) 57, 65
verlieren WAS verlor, hat verloren 25, 62, 95, 110
verloren gehen, geht verloren, ging verloren, ist verloren gegangen 89
vermeiden WAS vermied, hat vermieden 89, 110
Vermietung die -en 44
vermitteln WEM/WAS 44
vermuten WAS 72, 107
vernichten WAS 88
vernünftig 51, 97
veröffentlichen WAS 117
Verpackung die -en 76
verrechnen (sich) 37
verrückt 47, 51
Versand der 15, 39, 56, 70, 71 ...
Versandpapiere PLURAL 35
verschicken WAS 80
verschieben WAS verschob, hat verschoben 39, 48, 49, 50, 51 ...
verschieden 8, 28, 87

verschlucken (sich) 37
verschreiben (sich) verschrieb sich, hat sich verschrieben 37, 94
Versehen das - 39
versehentlich 111
versetzen WEN 56, 57, 60, 64
Versetzung die -en 56, 65
Versicherung die -en 22, 23, 74, 118
versorgen WEN WOMIT 122
Versorgung die 88, 89
verspätet 22
Verspätung die -en 120
versprechen (sich) verspricht sich, versprach sich, hat sich versprochen 37
verständigen WEN (WOVON) 40
Verständnis das 49, 74, 100, 113
verstehen WAS WORUNTER verstand, hat verstanden 20, 65, 84
verstehen WEN/WAS (WIE) verstand, hat verstanden 12, 26, 36, 47, 51 ...
verstehen WIE VIEL WOVON verstand, hat verstanden 25
Versuch der -e 11, 61, 63, 70, 73 ...
versuchen WAS 17, 47, 82
verteilen WAS 63, 106
Verteilung die -en 106
vertippen (sich) 37
Vertrag der -träge 50, 89, 118
vertreiben *(Waren)* vertrieb, hat vertrieben 74, 117
vertreten *(Interessen)* vertritt, vertrat, hat vertreten 74
Vertreter/in der/die -/-nen 48, 50, 120
Vertretung die -en 74, 76
Vertrieb der 9, 11, 45, 70, 73 ...
vervollständigen WAS 107
verwählen (sich) 37
Verwaltung die -en 44, 70, 72, 83, 105 ...
verwechseln WEN/WAS 111
Verwechslung die -en 37
verwendbar 88
verwenden WAS 8, 56, 74, 81
verwirklichen WAS 120
Verzögerung die -en 39
Video das -s 82
viel 16, 21, 27, 44, 51 ...
Vielfalt die 104, 125
vielleicht 9, 13, 24, 25, 45 ...
vielseitig 117
Vielzahl die 56
Viertel das - 73
Viertel: Viertel vor zehn 12
vierwöchige_ 22
Visitenkarte die -n 32
visualisieren WAS 109
Visum das Visa 22
Volkshochschule die -n 62
voll 25, 50
völlig 46
vollständig 84
Volumen das Volumina 117
vor 19, 61
vor: vor allem 22, 74
Vorankündigung die -en 110
vorbereiten WEN AUF WAS 89, 94, 106, 107, 111
Vorbereitung die -en 81, 106, 107
Vorderseite die -n 84
Vorgang der -gänge 80, 86, 87
vorgesehen 74, 122
Vorgesetzte der/die -n 74, 111
vorgestern 73
vorhaben WAS hat vor, hatte vor, hat vorgehabt 16, 80
vorhanden 32
vorher 22, 23, 38
vorige_ 25
Vorjahr das -e 116
vorkommen, kam vor, ist vorgekommen 45, 72, 76, 120
vorlegen WEM WAS 68, 69, 73
vormerken WAS 112
Vormerkung die -en 112
Vormittag der -e 39, 48
vormittags 104
vorn(e) 33
Vorname der -n 71, 105
vornehmen *(= machen)* WAS nimmt vor, nahm vor, hat vorgenommen 110
Vorort der -e 44
Vorschlag der -schläge 46, 50, 56, 73, 81 ...
vorschlagen (WEM) WAS schlägt vor, schlug vor, hat vorgeschlagen 38, 45, 49, 76, 105 ...
Vorschrift die -en 72, 75
Vorsicht die 84
vorstellen (WEM) WEN 9, 11, 14, 17, 21 ...
vorstellen: Darf ich vorstellen? 9
vorstellen (sich) WEN/WAS WIE 65
Vorstellung *(= Idee)* die -en 45
Vorstellung die -en 26, 27, 45, 48, 50 ...
Vorteil der -e 25, 65
Vortrag der -träge 13, 65, 80, 81, 108 ...
vortragen (WEM) WAS trägt vor, trug vor, hat vorgetragen 8, 44, 109
Vorwahl die 9, 99
vorwärts 8, 17, 28
vorzeigen WAS 75
Vorzug der -züge 125

W

Waage die -n 82
wachsen, wächst, wuchs, ist gewachsen 36
Wagen der - 40, 41, 58
Wahl die 25
wählen WAS 22, 23, 24, 28, 29 ...
wahr 57
während GENITIV 74, 100
wahrscheinlich 68, 88
Währung die -en 125
Wald der Wälder 62, 63, 65
Waldlauf der -läufe 17
Wand die Wände 109
wandern, wanderte, ist gewandert 64, 80
Wanderung die -en 64
Wanderweg der -e 62
Wandzeitung die -en 108, 109
wann? 12, 17, 28, 29, 59 ...
Ware die -n 13, 37, 40, 92, 117 ...
warnen (WEN) WOVOR/VOR WEM 119
warten (AUF WEN/WORAUF) 27, 35
warten *(Maschinen)* 71
Wartung die 48, 62, 70, 71
Wartungsdienst der -e 48
warum? 13, 20, 21, 22, 23 ...
was? 14, 16, 17, 20, 22 ...
Waschbecken das - 32, 33
Wasser das 62, 64, 65, 74
WC das -s 96, 101
Wechsel *(des Arbeitsplatzes)* der - 64, 74
Wechselkurs der -e 12
wechseln WAS 57
weder ... noch 8
Weg der -e 48
weg sein, ist weg, war weg, ist weg gewesen 25, 39
wegen GENITIV 97, 106, 107
weggehen, ging weg, ist weggegangen 34
wegmüssen, muss weg, musste weg, hat weggemusst 50
wegwerfen WAS (WOHIN) wirft weg, warf weg, hat weggeworfen 110, 111
weiblich 74
weil KONJUNKTION 21, 22, 23, 24, 25 ...
weiß 15, 41
weit 12, 99
weit WOVON 12, 46, 62
weiter 22, 72, 73, 74
Weiterbildung die 74
weitere_ 13, 23, 56, 58, 60 ...
weiterentwickeln WAS 84
weiterhelfen WEM hilft weiter, half weiter, hat weitergeholfen 108
weiterhin 60, 73, 116
welche_? 20, 58, 60, 62, 70 ...
Welt die -en 47, 58, 62, 80
weltweit 73
Wendung die -en 8, 11, 60
wenig 22, 24, 27, 47, 51 ...
wenigstens 8
wenn KONJUNKTION 8, 27, 41, 46, 50 ...
werben (WOFÜR) wirbt, warb, hat geworben 107
Werbung die 104
werden WAS *(von Beruf)* wird, wurde, ist geworden 41
werden WIE wird, wurde, ist geworden 41, 57, 65
Werk *(= Betrieb)* das -e 56, 58, 62, 63, 64 ...
Werkschutz der 70, 72, 74
Werkstatt die -stätten 13, 61, 82
Werkszeitschrift die -en 56, 74
Werkzeug das -e 60, 81, 82
Werkzeugmacher/in der/die -/-nen 60
Wert: Wert legen WORAUF 62, 96
wertvoll 56
weshalb? 17
Westen: im Westen von ... 10
Wettbewerb der -e 61, 84, 118
Wetter das 12
wichtig 10, 23, 28, 34, 41 ...
wie? 12, 20, 26, 35, 37 ...
wie: so bald wie möglich 39
wie: wie alt, wie gut 20, 36
wieder 16, 34, 47, 64
wiederholen WAS 16, 22
Wiederhören: Auf Wiederhören 45
wieder verwenden WAS 56
wie lange? 12, 16, 17, 20, 27 ...
wieso? 46, 111
wie viel? 17, 27, 52

wievielte_ 29
Wille der 49
Willen: beim besten Willen 49
willkommen 12
wirklich 25, 41, 49, 60, 82 ...
Wirkung: mit sofortiger Wirkung 56
Wirtschaft die 21, 116
wirtschaftlich 117
Wirtschaftlichkeit die 125
Wirtschaftsteil der -e 118
wissen WAS (VON WEM/WOVON) weiß, wusste, hat gewusst 22, 23, 38, 40, 47 ...
Wissenschaft die -en 9
Woche die -n 17, 22, 24, 29, 52 ...
Wochenende das -n 104, 107
wöchentlich 24
wofür? 35
woher? 17
wohin? 17, 38, 64
wohl 88
wohl fühlen (sich) 65
wohnen WO 8, 46, 52, 63, 65 ...
Wohnort der -e 65
Wohnsitz der -e 22
Wohnung die -en 44, 64, 65
wollen WAS will, wollte, hat gewollt/ hat wollen 20, 21, 22, 23, 25 ...
womit? 17
worauf? 35
Wort das Wörter/Worte 8, 11, 16, 47, 65 ...
Wort: in Wort und Schrift 20
Wörtchen: MIT WEM ein Wörtchen reden 110
Worte: mit eigenen Worten 85
Wörterbuch das -bücher 23
wörtlich 16
worüber? 35
wozu? 25
wundern (sich) ÜBER WEN/WORÜBER 34, 41
Wunsch der Wünsche 22, 23, 35, 45, 106 ...
wünschen WEM WAS 11, 23, 45, 56, 73 ...

Y

Ypsilon das 8

Z

Zahl die -en 21, 34, 36, 44, 53 ...
zahlen WAS/WOFÜR (WIE VIEL) 65, 93
zählen WAS/BIS WOHIN 8, 62
zahlreich 62
Zahlung die -en 50, 80
Zahlungsverkehr der 111
Zahlungsweise die -n 93
Zahnarzt der -ärzte 49
Zange die -n 82
z.B. (= zum Beispiel) 22, 23, 45, 46
Zeichen: unser Zeichen 69, 100
zeichnen (WAS) 80, 83
Zeichnung die -en 84
zeigen WEM WAS 34, 35, 52, 70, 73 ...
zeigen (sich) WIE/ALS WAS 120
Zeile die -n 39, 58
Zeit die -en 21, 23, 27, 35, 38 ...
Zeit: Es ist höchste Zeit. 47
Zeit: zur Zeit 8
Zeitdauer die 20
Zeitlang die 20, 21, 22, 23
Zeitmanagement das 104, 105
Zeitpunkt der -e 47
Zeitraum der -räume 23, 58
Zeitschrift die -en 56, 73, 74, 116
Zeitung die -en 14, 80, 120
zentral 62, 96
Zentrale die -n 13
Zentraleinheit die -en 84, 85, 87
Zentrum das Zentren 44, 62, 63
Zertifikat das -e 21, 23, 24
Zettel der - 76, 113
Zeugnis das -se 22, 61, 68
z.Hd. (= zu Händen) 100
Ziel das -e 89, 104, 107, 108
ziemlich 35, 50, 99, 104
Zimmer das - 12, 32, 33, 44
Zoll *(= Maßeinheit)* das 84
Zone die -n 72
zu viel 22
zuerst 22, 37, 41, 87, 89 ...
zufrieden 96, 120
Zug der Züge 17
Zugehörigkeit die 70
zugleich 124
zuhören (WEM) 72
zukommen lassen WAS lässt ..., ließ ..., hat ... lassen 112
Zukunft die 80, 110
zukunftssicher 65
zulässig 74
zuletzt 65, 80, 87
Zulieferbetrieb der -e 62
Zulieferer der - 62
zunächst 44, 56, 58, 87, 124
Zunahme die 117
zunehmen, nimmt zu, nahm zu, hat zugenommen 36, 117
zuordnen WEM WAS 38, 69, 80, 83, 86 ...
Zuordnung die -en 109
zurück 50
zurückfahren (WOHIN) fährt zurück, fuhr zurück, ist zurückgefahren 52
zurückkommen (WOHIN) kam zurück, ist zurückgekommen 61
zurücklehnen (sich) 72
zurückrufen *(telefonisch)* WEN rief zurück, hat zurückgerufen 46
zurückstellen WAS (WOHIN) 14
zurückzahlen (WEM) WAS 111
Zusage die -n 26
zusagen (WEM) WAS 39
zusammen MIT WEM/WAS 65, 84, 109
zusammen sein MIT WEM ist zusammen, war zusammen, ist zusammen gewesen 47
Zusammenarbeit die 60, 70, 71, 76, 118 ...
zusammenarbeiten (MIT WEM) 17, 41, 47, 64, 70 ...
zusammenbauen WAS 80
zusammenbrechen, bricht zusammen, brach zusammen, ist zusammengebrochen 88, 89
zusammenfassen WAS 20
zusammengehören 74
zusammengehörig 17
zusammenkommen MIT WEM/WO kam zusammen, ist zusammengekommen 109
zusammenpassen 17, 21, 23, 35, 38, 89, 93
zusammenstellen WAS 76
zusammentragen WAS trägt zusammen, trug zusammen, hat zusammengetragen 9
zusätzlich 50
Zuschauer/in der/die -/-nen 62
Zustand der -stände 44
zuständig WOFÜR 11, 16, 39, 45, 49 ...
Zuständigkeit die -en 11, 16, 71
zustimmen WEM 119
Zustimmung die 105
Zuwachs der -wächse 122
zwanglos 109
zwar: und zwar 87
zwei: zu zweit 16, 17, 108
Zweigniederlassung die -en 69
Zweigwerk das -e 17, 55, 56, 59, 60
zweijährige_ 56
zweimal 17, 24
Zweisitzer der - 58
zweit: zu zweit 16, 17, 21, 59, 97 ...
zweite_ 20, 24, 28, 29, 58 ...
zweitens 21, 25, 44
Zwischenfall der -fälle 26, 101
zzgl. (= zuzüglich) 104